" 나쁜엄마 " 를 사랑해 주셔서 감사합니다 ~
정말정말 행복한 5月 이었습니다
이따 만나요 ♡

배우 라미란

배우 이도현

배우 안은진

나쁜엄마

나쁜엄마

②

RHK
알에이치코리아

감독의 말

배세영 작가님을 처음 만났던 때가 기억이 나네요.
김소정 이피님과 연다영 기획 피디님이 저와 작가님이
너무 잘 맞을 것 같다며 소개해 주셨죠. 만난 지 얼마 되지 않아서 시간
가는 줄도 모르고 즐겁게 이야기하며, 저는 작가님의 인간적인 매력에
푹 빠졌습니다. 늘 재미있는 이야기가 넘쳐나는 작가님!
작가님의 작품에 대한 진심, 성실함, 위트 있는 아이디어.
그 매력이 모두 담겨 있는 작품 〈나쁜엄마〉를 만났죠.

누군가는 다소 촌스럽다 할 수 있었고,
멋진 로맨틱 남자 주인공이 있지 않아서 재미없다고 할 수 있었고,
이런 소재가 요즘 사람들에게 흥미를 끌 수 있을까? 하는 우려가 있을
수 있었지만.

분명히 좋은 드라마가 될 수 있었다고 믿었던 것은 기본기 탄탄한
배세영 작가님의 글이 있었기 때문이었습니다.
안 울어야지… 하면서 어느 새 울고 있고, 안 웃어야지… 하면서
이미 웃고 있는 〈나쁜엄마〉의 매력은 시청자들에게 고스란히

전해졌을 겁니다. 아니 제가 더 전달했어야 했는데 부족했습니다.
글로 읽었을 때 더 재미있고 감동적이었던 그 첫 느낌을 대본집을 통해
느끼실 수 있게 되어 정말 다행입니다.

그저 즐겁게 읽어주시고, 이 안의 캐릭터들을 더욱더 많이
사랑해 주세요. 어딘가에 살고 있을 것만 같은 우리 영순, 강호, 미주,
삼식, 그리고 조우리 마을 사람들. 우리 쌍둥이 아가들. 벌을 받고
있을 테지만 송 회장과 오태수, 오하영, 귀여운 악당 트롯백. 그리고
작지만 큰 모든 캐릭터들… 우리 사자, 호랑이, 누렁이 등등. 대본으로
만나보시면 더 따뜻하고 재미있는 이야기가 펼쳐질 거라 확신합니다.

제작진과 스탭들 모두가 애정했던 대본. 모두가 정말 열심히 촬영해
탄생한 작품입니다. 이 자리를 빌려 감사의 말씀을 드립니다.
제가 영상으로 다 담아내지 못했던 이야기들. 배세영 작가님의 대본을
통해서 더 재미있게 〈나쁜엄마〉를 다시 만나보시길 바랍니다.

연출 심나연

<일러두기>

1. 이 책의 편집은 작가의 드라마 대본 집필 형식을 최대한 따랐습니다.
2. 단어, 표현, 구두점 등이 표준한국어맞춤법과 다르더라도 입말 표현을 살렸습니다.
3. 말줄임표와 띄어쓰기는 맞춤법과 다른 부분이라 해도 대사 시 호흡의 양을 다양하게
   표현하고자 한 작가의 의도를 반영했습니다.
4. 이 책은 방송 전 집필한 대본으로 연출에 의해 방송된 영상물과 다소 차이가 있습니다.

나쁜엄마

기획의도

세상에는 참 재밌고 좋은 이야기들이 많다.

완벽하게 짜여진 서스펜스 스릴러, 감각세포들을 간질여주는 로맨스,

상상력의 끝판왕 SF판타지, 형사, 법정, 의학 등 온갖 장르물.

그런 이야기들을 보며 생각했다.

나는 어떤 이야기를 쓰고 싶은 작가인가?

우리는 가상현실, 인공지능, 사물인터넷 등 혁신적인 문명이

휘몰아치는 요즘을 살고 있다. 소통하고 협력하며 인내하고 배려하지

않아도 원하는 것을 즉각적으로 얻을 수 있는 획기적인 신문물 앞에서

우리는 병적으로 열광하거나 따라가지 못해 도태되는 양극의 삶을

살게 된 것이다.

이젠 지식과 정보로 무장된 MZ세대뿐 아니라 대다수의 사람에게도

벌써 공감과 배려라는 말은 어쩐지 낯설고 억울하기까지 한 말이

되어버린 것 같다.

공감과 배려… 그리고… 이 모든 것을 가능하게 하는 것… 사랑.

나는 사랑에 대한 이야기를 하고 싶었다.

언뜻 들으면 너무나도 촌스럽고 관념적으로 들리는 말이다.

하지만 사랑이야말로 각박하고 단절된 이 시대를 살아가는 우리에게

가장 필요한 것이 아닌가 싶다. 우리는 사랑을 할 때 살아 있음을

느낀다. 사랑을 받을 때 천군만마를 등에 업은 것처럼 용기가 난다.

〈나쁜엄마〉는 그 사랑에 대한 이야기다.

〈나쁜엄마〉에는 수많은 사랑이 등장한다.

운명처럼 스며들어 팍팍했던 강호의 삶에 숨통을 틔워준 첫사랑.

사랑하는 사람을 위해선 모든 것을 다 내어주는 미주의 뜨거운 사랑.

아랑곳하지 않고 한 사람만을 바라보는 삼식의 외눈박이 짝사랑.

서로 의지하며 긴 세월을 함께한 이장, 청년회장 부부의 단단한 사랑.

가족처럼 걱정하고 보듬어주는 조우리 사람들의 따뜻한 사랑.

그리고… 이 세상에서 가장 보편적이고도 절대적인 사랑…

바로 자식을 향한 엄마의 사랑.

기획의도   11

이 사랑은 유일하게 엄마만이 자식에게 줄 수 있는 영원불변의 불사조
사랑이다. 고된 시련 속에서도 꺾이거나 변하지 않는 자식을 향한
엄마의 사랑을 우린 모두 알고 있다. 엄마에게 받았던 그 사랑을
떠올린다면 이 힘든 시대의 초라한 점 같이 느껴지는 지금의 내가
얼마나 사랑스럽고 가치 있는 사람이었는지 기억하게 될 것이다.

우리들의 이야기인 〈나쁜엄마〉가 이 각박한 시대의 사람들에게
작은 희망이 되었으면 좋겠다.
창고에 유일하게 혼자 살아남아 영순의 희망이 되었던 엄마 돼지처럼.

나쁜엄마
🐷

인물 관계도

진영순

아들이 곧 세상, 나쁜 엄마

최강호

서울중앙지검 검사

방삼식

마을 사고뭉치

이미주

강호 바라기

정씨

미주 엄마

박씨

삼식이 엄마

청년회장

삼식이 아빠

예진

쌍둥이 딸

서진

쌍둥이 아들

이장

마을 이장

이장 부인

호랑이 엄마

양씨

양조장 주인

트롯백

표절 작곡가

안드리아

행복한 농장
외국인 알바생

나쁜엄마

──────── 가족		
── ── ── ── 애정		
·················· 대립		

오하영
강호 약혼녀

오태수
차기 대권주자

송우벽
우벽그룹 회장

황수현
오태수 내연녀

소지석
우벽그룹 소 실장

차승언
우벽그룹 차 대리

선영
미주네 네일샵 동업자

호랑이
이장댁 강아지

사자
강호네 반려돼지

인물 관계도

15

용어 정리

씬   Scene. 같은 장소와 시간에 이루어지는 상황이나
행동, 대사, 사건이 나타나는 한 장면을 의미합니다.

D/N   낮/밤. 씬 내의 시간대를 의미합니다.

몽타주   편집된 장면들을 짧게 끊어 붙여서 의미를 전달하는
화면을 말합니다.

Na   Narration. 화면 속 소리와 별도로 밖에서 들려오는
등장인물의 설명체 대사를 말합니다.

V.O   Voice Over. 주로 등장인물은 보이지 않고 화면
밖에서 음향이나 대사를 전달할 때 사용합니다.

CUT TO   씬 내에서 화면이 전환될 때 사용합니다.

인서트   Insert. 씬 안에서 다른 씬을 넣을 때 사용합니다.

플래시백   Flash Back. 과거 씬을 불러오는 것. 주로 회상하는
장면이나 사건의 인과를 설명할 때 넣습니다.

F   Filter. 필터를 거쳐 들리는 소리를 나타냅니다.

E   Effect. 대사와 음악을 제외한 효과음을 뜻합니다.

C.U.   Close Up. 배경이나 인물의 일부를 화면에 크게
나타내는 영상 기법입니다.

나쁜엄마

EPISODE
8

하지만 어머니, 이것만은 꼭 알아주세요.
비록 몸은 이렇게 멀리 떨어져 있지만 제 마음만은 늘
아버지 어머니와 셋이 함께했던 그 추억 속에
고스란히 머물러 있다는 것을요.

1.   영순네, 마루 / D

영순의 다리를 번쩍 안아 들고 서 있는 강호. 놀란 눈으로 그런 강호를 멍하니 보는 영순.

영순   가… 강호… 너….

영순 허겁지겁 밧줄에서 목을 빼내더니 강호 다리를 보고는 환한 얼굴로 다시 강호를 본다.

영순   너… 지금….

순간, 자기의 다리를 스르르 내려다보는 강호. 놀라 눈이 커지더니 영순을 놓고 쿵! 휠체어에 앉아버린다. 그 바람에 어이쿠! 엉덩방아를 찧으며 뒤로 넘어지는 영순. 하지만 이내 환하게 웃으며 얼른 무릎으로 강호에게 기어 온다.

영순   (강호 다리를 어루만지며) 맞지?… 방금 일어선 거지? 그치?

하지만, 슬픔과 원망이 가득한 눈으로 영순을 노려보고만 있는 강호.

영순   (홱 강호를 껴안더니) 아아… 여보! 우리 강호가… 감사합니다…
          감사합니다… (강호를 보며) 다시 해봐… 응?… 다시 일어나봐
          강호야.

영순, 강호를 안아 일으키려 하는데… 순간, 그런 영순을 밀어내는 강호.
서까래에 매달려 있는 밧줄을 노려본다.

영순   (밧줄을 한 번 돌아보더니 다가오며) 아… 강호야… 저건….

순간, 강호… 휠체어를 밀어 뒤로 물러서더니… 홱 돌아서 나가버린다.

영순   가… 강호야… 강호야.

허겁지겁 따라나오는 영순, 발을 헛딛고 넘어지고 만다. 얼른 다시 일어나
대문을 나오는 영순. 하지만 쏟아지는 빗속에 강호는 사라지고 없다.

영순   강호야!! 최강호!!!

먼 곳을 향해 소리 지르며 달려나가는 영순.

2.   마을 일각 / D

비를 맞으며 정신없이 달리고 있는 강호. 박씨네를 지나… 이장 집을 지나…
논밭을 지나… 하천을 지나… 어디로 가는 건지 자신도 모른 채… 계속해서
달리고 또 달린다. 그렇게 한참을 온 동네를 달리고 달리고 또 달리는
강호의 앞에 어렴풋이 나타나는 한 사람. 점점점 가까워지며 또렷해지는
그 사람은… 우산을 든 미주다. 우뚝 멈춰 서는 강호… 미주를 보자 급격히
눈시울이 붉어진다. 순간, 그대로 미주에게 달려가는 강호. 미주의 배에
머리를 기대고는 허엉허엉 아이처럼 울음을 쏟아낸다. 당황스러운 얼굴로
그런 강호를 가만히 보는 미주. 손을 들어올리다 멈칫. 그대로 허공에 멈춰서
바들바들 떨리는 미주의 손….

3.   **마을 정자 / D**

처마 끝에서 비가 뚝뚝 떨어지는 정자에 앉아 저 멀리 냇물을 바라보는 강호.
갑자기 머리가 아픈 듯 잠시 머리를 싸매고 힘들어한다.

미주   손톱 봐봐….

강호, 고개를 돌려보면 네일아트 용품이 든 가방을 들고 와 강호 앞에
앉는 미주. 강호가 손을 내밀자 찢어져 있는 손톱. 미주, 가방에서 용품들을
꺼내 조심스럽게 손톱을 치료해 주기 시작한다. 숨 막힐 듯한 침묵이 한동안
이어지나 싶더니… 미주가 입을 연다.

미주   일단 붙이긴 했는데… 다시 찢어질 수 있어. (노란 매니큐어
               꺼내더니) 이걸로 표시해 줄 테니까… 될 수 있음 다친 손톱에
               무리가지 않게… 조심해.

미주, 다친 손톱에 노란 매니큐어를 칠하기 시작한다. 가만히 미주를 보던
강호가… 천천히 입을 연다.

강호   …엄마가 …나를… 버렸어요.

미주   (강호를 올려다본다) ….

강호   …나를 모르는 데다 두고 혼자서 좋은 데 간다고 도망갔어요.

미주   좋은 데? 그게 어딘데?

강호   (힘없이 고개 젓더니) 몰라요…. 근데… 나랑 같이 살 수 없는
               곳이랬어요.

순간, 농약이 든 봉지를 미주에게 건네던 슬픈 영순의 눈이 스쳐간다.
멍하니 강호를 보다가 이내, 생각을 떨치려는 듯 얼른 고개를 젓는 미주.

미주   너희 엄마는 절대 너를 버릴 분이 아니야…. (잠시 머뭇거리더니)
              만약… 혹시라도… 정말 혹시라도 그랬다면… 분명 그럴 만한
              이유가 있었을 거야.

강호   그럴 만한 이유요?

미주   응…. 지금은 말해 줄 수 없지만… 언젠가는 너도 모든 걸
              이해하게 될 이유….

강호   … 미주 씨는 그걸 어떻게 알아요?

미주, 한동안 말없이 강호를 바라보더니… 이내 천천히 입을 연다.

미주   …나도 버려져 봤거든.

강호, 그 말에 미주를 물끄러미 본다.

강호   미주 씨를 버려요? 왜요?

강호와 마주친 미주의 눈이 붉어지기 시작한다.

미주   그러게…. 왜 나한테 그런 짓을 한 건지… 나도 그 이유를 좀
              알고 싶은데… 이젠 들을 수가 없네.

강호와 미주의 눈이 오래 마주친다. 그때… '강호야!!' 돌아보면, 비를 쫄딱
맞은 영순이 숨을 헐떡이며 서 있다.

4.   영순네, 안방 / N

샤워를 마친 강호의 머리를 뒤에 서서 말려주고 있는 영순. 자꾸만 힐끗힐끗 강호의 다리를 쳐다보다가… 못 참겠는 듯…

영순   저기… 강호야… 아까 말이야….

강호   (말 자르며) 이유가 뭐예요?

영순   응?…

강호   엄마가 나를 버리고 간 이유요. 미주 씨가 그랬어요. 분명히
        이유가 있을 거라고.

영순, 그 말에 강호의 뒷통수를 바라보다가…

영순   강호야… 엄마는 너를 버린 게 아니야.

영순, 무겁게 한숨을 쉬더니… 이내 결심한 듯… 강호 앞쪽으로 와 선다.
가만히 강호의 양손을 쥐고 앉는 영순. 영순과 눈이 마주치자 고개를 돌리는
강호.

영순   강호야… 엄마 봐… 엄마 좀 봐봐….

영순, 강호의 얼굴을 잡고 고개를 돌려보려고 하지만 꿈쩍도 하지 않는 강호.

영순   강호야… 사실은… 사실은 엄마가 좀… 아파.

순간, 그 말에 홱 고개를 돌려 영순을 보는 강호.

강호	아파요? 어디가요?
영순	여기… 이 배가… 좀 아파…. 아프면 약도 먹어야 되고 병원도 가야 되고, 누군가 밥이며 빨래며 엄마를 돌봐줘야 되는데… 엄마는 강호 너에게 짐이 되고 싶지 않았어. 그래서 그랬던 거야….

강호, 빤히 영순을 바라보다가 천천히 입을 연다.

강호	내가… 아파서… 엄마한테 짐이 됐어요?
영순	!!!!
강호	약도 먹여주고, 병원도 데려가고, 밥하고 빨래도 해줬잖아요. 엄마는 나한테 우리 엄만데… 나는 엄마한테 짐이었어요?

영순, 눈빛이 떨린다. 하지만 이내 표정 다 잡고는…

| 영순 | 미안해… 강호야… 엄마가 잘못했어. 그러게… 나는 강호 엄마고 강호는 엄마 아들인데… 바보같이 무슨 생각을 한 거야…. 게다가 우리 아들은 이제 안 아파…. 아까 분명히 일어났단 말이야… 일어났으니까 걸을 거고… 뛸 거고… 엄마를 돌봐줄 거야. (강호 양손을 잡고 흔들며) 그래, 맞아!! 이젠 엄마도 보호자가 생긴 거야. |

강호, 그 말에 자신의 다리를 스르르 내려다보더니…

강호	보호자….

영순   맞아… 이제 우리 아들이 엄마의 보호자야… 그치?!

강호, 영순을 보더니 빙그레 웃으며 고개를 끄덕인다. 영순도 빙그레
웃어주더니 벌떡 일어난다.

영순   자, 그러니까 강호야… 다시 일어서는 모습 엄마한테 보여줘.
        아까처럼… 응?

강호, 고개를 끄덕하더니 양손으로 휠체어 팔걸이를 턱턱 잡는다. 그리고는
끼잉~ 허리에 힘을 주며 일어서는데… 조금씩 엉덩이가 올라오는 듯 하더니
쿵! 앉아버리는 강호.

영순   괜찮아… 할 수 있어… 천천히 다시 한번 해보자.

강호, 다시 일어나려다 쿵 주저앉는다. 다시… 또 다시… 몇 번이고 해보다
이내 털썩 주저앉는 강호.

영순   안 돼, 강호야… 포기하지 마… 거의 다 됐어!… 쫌만 더 하면
        된다고!

강호   (고개를 저으며) 못하겠어요.

영순   아니, 너 했어. 이미 했다고! (강호 안아 올리며) 자… 일어나봐…
        얼른!

강호, 영순의 손에 이끌려 일어나는 듯하다가 영순이 손을 놓자…
다시 쿵! 앉는다. 강호, 겁먹은 눈으로 영순을 보며 서서히 고개를 젓더니.

강호   엄마… 나… 버리지 마요.

순간, 표정이 굳는 영순. 강호 뒤로 돌아오더니 휠체어 손잡이를 잡고 방문 쪽으로 방향을 꺾는다.

5.   마을 일각 / N

비가 오는 길에 우산도 없이 휠체어를 밀고 있는 영순.

강호   엄마… 어디 가요?… 네?

하지만 아무 대답도 없이 굳은 얼굴로 휠체어를 밀며 빠르게 걷는 영순.

강호   아아… 싫어… 나 안 갈래… 나 그냥 엄마랑 같이 살래요….

길을 따라 덜컹덜컹… 박씨네를 지나, 이장 집을 지나… 논길로… 밭길로… 자갈길로… 어느새 저 멀리 냇가가 보인다.

6.   냇가 / N

점점점 냇가가 가까워지자 점점점 걸음이 빨라지는 영순. 강호, 일렁이는 냇물을 보며 눈이 휘둥그레진다.

강호   엄마…

나쁜엄마

순간, 온 힘을 다해 휠체어를 밀며 전력 질주하는 영순. 점점점 가까워지는 냇가. 점점점 겁에 질리는 강호. 점점점 빨라지는 영순. 그렇게 냇물로 들어가더니… 그대로 휠체어 손잡이를 확 들어버린다. 으아아아악~~ 강호가 그대로 앞으로 쏠리며 냇물로 풍덩! 어푸어푸!! 얕은 물이지만 다리를 움직일 수 없는 강호, 허우적댄다. 그러다가 간신히 중심을 잡고는 손으로 바닥을 딛고 기어 나오는 강호. 물을 많이 먹었는지 한동안 엎드려 켁켁댄다. 그때, 강호 앞에 서는 영순의 발. 강호, 고개를 들고 쳐다보면 무서운 얼굴로 서 있는 영순. 우악스럽게 강호를 잡아끈다.

강호   엄마… 엄마… 살려주세요, 엄마!!!!

영순, 강호를 다시 물속에 빠뜨린다. 물속에서 고개를 뺐다 넣었다 괴로워하는 강호.

영순   살려줘? 살고 싶어? 살고 싶음 일어나… 아까처럼 일어나란
            말이야….

강호   엄마… 어푸어푸… 엄마….

영순   봐… 일어나면 겨우 무릎밖에 안 오는 데야… 일어나!! 어서!!

죽을 것 같은 얼굴로 다시 간신히 팔 힘으로 기어 나와 휠체어를 잡는 강호. 그러자 휠체어를 뺏어 팩 던져버리는 영순. 퍽!!! 휠체어 바퀴 하나가 떨어져 저만치 날아간다.

영순   이제… 휠체어도 없어!… 그러니까 일어나!!… 일어나서 걸어!!

강호   못해요….

영순	너 지금 못하는 게 아니라 안 하는 거야!!
강호	아니… 진짜 못하겠어요….
영순	그래?

영순, 저벅저벅 다가오더니 다시 강호의 뒷덜미를 쥐고 냇물로 끌고 들어간다.

| 강호 | 아니아니… 안 돼… 엄마… 엄마아~~~~~~~~~!!!!! |

풍덩!! 물에 빠지는 강호.

7.   다리 재활 몽타주

- 수중재활치료 영상을 보는 영순.
- 병원에서 재활치료를 받는 강호. 조금씩 일어나는 듯 싶더니… 다리에 힘이 풀리며 바닥으로 엎어진다.
- 풍덩!! 물에 빠지는 강호.
- 이장에게 침을 맞는 강호. 아무런 느낌이 없는지 아기 사자를 안고 장난을 치고 있다.
- 풍덩!! 물에 빠지는 강호.
- 재활병원에서 훈련을 하는 강호. 드디어 혼자 힘으로 우뚝 선다. 기뻐 어쩔 줄 몰라 하는 영순. 한 걸음 움직여보는 강호. 다음 걸음을 떼다가 그대로 다시 바닥을 뒹군다.
- 풍덩!! 물에 빠지는 강호.

- 강호에게 오가피 달인 물을 가져다주고 나가는 영순. 약이 너무 맛없어 오가피 물을 사자 밥그릇에 쪼르르 따라주는 강호. 사자는 너무 맛있게 먹고…

- 침을 맞는 강호… 조금 인상을 찌푸린다.

- 물속에서 버둥거리는 강호. 영순이 물에 들어가 강호의 손을 잡고 살살 끌어준다.

- 재활병원에서 훈련을 하는 강호. 바를 잡고 아주 조금씩 걸음을 걷는다.

- 물속의 강호와 영순. 강호의 손을 잡고 앞에서 끌어주는 영순…. 강호, 약하게 물장구를 치며 나아간다.

- 또 다시 엄마 눈을 피해 오가피 물을 몸집이 조금 커진 사자에게 주는 강호.

- 침을 맞는 강호. 침을 놓으려 하자 다리를 홱 피하는 강호… 당황하는 이장.

- 강호 앞에서 끌어주던 영순이 손을 놓자 혼자서 헤엄치는 강호. 퍽퍽퍽… 조금 세진 물장구.

- 티브이에서 오태수 후보가 제일미래당 대통령 후보 경선에서 최종 당선되었다는 뉴스가 나온다. 기뻐하는 오태수와 당원들, 아내와 하영의 모습이 보인다. 가만히 티브이를 보고 있다가 일어나더니 급하게 진통제를 꺼내 먹는 영순. 슬쩍 눈을 떠서 그런 영순을 보는 강호.

- 재활병원에서 훈련을 하는 강호. 바를 잡고 조심스럽게 발을 떼는 강호. 한 발… 한 발… 걷기 시작한다. 그러다 조금씩 손을 놓는 강호… 드디어 혼자서 한 발씩 한 발씩 걷기 시작한다. 강호와 조금 떨어진 곳에서 울먹울먹한 얼굴로 강호를 바라보고 있는 영순. 강호의 아기 시절, 아장아장 걸음마로 영순에게 걸어오던 강호가 스쳐간다. 아기 강호를 보며 양손을 벌리고 '걸음마! 걸음마!'를 외치던 영순의 모습. 현실의 모습과 교차되며… 한 발, 한 발… 그리고 드디어 영순의 품으로

와 안기는 강호. 영순, 감격스런 얼굴로 강호를 안고 머리를 쓰다듬는다.

8.   마을회관 / D

이장과 청년회장, 박씨, 정씨, 양씨 등등 마을 사람들이 모두 모여 있다.

이장　　　　평생을 혼자서 몸 고생, 맘고생 헌 것도 모자라 자식 저리 되고
　　　　　　농장까지 잃었으니… 을마나 충격이 컸을 거여? 에휴… 일이
　　　　　　이렇게 될 줄도 모르고 농장 읎애자고 지랄을 혔으니… 내가
　　　　　　죽일 놈이여, 내가….

이장 부인　　그건 그래요….

이장　　　　뭐?! (했다가 이내) 큼….

청년회장　　뭐 여서 동조 안 한 사람 있나유… 다 마찬가지쥬….
　　　　　　찾아가 위로라도 혀야 되는디… 볼 낯이 없어서 여적 가보지도
　　　　　　못허고….

양씨　　　　즈희도 강호네 피해 숨어댕긴 지 한참 됐어유….

다들, 고개를 푹 숙인다.

이장　　　　자자… 그래서 말인디… 우리가 이웃 된 도리로 이렇게 보고만
　　　　　　있어서 되겄냐 이 말이제.

청년회장　　그럼 어떻게… 십시일반 위로금이라도 모아볼까유?

정씨　　　　강호 엄마가 돈을 받어요? 그 성격에?

나쁜엄마　　　　　　　　　　　　　　　　　　　　　　　　　　　30

이장 부인	맞아요… 돈은 좀 그렇고… 차라리 선물 같은 걸 해주는 건 어때요? 뭐 좋은 마사지팩이나… 옷… 명품백 같은 거?…
박씨	허이고… 있는 것도 나눠주는 판에 퍽이나 좋아허겄다….
이장 부인	나눠주다뇨?… 강호 엄마가 뭐 나눠줬어요?

그 말에 얼른 정씨가 박씨에게 눈짓을 한다.

박씨	아니… 그러니께… 내 말은… 강호 엄마가 은제 좋은 옷, 좋은 가방 이딴 거에 욕심내는 사람이냐 이거제…. 그저 욕심이라고는 하나 있는 자식새끼… (하다가 급 표정 바뀌더니) 아! 그려… 강호!… 차라리 강호 꺼를 사주는 게 어뗘?
정씨	오매!… 그거 좋은 생각이네….
양씨	아, 그럼… 휠체어 어때요? 얼마 전에 보니께 강호 집 앞에 휠체어가 버려져 있든디….
양씨 처	이~ 맞어!… 나도 봤어…. 바퀴도 빠지고 완전 박살 났드만….
이장	그놈의 건 꺼뜩허면 망가지고 지랄이네….
정씨	근디… 휠체어가 망가졌음 벌써 사지 않았었어?
박씨	그렇겄제… 그거 없인 댕길 수가 없는디….
청년회장	음… 그럼 이참에 의료용 전동스쿠터 같은 거 한 대 사줄까요? 튼튼허니 쉽사리 망가지지도 않을 거고… 울퉁불퉁 이런 시골길엔 딱이잖유.
박씨	전동스쿠터?… 그런 게 있었슈?

| 이장 | 이야~!!··· 역시 우리 마을 얼리아답터랑게!!!! 난 찬성! |

마을사람들 저마다 찬성이라며 호응한다.

| 이장 | 자자! 말 나온 김에 당장 가서 알아보자고···. |

9.   **양씨네, 셋방 / D**

소 실장이 전화기를 들고 송 회장에게 보고하고 있다.

| 소 실장 | 네. 별다른 특이 사항은 없습니다. 최대한 빨리 찾아 |
| | 올라가겠습니다. 네. |

전화를 끊고 심각한 얼굴로 벽에 붙은 자료들을 보며 뭔가 체크하고 있는 소 실장. 날짜별, 시간별로 영순과 강호가 집에 들어가고 나간 기록이 적혀 있다. 그때, 갑자기 문이 팍! 열린다. 놀라, 얼른 벽에 붙은 도표를 후다닥 떼어내는 소 실장.

차 대리	(얼굴 내밀고) 실장님!!!
소 실장	하··· 놀래라···! 너 이 자식 그렇게 벌컥벌컥 문 열지 말랬지?
차 대리	드디어··· 드디어 나왔습니다!
소 실장	나오다니?··· (점점 얼굴 밝아지더니) 정말이야?··· 어디?···
	어딨어?!!

10.   상추밭 / D

급하게 뛰어오는 소 실장과 차 대리.

차 대리   이것 좀 보십시오. 드디어 상춧잎이 나왔습니다.

소 실장   (멍하니) 그러니까… 증거가 나온 게 아니고… (가리키며) 상춧잎이
          나왔다고?

차 대리   아… 증거… (잠시 머쓱해졌다가 얼른) 근데 실장님 보십시오….
          저희가 힘들게 이걸 하나하나 심었잖습니까? 농약도 안 주고
          가끔 물도 안 주고… 이랬단 말입니다. 근데 얘들이… 이렇게
          기특하게 잘 나왔습니다….

소 실장   그러니까… 되게 기쁘잖아, 너는….

차 대리   (머뭇대다) 네… 솔직히 쫌 기쁩니다… 제 손으로 뭘 심어서
          이렇게 결실을 맺은 건 처음이라… (소 실장에게 다가오며)
          이리 가까이 와서 좀 보세요….

소 실장   (얼른 물러서며) 오지 마… 오지 마!!… 가!… (주변에 풀 뜯어 집어
          던지며) 가란 말이야, 새꺄!!! 가!!!

11.   박씨네, 마루 / D

마루에 앉아 통화 중인 삼식. 청년영농대출 관련 팸플릿 들고 있다.

삼식   아니, 그게 뭔 소리여요?… 자격이 안 된다니…. 아니 사지

	멀쩡한 청년들이 맘 잡고 귀농해 농사 좀 짓겠다는디··· 받으라는
	교육도 다 이수했단 말여요.
직원	죄송합니다. 신청하신 두 분 다 대기업 직장 4대보험 적용자라
	대출 자격 조건에 맞지가 않습니다.
삼식	아니··· 그게 뭔 소리여? 그럼··· 나는?··· 나는 어떡하라고!
직원	네? 뭘···.
삼식	당장 2억 안 갚으면 나 죽는다고!! 곱게나 죽어? 간, 콩팥, 눈깔
	할 것 없이 아주 레고블럭처럼 조각조각 분리돼서···

뚜뚜··· 끊긴 전화. 삼식, 멍하니 전화기를 보다가 후우~ 스르르 힘없이
일어나더니 마당으로 나와 뭔가를 찾기 시작한다. 대문이 열리며 들어오는
박씨. 넋 나간 얼굴로 여기저기 찾고 있는 삼식을 보더니···

박씨	뭘 찾는 겨?···
삼식	농약 남은 거 없어유? 먹고 확 디져버리게···.

12.   웅렬농약사 / D

농약병에 사인펜으로 숫자 '2'를 써넣는 사장···

농약방 사장   물 한 말에 두 수저 넣고 뿌리시면 돼요.

봉지에 담아 건네는 사장. 하지만 젊은 남자는 멍하니 미주만 보고 있다.

나쁜엄마   34

농약방 사장   저기… 손님… 여기 살충제….

남자   아… 네….

남자, 약봉지를 받고 나가려다 머뭇머뭇하더니 휙 미주의 작업 테이블 위에 음료수 하나를 놓고 도망간다. 앞에 앉아 있던 네일을 받던 60대 여자들.

아줌마1   오매!! 뭐여… (음료수 들며) 이거 나 주고 간 겨?

아줌마2   노망났냐?

아줌마1   왜? 내가 어띠서? 남이 허면 로망이고 내가 허면 노망이냐?

큭큭큭 웃는 아줌마들. 조금 떨어진 곳에 상가 번영회장이 능글능글한 눈을 하고 앉아 미주를 훑어보고 있다.

번영회장   (사장 보며) 시골이라고 매 노인네들만 보다가 이렇게 젊고 이쁜 아가씨가 와 있으니께 아주 남자들이 좋아 죽는구만.

농약방 사장   (번영회장이 미주 쳐다보는 걸 보고) 남자건 여자건 우리 미주 씨가 워낙 싹싹해야쥬…. 그 덕에 손님들도 많아지고 아주 복덩이에유.

번영회장   (미주에게) 어이~ 아가씨. 기왕이면 좀 크고 깨끗헌 디서 지대로 함 혀볼 생각 없어? 내 말 한마디면 우리 상가에서 제일 좋은 자리 내줄 수 있는디….

미주   말씀은 감사하지만 전 여기가 좋아요. 단골 분들도 많이 생겼고 우리 사장님, 사모님도 너무 좋으시고.

농약방 사장   하하하… 들었쥬? 뺏어 갈 생각일랑 꿈도 꾸지 마세요.

번영회장 쩝! 입맛을 다시는데… 그때, 울리는 미주의 전화기.

미주   네, 엄마….

예진   엄마… 아빠가… 아빠가 왔어!!!

미주   무슨 소리야? 아빠가 여길 왜 와… 엄마 일하니까 나중에…

예진   진짜여… 내가 아빠 얼굴을 몰러?… 게다가 벤츠 타고 왔어…
          우리 아빠가 확실혀!

미주   !!!

13.   택시 / D

택시를 타고 오는 미주. 그때, 차창 밖으로 길가에 서 있는 예진과 서진이
보인다.

미주   어? 아저씨! 저 여기서 내려주세요.

미주가 내리자 예진과 서진이 '엄마!!' 하고 다가오더니 미주의 손을
잡아끈다.

서진   빨리… 빨리 서둘러!!!!

예진   아빠 지금 할머니헌티 은어맞고 있단 말이여….

나쁜엄마

14.   정씨네, 마당 / D

정씨가 싸리빗자루를 휘두르고 있고 남자는 요리조리 피해 다니고 있다.

정씨   이 새끼… 이 개잡놈의 호로새끼…. 너여? 내 딸 버리고
            토낀 새끼가 너냐구?

남자   아… 글쎄… 아니라니까요….

정씨   아니긴… 이 새끼야…. 내가 니 상판때기를 모를까 봐?

정씨, 휴대폰 액정을 탁 켜서 보여준다. 미주와 남자가 함께 찍은 사진이 메인
화면에 뜬다.

정씨   내가 아예 배경화면으로 해놨어… 니놈 만나면 단박에 알아보고
            잡아 족칠라구!

남자   아, 그건 미주 씨가 부탁해서 찍어준 거예요… 거기 미국도
            아니에요… 이태원이에요… 이태원….

정씨   (남자의 입을 막으며) 조용히 혀!!! 애들 들어….

예진/서진   아빠!

남자, 돌아보면 예진과 서진… 그리고 멍한 얼굴의 미주가 서 있다.

세워진 승용차 안에 함께 있는 미주와 남자.

미주	애들하고 아빠라고 영상통화까지 해놓고 이렇게 나타나면 어떡해요.
남자	니가 선영이랑 제일 친했잖아….
미주	오빠가 제일 친했지!! 애인인데… 아, 몰라요. 저도 당했다구요…. 전 재산 다 날리고 아직 빚도 다 못 갚았어요.
남자	후우… 혹시 걔네 고향 집 어딘지 알아?
미주	안 갔다 왔게? 부모님 집이랑 땅도 다 잡혀놓고 미국 간다고 사라졌대요.
남자	하~ 그럼 뭐 어쩔 수 없네. 니가 갚아야지.
미주	네? 그게 무슨 말이에요?
남자	니가 공동 대표잖아… 니들 네일샵 차릴 때 내가 빌려준 돈 갚으라고.
미주	그건 선영 언니한테 빌려준 거 같아요….
남자	시끄럽고… 이번 달까지 해결해. 안 그럼 니들 없어졌다고 난리 난 아줌마들한테 너 여기 있다고 확 꼰질러 버릴 테니까.

CUT TO

부앙~ 출발하는 차. 멍하니 서 있는 미주.

나쁜엄마   38

16.   정씨네, 마당 / D

들어오는 미주. 마당에 방긋 웃으며 서 있는 서진과 예진. 미주가 혼자
들어오자 고개를 빼 미주 뒤쪽을 살피더니…

예진   아빠는?

미주   응?… 아~ 아빠는… 가셨어….

서진   가셔?… 어딜?

미주   미국.

예진   미국?

미주   응… 급한 일이 생겨서 가야 된대. 인사 못 하고 가서 미안하다고
           나중에 다시 오면…

순간, 울먹울먹해지더니 아아앙~ 울음을 터뜨리는 예진.

예진   엄마, 아빠 미워!!!!… 나 이제 유치원 안 다녀!!!!

예진이 팽 뛰어 대문을 나간다.

서진   유치원에 박준서라는 애가 있는디… 맨날 아빠 없다고 놀려서
           예진이랑 엄청 싸우거든… 내일 아빠 델꾸가서 콧대를 납작허게
           해줄라고 혔는디… (고개 푹 숙인다) 다 틀렸네….

서진이도 예진이를 따라 나간다. 마루턱에 앉아 배경화면 사진을 지우는
정씨… 어딘가로 전화를 걸며 일어선다.

정씨	나여… 그거 아까 말한 씨암탉… 안 잡아도 댜….

정씨, 대문을 나간다. 후우~ 무겁게 한숨 쉬더니 얼른 따라 나가는 미주.

17.　　　마을 일각 / D

힘없이 걷고 있는 정씨 옆으로 와 걷는 미주.

미주	애들이 하도 아빠 얼굴 보고 싶다고 해서… 친구 애인한테 영상통화 몇 번 부탁했었어.
정씨	….
미주	미안해….
정씨	됐어… 나는 뭐 니한테 훌륭한 애비 꼴 보여줘서? 내가 먼저 시작헌 거니께 나헌티 미안헐 거 읎어… 다만… 저 어린 것들… 낼 모레면 학교 가는디… 호적에 진짜로 아빠 없다는 거 알고 상처받을 생각하면….

정씨, 팽 코를 훔친다.

| 정씨 | 그냥 니 말대로 이혼혔다고 헐까… 아파서 뒤졌다고 헐까… 나는 고민 안 했게? 근디… 못하겄어… 난 쟈들 눈에 눈물 나는 꼴 못 봐…. 하나도 아니고 두 것이 쌍으로 울어 제낄 텐디… 그걸 어뜩히 봐… 불쌍하고 안쓰러워서 어뜩히 보냐고…. 에휴… 지금도 얼마나 속상해서 울고 있을 꺼여, 내 새끼들…. |

그때, '우와!!!!', '대박!!!!' 하는 예진이와 서진이 소리가 들린다.
잉?… 눈물이 쏙 들어가는 정씨… 소리 나는 쪽으로 가보면… 저쪽에 마을
사람들이 웅성웅성 모여 있고, 서진과 예진이 전동스쿠터를 구경하고 있다.

서진	(전동차에 앉아) 와우!!… 이거 이제 강호 꺼예요?
이장	응… 어뗘? 근사하제?
예진	셋이 타기는 좀 좁은디….
청년회장	에이~ 셋이 타믄 안 되제….
이장	그려~ 이거 진짜 비싼 거여… 절대 그럼 안 디야… 알겠제?
박씨	바퀴도 널찍허니 딱 봐도 튼튼헌 것이 강호가 엄청 좋아허겄네.
양씨	강호 엄니도 훨 수월헐 거고… 잘 사셨어유….
이장 부인	어? 미주다!…

이장 부인이 정씨와 미주를 발견하고 손을 흔든다.

이장	(미주에게) 아이고 우리 미주… 이거 땜시 가게까지 닫고 온 겨?
미주	(어안이 벙벙) 네?…
양씨 처	시상에… 요즘 손님도 많고 바쁠 텐디… 속도 깊제….
양씨	어려서부터 강호 챙긴 건 미주밖에 없었잖여.
이장 부인	맞아요… 강호 괴롭힌 건 삼식이밖에 없었고요….
박씨	아니 이 여자가!! 은제 우리 삼식이가 강호를…
청년회장	(말 끊으며) 괴롭혔어… 조용혀….

박씨	이 냥반이 근데…
이장	자자… 됐고… 다 모였으면 가자고….

사람들 우르르 몰려간다.

미주	(정씨 잡으며) 나 다시 가게에 가봐야 돼….
정씨	칭찬 다 받아놓고 토낄 꺼여? 잔말 말고 따라와….

정씨에게 끌려가는 미주.

18.   영순네 앞 / D

영순네 집 앞, 풀숲 사이에 숨어 있는 소 실장과 차 대리.

소 실장	(시계 보더니) 잠시 후 세 시… 최강호랑 어머니가 재활병원에 가기 위해 집을 비울 거다.
차 대리	우와… 그걸 어떻게 알아내셨어요?
소 실장	(손등으로 차 대리 뺨을 때리며) 그러니까… 그러니까… 그런 걸 알아내려고 내려와 있는 거라고, 우리가!!
차 대리	죄송합니다….
소 실장	이번엔 절대 실수해선 안 돼… 만약 이번에도 멍청한 짓하면… 그땐 상춧잎이 아니라 상추 뿌리를 보게 될 거야….
차 대리	뿌리요?… 뿌리를 보려면 땅속에… (잠시 생각하다 깨닫고) 아~~~

그때, 삼식이가 이쪽으로 다가오는 걸 보는 소 실장.

소 실장　　숨어!!!

얼른 풀숲에 숨는 두 사람.

삼식　　하아~ 이것들은 사람 엿 멕여놓고 어디 간 거여?
　　　　(전화기 꺼내 누르더니) 전화기는 또 왜 꺼놓냐고!! 왜!!

그러다 눈이 커지는 삼식. 마을 사람들이 우르르 몰려온다. 얼른 돌아서서
가려다 우뚝 멈춰서 다시 돌아보면…마을 사람들 사이에 미주가 보인다.

삼식　　응? 이 시간에 미주가 왜…

주위를 살피더니… 얼른 풀숲으로 뛰어 들어가 숨는 삼식. 풀 사이로 빼꼼
보다가… 스르르 고개를 옆으로 돌려보면… 소 실장과 차 대리가 있다.
멍하니 서로를 보는 세 사람… 조용히 목례를 나눈다. 마을 사람들이 몰려와
영순네 선다. 이장이 초인종을 누르려는데…

청년회장　　잠깐만요… 그냥 이렇게 주는 게 뭔가 쫌 심심허지 않아유?
　　　　그러지 말고… 이렇게 이렇게 나눠서 일렬로 서봐유….

청년회장, 영순의 대문 양옆으로 사람들을 세운다.

청년회장　　자… 지가 저쪽 모퉁이에 숨어 있을 테니께… 강호가 나오면
　　　　이장님이 '강호야!!' 하고 신호를 주세유…. 그럼 지가…
　　　　멋들어지게 이걸 타고 저쪽에서 쫙~ 나타나는 거쥬….

이장	이, 좋네… 좋아… 역시 우리 조우리 브레인이랑께….
청년회장	(시동 걸며) 자… 그럼 신호 주세요….

청년회장, 전동스쿠터를 끌고 가 모퉁이 뒤로 숨는다. 이장, 초인종을
누르더니 탕탕탕 문을 두드린다.

이장	강호네… 강호네 안에 있어?

잠시 후, 문이 열리며 나오는 영순… 마을 사람들을 보고 놀란다.

영순	다들… 어쩐 일이세요?
이장	(다가가 영순의 손을 꼬옥 잡는다) …그래 그동안 얼마나 힘들었어?
영순	이장님….
이장	옛말에 한 냥 주고 집 사고 천 냥 주고 이웃 산다고 혔는디… 이웃이라고 있는 게 이리 변변치 못해 딱히 도와줄 방법도 없고…. 상심한 마음 정리 헐 시간도 필요헐 것 같아서… 핑계지만… 이제사 용기 내 와봤네… 미안혀….
영순	무슨 말씀이세요… 마을에 큰 폐를 끼쳐 저야 말로 죄송하죠. 죄송합니다. 죄송합니다.

영순, 사람들에게 꾸벅꾸벅 인사를 한다. 사람들이 저마다 고개를 못 든다.

이장	(영순을 토닥이며) 자자… 됐어, 됐어…. 서로 한 번씩 미안허고 용서혔으니 된 거여…. 근디… 강호는 어딨어? 강호 본 지도 오래 돼서 한 번 보고 싶은디….

영순   아, 네… (안에 대고) 강호야!! 강호야… 이리 나와봐….

영순이 강호를 부르자, 얼른 서로 눈짓하며 대형을 갖추는 사람들.

예진   우리가 가서 데려올까?

서진   그러자!

미주   스읍~ 가만히 있어.

얼른 예진과 서진을 잡아 똑바로 세우는 미주. 그때, 열려 있는 대문 한쪽이
끼익 마저 열린다. 그리고 드디어 모습을 드러내는 강호.
그런데…!!!!!!!!!!!!!!!!!!!!!!!!!!!!!!! 점점 눈이 커지는 사람. 입이
벌어지는 사람들… 흡! 입을 막는 사람, 눈을 비벼보는 사람, 뺨을 때려보는
사람. 강호가… 자기 발로 걸어나오고 있다. 발에 신겨져 있는 6화 23씬의
운동화. 강호의 모습에 점점점 눈이 붉어져 오는 미주. '으아아아앙!!!!!!!!!'
너무 놀라 울음이 터져버린 예진과 서진. 이장, 너무 놀라 말을 못 잇다가
덜덜덜 떨리는 손으로 강호의 두 다리를 만져보더니…

이장   가… 강호야!!!

순간, 그걸 신호로 알아들은 청년회장이 부릉~ 스쿠터를 출발시킨다.
위풍당당 폼을 잡으며 사람들이 있는 쪽으로 다가오는 청년회장. 만면에
미소를 띠고 강호 쪽을 바라보다가… 우뚝 서 있는 강호를 보고 헉!!!!!
너무 놀라 강호를 바라본 채 그대로 강호네를 지나쳐 직진하는 청년회장.
앞에 커다란 나무를 퍽 들이받고 으악! 옆으로 굴러떨어진다.
'어머나!!!!' 영순을 비롯한 사람들이 청년회장이 넘어진 쪽으로 달려간다.
쫓아가던 강호가 문득 멈춰 서더니 고개를 돌린다. 그리고는 손을 흔든다.

강호　　　　안녕, 삼식아!!!…

보면, 풀숲에 서서 멍하니 강호를 보고 있는 세 사람.

19.　　　　**영순네, 마당 / D**

마을 잔치가 벌어졌다. 영순과 정씨, 밥과 국을 하고… 다리에 깁스를 한 청년회장과 박씨가 전을 부치고 이장이 고기를 굽고… 이장 부인은 역시 고고하게 서서 고기를 집어만 먹고 있다.

이장　　　　고진감래라더니 니 엄니 밤낮으로 애쓰는 정성에 하늘도
　　　　　　　감동헌 겨… 그러니께 이렇게 기적을 내리셨제.

청년회장　　(깁스한 다리 탁탁치며) 지한텐 전동스쿠터를 내리셨구유….

마을 사람들 하하하하 웃는다. 한쪽에 어색하게 앉아 있는 소 실장과 차 대리. 차 대리, 계속해서 막걸리를 홀짝거리며 주위를 살핀다.

소 실장　　　정신 차리고 잘 살펴봐… (막걸리 잔 뺏으며) 막걸리나 처먹으려고
　　　　　　　따라 들어온 거 아니야!

그때, 삼식이 막걸리를 들고 와 두 사람 앞에 앉는다.

삼식　　　　에… 듣자 하니… 4대보험 빵빵한 대기업 다니신다매?…

차 대리　　(놀라) 와~ 저희가 우벽그룹에 다니는 걸 어떻게…

삼식　　　　어? 그건 몰랐는데? 아~ 우벽그룹이었어?

소 실장	후~~~ (무거운 한숨만)
삼식	아, 그럼 그렇다고 진작에 말을 혔어야제… 잠깐만! 근디 그런 대기업을 댕기면서 귀농을 허었다고?
소 실장	(얼른) 퇴직했습니다.
삼식	아~~ 퇴직혔어?… 그럼 퇴직금 같은 거 받지 않나? 아니, 내가 진짜 죽이는 사업 하나를 구상 중인데….

그때, 미주가 다가와 상에 고기를 내려놓는다.

삼식	아이고~ 이게 누구여. 내 사랑 미주 아니여?… 인사들 허세요. 이쪽은 조만간 나랑 같이 사업하실 분들… 그리고 이쪽은 조만간 나랑 같이 살게 될…
미주	어른들 일하시는 거 안 보여? 얼른 뒤란 가서 막걸리 한 짝 내 와!!!

미주, 일어서서 간다.

삼식	저게 매력이에요, 저게…. 박력, 일침, 빡! (웃으며 일어서며) 나중에 국수 대접헐게요.

일어서서 뒤란 쪽으로 가는 삼식. 이 상, 저 상에 고기를 나르고 있는 강호와 미주. 각각 다른 상에 고기를 놓고 돌아서다가 마주친다. 서로 같은 방향으로 몸을 옮겨 자꾸만 길이 막히는 두 사람. 미주를 보며 빙그레 웃는 강호. 미주, 표정 관리가 안 되는.

강호	(매니큐어 반쯤 남은 손톱을 보여주며) 이제 다 나았어요.
미주	응… 그러네… 다행이다… 다 나아서….

강호가 미주를 뚫어지게 쳐다보자… 미주, 어색해서 지나쳐가려는데…
갑자기 미주의 손목을 탁! 잡는 강호.

강호	엄마가 나 버린 거 아니래요…. 미주 씨도 버린 거 아닐 거예요,
	그 사람이.

강호의 눈빛에 붉어져 오는 미주의 눈… 서로 말없이 바라보는데… 막걸리를
들고 오다가 손목을 잡고 있는 강호와 미주의 모습을 멍하니 보는 삼식.
그때, 서진이 예진이가 달려와 강호 옆에 선다. 얼른 강호의 손을 푸는 미주.

서진	(강호 올려다보며) 원래는 우리랑 키가 비슷했는디… 일어나니께
	엄청 크네….
예진	그르게… 꼭 어른 같아….

순간, 강호가 예진을 번쩍 안아 머리 위로 올린다.

강호	이러면 우리 예진이가 나보다 크지?

강호, 예진을 안고 빙빙 돌리다 내려놓는다.

예진	(심장 만지며) 뭐여?… 나 왜 심쿵헌 겨?
서진	(팔 벌리며) 나도… 나도 해줘….

강호, 서진을 안고 빙빙 돌린다. 까르르르 웃는 서진과 예진, 강호.
미주, 그 모습 보다가 울컥해져 얼른 걸음을 옮긴다. 그들의 모습을 굳은
얼굴로 보고 있는 삼식.

영순   (삼식에게) 왜 무겁게 술을 들고 있어… 한쪽에 내려놓고 고기
        먹어.

커다란 쟁반에 국그릇을 받쳐 들고 나오는 영순, 상 위에 국을 내려놓는다.

양씨   축하해요, 강호 엄니. 이제 강호도 일어났고… 앞으로는 좋은
        일만 있을 꺼예유.

정씨   그럼~ 농장 다시 열면 이제 강호도 도와줄 거고… 너무 잘됐제.

박씨   신기허지… 것도 30년 맡아봤다고… 요즘 돼지 냄새가 안
        나니께 뭔가 허전허고 그런 거 있지….

양씨 처   솔직히 농장 있을 땐 고기도 가끔 얻어먹고 퇴비도 공짜로 갖다
        뿌리고… 좋았지.

박씨   말이라고 혀~ 트롯 콘서트홀인지 뭔지보다 백 배 천 배 낫지….

이장 부인   (강아지에게) 어머~ 저 가증스러운 인간들… 읍!

이장   (이장 부인 입에 얼른 고기 넣고) 그러고 보니 요즘 백훈아가
        통 안 보이네….

청년회장   그르게요… 농장 읎애자고 그렇게 지랄허고 댕기더니 막상
        일 터진께 조용허네요.

영순, 뭔가 생각에 잠기는 표정.

20.　　　트롯백네, 주방 / D

식탁 위에 햇반에 통조림 반찬 몇 개를 차려놓고 먹으며 전화를 받고 있는
트롯백.

트롯백	준형이 전화번호 바꿨어?
부인	응.
트롯백	이 자식은 바꿨으면 바꿨다고 말을 해야지… (볼펜, 종이 꺼내며) 몇 번이야?
부인	애들이 아빠한테 자기들 전화번호 알려주지 말래.
트롯백	왜?!!!
부인	왜겠니?
트롯백	아니 씨… 그래 말 나온 김에 물어보자…. 내가 도대체 뭘 그렇게 잘못했는데!! 내가 돈을 안 갖다 줬어? 아님 바람을 폈어?
부인	차라리 돈을 안 갖다주지 그랬니?… 바람을 피지 그랬어? 그럼 나만 힘들고 끝났잖아. 작곡한답시고 제대로 된 노래 한 곡 만든 적 있어? 맨날 표절이나 하고… 남이 만든 노래에 떡하니 지 이름 올려놓고…. 부끄럽대… 당신이 아빤 게 쪽팔려 죽겠대!!!!
트롯백	흥!! 이것들이… 두고 봐. 조금 있음 내 이름으로 전국 최대 트롯 콘서트홀 만들어질 거거든? 내가 만든 콘서트홀 등기부등본에 지들 이름 올려주려고 했는데… 국물도 없어!!

나쁜엄마　　　　　　　　　　　　　　　　　　　　　　　　50

부인	이혼해도 여전하구나… 개소리를 장황하게 하는 거…. 끊는다.
트롯백	여보세요? 여보세요?… 이 여자가 진짜….

다시 걸려는데… 띵동띵동~~~ 벨소리 들린다.

21.   트롯백네 앞 / D

대문을 열고 나오는 트롯백… 허걱하고 놀란다. 영순이 서 있다.

영순	오늘 저희 집에서 고기를 좀 구웠어요.
트롯백	그래서 뭐?… 자랑하러 온 거야?
영순	식사 안 하셨음 가서서 같이 드시자구요. 마을 사람들 다 모여 있어요.
트롯백	됐어… 나 돼지고기 알러지 있어….
영순	소고기예요….
트롯백	아, 글쎄 됐다고… 안 먹어!!

트롯백 돌아서서 들어가려고 하는데…

영순	저기… 나 오래 못 살아요….
트롯백	(멈춰 선다) 뭐라는 거야?
영순	말기암이래요….

트롯백	!!!!!
영순	그래서 어차피 못 하게 된 농장… 나중에 그쪽한테 넘기라고 변호사한테 다 얘기해 놨어요.
트롯백	….
영순	근데… 우리 아들이 일어났네요. 이제 걸을 수도 있고, 사료도 옮길 수 있고, 새끼도 받을 수 있어요. 돼지 농장… 제가 아들에게 남겨줄 수 있는 유일한 재산이고, 가르쳐줄 수 있는 유일한 기술이에요. 그러니까… 그러니까… 제발… 뺏지 말아 주세요.

영순의 붉어진 눈에 흔들리는 트롯백의 눈. 영순, 트롯백에게 반찬 통을 안긴다.

영순	안 오신다고 할 거 같아서 조금 싸 왔어요… (돌아서다가) 아, 그리고… 아픈 거… 마을 사람들에게는 비밀로 해주세요.

영순, 저벅저벅 걸어간다. 멍하니 서 있는 트롯백.

22.   영순네, 뒤란 / D

배를 잡고 여기저기 두리번거리며 걷고 있는 차 대리. 그때, 집 뒤란에 허름한 건물 하나가 보인다.

차 대리	화장실이… 여긴가?

차 대리, 건물로 다가가자 열쇠가 잠겨 있다.

차 대리   아니네….

하고 돌아서다… 다시 건물을 보는 차 대리. 틈새로 안을 들여다본다. 강호의 각종 짐이 가득 쌓여 있는 것이 보인다… 눈이 커지는 차 대리.

23.   영순네, 마당 / D

신나서 소 실장에게 뛰어오는 차 대리. 작은 목소리로 속삭인다.

차 대리   나… 나왔습니다!!

소 실장   또 뭐가 나와?… 똥이?

차 대리   아니아니… 증거… 최강호 서류며 짐이며… 저 뒤에 창고에
              있어요.

소 실장   뭐?!!… 정말이야?!!!… (얼굴 밝아지며) 가보자….

소 실장하고 차 대리 신나서 마당을 가로지르는데… 그런 두 사람을 유심히 보는 강호.

강호   아! 누군지 생각났다!… 그때 그 아저씨들 맞죠?

강호의 말에 마을 사람들이 일제히 소 실장과 차 대리를 본다.

강호   우리 장롱에 숨어 있다가 나와서 어떤 아저씨랑 막 칼싸움

했잖아요.

이장	이잉? 칼싸움?
정씨	아니, 도둑인가? 왜 넘의 집 장롱에 숨어 있다 나와?

사람들이 수상한 얼굴로 두 사람을 본다. 소 실장과 차 대리, 당황해서 어쩔 줄 모르는데…

삼식	에이… 아녀요… 이 친구들은 지랑 같이 동업하는 친구들이에요.
이장 부인	동업이면… 도둑 맞네요.
박씨	야!!!!!
청년회장	(박씨 잡으며) 에에… 아니구요… 얼마 전 귀농헌 청년들이에요… 우리 옥수수밭 사서 삼식이랑 같이 상추 농사짓구 있어요!
이장	아, 그려?… 반가워… 이짝으로 앉어….
소 실장	아니… 저희는 이만… (차 대리 보며) 상추 물 줄 시간이잖아.
차 대리	예?… 아… 그쵸… 상추… 물을 줘야죠….

도망치듯 나가는 소 실장, 차 대리.

24.   영순네, 마당 / N

잔치가 끝나고 모두가 돌아간 가운데… 강호가 서진, 예진과 함께 마당에서 사자 목욕을 시켜주고 있다.

서진	이젠 강호랑 축구도 할 수 있고 또 사방치기도 할 수 있겠다. 그치?
예진	강호가 뭐여? 강호가… 이렇게 큰 사람헌티…. 그죠? 강호 오빠.
강호	괜찮아… 우린 친구잖아.
예진	글씨… 이젠 친구 아니고 오빠라구요… 알았죠?
서진	존댓말까지 허야 되는 겨? (예진이 확 째려보자) 알았어.
예진	(이번엔 강호를 탁 본다)
강호	나는 애지녁에 그렇게 생각하고 있었어.

그런 아이들과 강호를 웃으며 지나쳐 가는 영순. 부엌으로 들어간다. 미주가
설거지를 하고 있다.

영순	저러고 있으니까 꼭 한 가족 같이 이쁘네… (미주와 눈 마주치자) 아… 미안… 혼자 남아서 너무 고생하네… 나머지는 내가 정리할 테니까 애들 데리고 얼른 가봐….

그 말에 영순을 바라보는 미주.

미주	여쭤볼 게 있어서 일부러 남았어요….
영순	….
미주	지난번 비 오는 날 냇가에서 마주쳤을 때 기억하시죠? 그때 강호가 이상한 말을 하…

순간, 영순이 갑자기 미주의 손을 탁 잡는다. 그리고는 고개를 젓는다.

| 영순 | 아니… 안 그럴 거야… 이젠 절대 안 그래…. |

미주, 가만히 영순을 보다가 이내 고개를 끄덕인다.

미주	네… 그럼 이제 걱정 안 할게요.
영순	(미주 손을 토닥이며) …고맙다.
미주	저두요.

빙그레 웃는 두 사람.

25.   정씨네 앞 / N

아이들과 함께 손을 잡고 동요 「참 좋은 말」을 부르며 집 앞으로 오는 미주.
♪ 사랑해요 이 한마디 참 좋은 말… 나는 나는 이 한마디가 정말 좋아요~ 사랑~
사랑해요~

| 예진 | (미주에게) 아까는 화내서 미안혀…. 을매나 바빴으면 아빠가 우리 얼굴도 못 보고 갔겠어. 나중에 초등학교 입학식 때는 오겠지. 박준서 걔는 그때 혼내줘도 댜…. 대신… 그날은 아빠보고 쫌 멋있게 허고 오라고 혀…. 그게 미국 스타일인지는 몰라도 아무튼 오늘은 쫌 후줄그레헌 게 영 아니었어…. |
| 서진 | 맞어… 오늘은 강호가 짱 멋지더라. 키도 크고 힘도 세고… 아! 차라리 강호를 아빠라고 데려가는 건 어뗘? 어차피 아무도 모르잖여. |

미주/예진	(동시에) 안 돼!!
서진	앗! 깜짝이야… 아니면 아니지… 왜 두 모녀가 흥분하고 난리여.
예진	너 내가 강호라고 부르지 말랬지? 이제 강호 오빠라고… 오빠!!

그때, 정씨네 집 앞에 앉아 있던 삼식이가 술에 취해 비틀비틀 다가온다.

삼식	안녕~~ (예진, 서진, 미주 차례로) 마이 베이비, 베이비, 베이비!
예진	삼식이 아저씨다….
삼식	강호는 오빠고 난 왜 아저씨여? 자, 일루 와봐….

삼식이 갑자기 예진을 번쩍 안고 강호처럼 빙빙 돌린다.

예진	아… 뭐야… 내려놔 내려놔… 나 고소공포증 있단 말여… 싫어!
삼식	갑자기?… 아까 강호가 안아줄 땐 좋아서 환장했잖여? 응? 베이비… 말 좀 해봐, 베이비! 끅!
예진	아휴!! 술 냄새!!!
미주	자자, 그만하고… 니들은 빨리 들어가서 씻어….

예진과 서진을 대문 안으로 밀어넣는 미주.

삼식	(예진 향해 손 뻗고 소리 지르며) 베이비~~~!!!

미주, 삼식의 등짝을 때리며…

미주	술 취했음 들어가 잠이나 자지… 뭔 추태여!!

삼식	미주야… 나 단도직입적으로 물을게…… 너 강호 좋아허냐?
미주	뭐?
삼식	강호 저러고 일어난 거 보니께 요 맴이 다시 간질간질허냐고? 그려서 가게도 안 나가고 이 시간까정 잔칫상 치워주고 헌 겨?
미주	가라…. (들어가려고 하자)
삼식	왜 아니라고 대답을 못 혀? 왜?
미주	아니야!! 아니라구!! 됐어?
삼식	아니믄… 나랑 결혼허자.
미주	!!!!
삼식	알콩달콩 같이 살면서 애기들도 같이 잘 키우고 허자고…. 쟤들도 아빠 필요허잖어… 내가 다 행복하게 해줄게….
미주	(가만히 삼식을 보다가) 그럴래?
삼식	(의외의 대답에 놀라) 뭐라고?!! 진짜 나랑 결혼허자고?!
미주	응, 하자… 결혼…. 나 망해서 내려온 거 알지? 빚도 엄청 많아… 오늘도 빚쟁이 찾아왔어…. 내 빚이랑 니 빚이랑 매일 빚잔치하면서 이리저리 쫓기고 도망다니고 궁상떨면서 알콩달콩 행복하게 살자.
삼식	….
미주	간질간질? 결혼?… 하루하루 죽어라 일한 돈으로 빚 갚아가며 애들하고 겨우겨우 버티기도 힘들어. 너처럼 뜬구름 잡고 다닐 시간 없다고… 잘 가….

쾅, 미주 문을 닫고 들어가버린다. 멍한 얼굴로 서 있는 삼식. 갑자기 대문을 향해 냅다 소리 지른다.

삼식   빚만 없음 되는 거?··· 미주 너 지금부터 내가 하는 말 똑똑히 들어!! 아. 월. 비. 백!!!

삼식, 엄지손가락을 척 들어 올려 보이더니··· 홱 돌아서 씩씩하게 걸어간다.

26.   영순네, 강호 방 / N

이부자리가 펴진 건넌방을 얼떨떨한 눈으로 보는 강호.

영순   여기가 원래 강호 니 방이었어··· 오늘부터는 여기서 자는 거야. 알았지?

강호   (불안한 눈으로 방을 보며) 혼자 있는 거··· 싫어요···.

영순   아니, 이젠 뭐든 혼자서 하는 법을 배워야 돼··· 그래야 어른이 되는 거야.

강호   어른?

영순   응··· 어른··· (마주 보고 키를 대보며) 우리 아들 일어서고 이렇게 키가 커졌으니까··· 이젠 마음도 커질 차례야. 엄마가 하나씩 하나씩 도와줄게. 알았지?

강호   (고개를 끄덕이며) 네···.

그때, 울리는 영순의 휴대폰.

영순 (번호를 보더니 갸웃) 누구지?… 여보세요?

27. 강호 오피스텔, 경비실 앞 / D

급하게 들어서는 영순의 트럭. 영순이 뛰어내리더니 경비실로 간다.

영순 (숨을 헐떡이며) 저기… 최강호 검사….

경비 아이고… 오셨네… 이쪽 안으로 들어오세요.

28. 강호 오피스텔, 경비실 / D

영순과 경비가 함께 마주 보고 앉아 있다.

경비 지난번 반찬 가져다주셨던 날, 밤 늦게 최 검사님이
        찾아오셨더라구요.

영순 자리에 어느새 강호가 앉아 있다.

강호 만약 제가 없는 날… 저희 어머니 혼자서 제 이삿짐을 챙기러
        오시면 이걸 좀 전해주세요.

경비 검사님 이사 가세요?

나쁜엄마   60

강호   아니요… 근데 혹시 그런 일이 생길지도 몰라서요…. 다른 사람
                말고 꼭 저희 어머니께 전해주셔야 됩니다.

경비, 영순에게 흰 편지 봉투를 내민다.

경비   근데 그때 하필 제가 비번이었어서… 검사님 이사 가신 줄도
                모르고…. 다행히 지난번 주신 번호가 있어서… 이걸 이제야
                드리네요… 죄송합니다.

가만히 편지 봉투를 손에 쥐고 [어머니께]라는 글씨를 만져본다. 떨리는
손으로 봉투를 뜯더니 안에서 편지지를 꺼내는 영순. 천천히 편지를 펼쳐본다.

강호   V.O 보고 싶은 어머니.

흡! 울컥해 입을 탁 막는 영순.

강호   V.O 몸 건강히 잘 지내고 계세요? 경비실에 맡겨놓고 가신
                반찬은 잘 받았습니다. 어릴 적 어머니의 손맛이 늘 그리웠는데
                오랜만에 정말 행복하고 맛있는 저녁식사를 했습니다.

영순의 눈에 눈물이 고인다.

강호   V.O 일이 바쁘다는 이유로 자주 연락도 못 드리고 찾아뵙지도
                못해 늘 죄송한 마음입니다. 하지만 어머니, 이것만은 꼭
                알아주세요. 비록 몸은 이렇게 멀리 떨어져 있지만 제 마음만은
                늘 아버지 어머니와 셋이 함께했던 그 추억 속에 고스란히
                머물러 있다는 것을요. 그럼 다음 주 어머님 생신날

찾아뵙겠습니다.

점점점 표정이 굳어지는 영순.

29.   영순네, 안방 / D

편지를 들고 소리 내 읽는 강호.

강호   7월 27일 사랑하는 아들 강호 올림… 어? 강호? (영순을 보며)
       엄마… 이거 내가 쓴 거예요?

영순   (멍하니 고개 저으며) 아무리 생각해도 너무 이상해… 강호 넌
       한 번도 엄마한테 그런 말투를 쓴 적이 없어. 게다가 아버지랑
       셋이 함께한 추억이라니… 넌 아빠를 본 적도 없는데….

강호   근데 왜 이렇게 쓴 거예요?

영순   그러니까… 왜 그렇게 쓴 거야, 강호야?… 응? 왜 이걸 경비
       아저씨한테 맡겼어?… 엄마가 혼자 이삿짐 챙기러 가게 될 걸
       어떻게 알고 그랬냐고?… (다가와 강호 손을 잡으며) 말해 봐… 설마
       너… 니가 이렇게 될 줄 알고 있었던 거야?… 그래서 이걸로
       엄마한테 뭔가 말해 주려고 한 거야?… 맞지? 그런 거지?… 뭐야,
       강호야… 그게 뭐냐고… 응?

강호   미안해요, 엄마… 나… 기억이 안 나요.

영순   하아….

30.   은행 / D

출금용지에 글씨를 쓰고 있는 강호. 그런 강호를 물끄러미 바라보는 영순.

영순   Na 셋이서 함께한 추억… 도대체 무슨 말을 하고 싶었던 거니….

강호   (적으며) 10만 원….

영순   아니아니… 숫자 말고 한글로 십만 원이라고 써야 된다니까.
            (견본 가리키며) 여기 봐봐… 이렇게….

강호   아… 맞다.

강호, 다시 종이를 꺼내 쓴다.

영순   옳지… (보다가) 아니아니 홍길동이 아니라 최강호라고 써야지.

강호   아!! 맞다맞다….

다시 종이를 꺼낸다. 그때, 울리는 영순의 휴대폰. [수사관님] (4화 29씬의
수사관1. 이하 수사관)

영순   (전화 받는다) 여보세요?

수사관   접니다, 어머니… 전화하셨죠? 아까는 재판 중이라….

영순   아, 네… 잠깐만요. (강호에게) 다 적고 이따가 25번 부르면
            이 통장이랑 도장이랑 같이 직원한테 주면 돼…. 비밀번호가
            뭐라고 했지?

강호   비밀번호는… 0907… 내 생일!

영순, 엄지척! 해 보이더니 '죄송합니다' 다시 전화를 받으며 밖으로 나온다.

31.   **은행 앞 / D**

───────────────────────────────────────

놀란 얼굴의 영순.

영순   오태수 의원이요? 그러니까 지금 그… 대통령 나오는 오태수
             후보 말씀하시는 거예요? 예전에 검사셨던?

수사관   네, 맞아요… 최 검사님이 결혼하시려던 그분이 오태수 의원
             따님이잖아요. 모르셨어요?

영순   세상에… 어떻게 이런 일이…. 잘됐어요… 제가 오태수
             의원님하고 인연이 좀 있거든요… 연락처 좀 알 수 없을까요?

수사관   네에?

영순   그분 따님 번호면 더 좋구요. 강호에 대해 궁금한 게 있는데…
             결혼할 사이였으니까 제일 잘 알 것 같아서요.

수사관   아휴, 어머니… 제가 그분들 연락처를 알 수도 없지만…
             그 따님도 곧 결혼한다고 하던데… 연락 안 하시는 편이….

영순   !!!

32.   **은행 / D**

───────────────────────────────────────

힘없이 들어오는 영순을 보자 신나서 뛰어오는 강호.

강호	(만 원짜리 열 장 보이며) 봐요, 엄마… 내가 혼자 했어요!
영순	그래, 잘했어… 그렇게 하면 되는 거야…. 자, 이번엔 입금하는 거 해볼까?
강호	네! (용지 쓰는 책상으로 뛰어가) 입금… 입금…. (입금용지를 찾는다)
영순	(그런 강호를 아련하게 보며) 나쁜 것… 에미까지 버리고 지랑 결혼하려고 한 사람인데… 헤어진 지 얼마나 됐다고….

33.   웨딩샵 / D

무표정한 얼굴로 드레스 입고 서 있는 하영. 직원들이 옆에 붙어 드레스를 정리해 준다.

직원1	(밖에 대고 소리 지른다) 신부님 나오실게요.

34.   다른 웨딩샵 (과거) / D

직원이 커튼을 확~~ 친다. 하지만 아무도 없다.

직원1	(직원2에게) 신랑분 어디 가셨어?
직원2	(사무실 가리키며) 안에서 통화 중이세요….
하영	하여간… 여기까지 와서….

하영, 드레스를 입은 채 사무실로 달려가더니 문을 빼꼼히 연다. 돌아서서

통화 중인 남자… 강호다.

강호   애기 옷 따뜻하게 입히고… 바닷바람이 차니까… 아무튼 이따 저녁 여덟 시에 데리러 갈게요.

하영   오빠!

강호, 얼른 전화를 끊는다.

하영   애기라니?…

강호   아니야… 다 입었어?

하영   칫!… 짜잔하고 예쁘게 나타날려고 했는데… 이게 뭐야….

강호   지금도 충분히 예뻐….

하영   됐거든!

두 사람, 사무실을 나온다.

하영   근데… 내일 어머님 뵈러 시골 내려가야 되는데 저녁 늦게 어디 간다고?

강호   일 땜에 잠깐 나갔다 올 거야.

하영   맨날 그놈의 일….

강호   다 입어봤으면 백화점 좀 들리자.

35.   **백화점 명품관 (과거) / D**

가방을 들어 요리조리 살피는 강호. 2화 55씬의 그 가방이다.

하영   어머니 선물 내가 준비했는데… 모피코트.

강호   (점원에게) 이걸로 할게요.

하영   나한테는 에코백 들라더니… 치… 나도 사줘… 응? 응?

하영, 강호를 안고 애교를 부린다.

36.   **오태수네, 서재 (과거) / D**

조우리 내려가던 날 복장 그대로의 하영, 떨리는 눈으로 동영상을 보고 있다.
강호가 아기를 안은 황수현을 데리고 나와 차에 태우는 모습.

오태수   그놈에게 여자가 있었더구나… 게다가… 아이까지도….

하영   !!!

오태수   그런데….

다음 영상, 강호가 바닷가에서 차를 밀어버리는 모습이 나온다.
헉!!! 충격적인 장면에 놀라는 하영.

오태수   너랑 결혼하기 위해서 지 여자와 애까지 죽였다.

37.　　　웨딩샵 / D

무표정한 얼굴로 서 있는 하영. 그 앞에 '우와!!' 하고 감탄하는 얼굴의
도상그룹 아들 보이는 가운데 들려오는 목소리.

오태수　　　V.O 하영아… 우리가 먼저 끝내자.

하영의 눈에서 눈물이 뚝뚝 떨어진다.

38.　　　우벽그룹, 회장실 / D

송 회장이 전화기를 들고 통화를 하고 있다.

송 회장　　　아이고마~ 우리 오 의원님. 따님 결혼 소식은 들었습니다.
　　　　　　　이제 도상하고 사돈이 되네예.

오태수　　　네, 그렇게 됐습니다. 뭐 애들이 서로 좋다는데 어쩌겠습니까?

송 회장　　　맞심니더… 새끼 이기는 부모가 어딨겠습니까?… 새끼 죽이는
　　　　　　　부모는 있어도…

오태수　　　회장님!!!

송 회장　　　아이구야, 놀래라….

오태수　　　이제 이쯤에서 그만하시죠. 다 끝난 일입니다.

송 회장　　　우리 의원님은 다 끝나서 강호한테 사람을 보냈나 봅니다?

나쁜엄마　　　　　　　　　　　　　　　　　　　　　　　　68

오태수	무슨 말씀을 하시는 건지 모르겠네요.
송 회장	마 당연히 모르시겠지… 옹야둥둥 다 끝내셨다니 내사마 부럽심니데이. 내는 인자 시작인데… 하하하하.
오태수	뭘 어쩌시겠다는 겁니까?
송 회장	뭘 어쩔까는 우리 소 실장 올라오모 다시 알려드리겠습니다. 아마도 강호 집에서 뭘 찾아낸 모양이든데….
오태수	유전자 검사지 진본 말씀하시는 겁니까? 회장님 말씀대로 그깟 종이 쪼가리가 뭔 소용이겠습니까? 회장님이 바른한국당과 결탁해서 절 죽이려고 위조한 가짜라고 하면 무슨 수로 다시 증명해 내실 건데요? 그러게 왜 죽이기까지 하셨습니까? 불쌍한 여자랑 아이를….
송 회장	뭐라꼬요?
오태수	두 번 다시는 볼 일 없었으면 좋겠습니다. 그럼.

오태수, 전화를 탁! 끊는다.

| 송 회장 | 응… 그렇제… 이래 나와야 오태수제. |

그때, 문이 열리며 들어오는 소 실장과 차 대리… 깍듯이 인사한다.

송 회장	우째 됐노?
소 실장	드디어 서류가 있는 위치를 알아냈습니다….
송 회장	낼모레면 오태수랑 도상이 사돈이 되는 판에 이제사 겨우 위치를 알았다? 지금 내한테 그 말 하러 온 기가? 으이?

송 회장, 일어서서 배트를 손에 쥐자 겁에 질리는 소 실장과 차 대리.

소 실장 그게 아니고… (봉투 내밀며) 최강호가 일어섰습니다.

송 회장 (허공에 배트 휘두르다가 멈칫) … 그게 뭔 소리고?

송 회장, 급하게 다가오더니 봉투를 열어본다. 잔칫집에서 찍은 강호의
멀쩡하게 일어선 사진들이 나온다. 놀란 얼굴로 사진을 넘겨보는 송 회장…
점점점 얼굴이 환해진다.

송 회장 이봐라, 이봐… 내가 뭐라 캤노?… 인마는 반드시 일어선다
캤제? 으하하하하… 아! 맞다… 정신은? 정신도 돌아왔드나?

소 실장 그건… 아직 아닙니다.

송 회장 흠… 뭐 괘안타… 일단 이 정도면 충분하데이~ 우짜노 우리
오 의원님… 곧 내 보고 싶어서 안달 날 긴데….

의미심장한 미소를 짓는 송 회장.

39. 영순네, 부엌~마루 / D

씻은 쌀을 밥통에 쏟아붓더니 손을 넣는 영순.

영순 봐… 물은 얼마나 붓는다? 이렇게 손등에 닿을락 말락하게….

강호 (가만히 보더니) 엄마… 이건 햅쌀이잖아요!… 햅쌀은 물을 적게
먹는다!

강호가 밥통을 들어 물을 따라낸다.

영순   와~ 우리 아들… 이제 엄마보다 잘하네….

영순이 강호 머리를 쓰다듬는다. 음악과 함께 영순이 강호에게 이것저것
가르쳐주는 모습이 빠르게 흘러간다.

- 김치찌개, 계란찜, 카레라이스 등등 음식하는 법을 가르치는 영순. 영순이
  양파를 천천히 어설프게 써는데… 강호가 다다다다 더 잘 썬다.
- 세탁기 세제를 계량스푼으로 뜨더니 손가락으로 깎아 정확히 계량해 넣는
  강호.
- 양말, 속옷, 셔츠 등 개는 법을 가르쳐주는 영순, 보면 강호가 더 칼각으로
  잘 개었다. 영순이가 개어놓은 것 마저도 다시 풀어 예쁘게 개는 강호.
  영순이가 신기해하며 오히려 따라 갠다.

CUT TO

강호, 안방에서 노트북 앞에 앉아 '농장생산일지' 작성하는 법을 영순에게
배우고 있다.

영순   자, 돼지 똥 무게는 어디다 기입해야 돼?

강호   (모니터 가리키며) 여기… 분뇨 발생량.

영순   그렇지… 약 먹이고 주사 놓은 거는?

강호   음… 음… 아! 여기… 약품명, 사용량, 돈사번호, 유효기간.

영순   (엉덩이 두들겨주며) 우구 잘했어. 역시 똑똑한 우리 아들….

매일매일 체크하고 바로바로 기록해 놔야 돼… 알았지?

강호 네… 내일은 뭐 배워요?

영순 내일?… 가만있자 내일은….

영순, 수첩을 꺼내 본다. 버킷리스트처럼 강호와 할 일들이 죽 적혀 있다.
장 보기, 밥하기, 빨래하기, 은행 일 보기, 농장생산일지 쓰기, 영정 사진 찍기
등등등… 영순이 생산일지 쓰기에도 줄을 지익 긋는다.

영순 음… 내일은… 사진 찍으러 가자….

40. 영순네, 마당 / N

강호의 목에 보자기를 두르고 머리를 잘라주고 있는 영순.

강호 가족사진이요?

영순 응… 가족사진…. 연수원 때 찍은 이후로 한 번도 못 찍었잖아.
다 됐다… 어디 보자…. 와~ 우리 아들 아빠 닮아서 진짜
잘생겼네. 내일은 옷도 예쁘게 좀 입고… 또… (생각하다가) 아!
그래!!!

41. 영순네, 창고 / N

창고에 쌓여 있는 강호의 이삿짐 물건들을 뒤지는 영순. 눈이 동그래진 강호가

여기저기 놓인 짐 상자들을 살펴보고 있다. 각종 서류 뭉치들이 가득하다.

강호   와~ 이게 다 내 꺼예요?

영순   응. 다 니 꺼야….

그때, 강호 눈에 보이는 글러브와 야구공.

강호   (얼른 잡으며) 이것도요?

영순   맞아….

강호   신난다… 서진이 예진이한테 보여줘야지….

영순   찾았다!!!

영순, 상자들 틈에서 옷 상자를 발견하고 좋아한다.

42.   **뒷산 / D**

트롯백이 영순네 농장이 먼발치에서 보이는 산 중턱에서 전화를 하고 있다.

트롯백   그러니까 콘서트홀 자리는 다른 데로 알아보자고… 괜찮지?

최 대표   뭐 작곡가님만 괜찮으시면 저희야 괜찮죠. 어머니 계신 고향에다 지으시고 싶어 하셨잖아요.

트롯백, 돌아서면 산소 하나가 보인다.

트롯백	뭐… 어쩔 수 없지… 아무튼 난다기획 사장한테 니가 잘 좀
	전해… 응….

전화 끊는 트롯백… 산소 옆으로 털썩 앉는다.

트롯백	노래 잘한다고 크면 가수 되라매… 그래서 이미자랑 주현미도
	만나게 해주고 남진, 나훈아도 보게 해달라매…. 이름까지
	백훈아라고 지어놓고 그렇게 일찍 가버리냐…. 후우~ 여기서
	제일 잘 보이는 저 농장 자리에 으리으리한 콘서트홀 지어서
	매일 가수들 만나게 해주려고 했는데…. 근데… 저기 돼지
	엄마도 엄마처럼 암이라네… 나중에 콘서트홀 지으면 그 앞으로
	이장해드릴 테니까 쫌만 더 기다려줘….

트롯백, 산소를 토닥토닥 어루만지더니 일어난다.

43.   마을 일각 / D

트롯백, 내려와 마을 길을 걷는데… 유치원 가방을 멘 서진이와 예진이가 밭을 서성이고 있다.

서진	한겨울에 배추꽃이 어딨다고… 그걸 찾는댜?
예진	에이… 왜 한겨울이고 난리여… 짜증 나…
서진	근디 그 많은 꽃 중에 왜 하필 배추꽃이여?
예진	노랗잖어… (주머니에서 종이 꺼내 보여주며) 노란색은 지적 능력을

상징하며 운동 신경을 좋게 한다… 봐… 강호 오빠에게 꼭
필요한 색이여.

서진   대단허다. 이걸 찾아본 겨?

예진   당연하제. 이제 강호 오빠는 내가 지킬 거여~ 배추 청벌레처럼
딱 붙어서… ♪ **오빠는 배추꽃 나는 청벌레. 영원히 오빠 곁에
살 거예요~**

서진   뭔 노래여? 그게?

예진   방금 만든 노래여… 어뗘~ ♪ **오빠는 배추꽃~ 나는 청벌레~**
아! 좋은 생각이 났다….

예진이 갑자기 뛰자, 따라가는 서진. 허~ 어이없게 바라보다 다시 발걸음을
돌리는 트롯백. 그러다 다시 멈춰 서더니…

트롯백   ♪ **오빠는 배추꽃~ 나는 청벌레~** 뭐지?… 좋은데?

44.   **영순네 앞 / D**

노란 단무지 양장을 입은 영순과 노란 남방에 청바지를 커플룩처럼 입은
강호가 나오는데… '강호 오빠~~~~' 하는 소리. 강호가 쳐다보면 예진이와
서진이가 노란 이소룡 츄리닝을 입고 달려오고 있다.

영순   아이고~ 우리 이쁜 것들…. 강호랑 놀러 왔구나? 근데 어쩌지?
지금 우리 읍내 나가는 길인데….

서진   괜찮아요. 예진이가 강호 형 일어선 거 축하해 준다고 꽃 주러

온 거예요… (예진 툭 치며) 뭐 혀….

예진, 노란 색종이로 만든 꽃다발을 들고 슬금슬금 다가오더니 수줍게 내민다.

예진   (온몸을 배배 꼬며) 노란색이 오빠한티 좋대요~

강호   고마워, 예진아. 너무 예쁘다… 물론 우리 예진이가 더 예쁘지만.

강호, 예진 손등에 뽀뽀를 쪽 해준다. 예진, 다리 풀려 비틀한다.

강호   갔다 올게~

차에 오르는 영순과 강호… 부릉, 출발한다….

예진   (손을 뚫어져라 보며) 나헌티 손 씻으라고 허면 다 작살낼 거….

봤지? 커플룩?… 이건 운명이여… 나 강호 오빠랑 결혼헐 거여.

서진   친구에서… 형에서… 이제 처남으로 바뀌는 겨? 이게 뭔 족보랴?

45.   **사진관 / D**

강호와 영순이 다정하게 사진을 찍는다.

사진사   두 분 너무 보기 좋으세요… 자… 다 됐습니다.

사진사, 사진기 정리한다.

사진사	자… 그럼 인화할 동안 잠깐 대기실로….
영순	저기… (머뭇대다가)… 저 독사진 한 장만 더 찍어주세요.
사진사	아, 네… 여권 사진이요, 증명사진이요?
영순	…그거보다 좀 많이 크게요. 문상 온 손님들 볼 거니까 예쁘게 잘 좀 찍어주세요.
사진사	문상이요?… (가만히 보다가) 아… 예… 알겠습니다.

영순, 옷매무새를 가다듬고 환하게 웃는다… 찰칵!

46.   영순네, 안방 / N

그 모습 그대로 영순의 영정 사진이 커다란 상 위에 놓여 있고… 긴 막대기 하나를 쥔 강호가 영정을 바라보고 서 있다. 그때… 뒤에서 다가오더니 강호 몸을 돌려 마주 보는 영순.

영순	자, 한 번만 다시 해보자.
강호	엄마… 근데… 이건 왜 하는 거예요?
영순	시작해.
강호	….
영순	얼른!!
강호	아이고… 아이고… 아이고… 아이고…. (영순 눈치 본다)

영순	계속해.
강호	엄마… 나 이거 하기 싫어… 무서워….
영순	무서울 거 없어, 강호야… 그냥 엄마가 강호가 모르는 걸 알려주는 거야. 밥하는 법처럼… 은행 가는 것처럼… 사람이 살다 보면 필요해지는 걸 가르쳐주는 거야.
강호	언제 필요한데요?
영순	나중에… 아주아주 나중에… 자… 해보자.
강호	(어쩔 수 없이) …아이고… 아이고… 아이고….

강호가 다시 곡을 하자… 자신의 영정 사진을 바라보고 서는 영순. 영정을 향해 절을 두 번 올린다. 그리고는 강호를 향해 서더니 강호를 향해 절하는 영순. 살짝 고개를 들더니…

영순	어떻게 하라고 했어?

강호, 얼른 따라서 영순과 맞절을 한다. 고개를 푹 숙인 영순, 어깨가 바르르 떨린다. 하지만 이내, 이를 악물고 일어난다.

영순	자, 강호도 일어나야지.

그 말에 얼른 일어나는 강호. 영순, 강호에게 다가가 손을 잡는다.

영순	얼마나 상심이 크십니까?
강호	….

영순	얼마나 상심이 크십니까?
강호	엄마….
영순	얼마나 상심이 크십니까!!!!
강호	어려운 발걸음해 주셔서 감사합니다.
영순	평소 지병이 있으셨습니까?
강호	….
영순	암이셨습니다.
강호	암이셨습니다.

영순, 강호를 보며 빙그레 웃더니 안아준다.

| 영순 | 우리 아들… 참… 잘한다…. |

CUT TO

얼굴에 오이를 덕지덕지 붙인 영순과 강호가 다정히 누워 있다. 영순의 영정 사진과 강호와 찍은 가족사진이 새로 걸려 있다. 사진을 빤히 쳐다보고 있는 강호.

강호	엄마… 저기에도 넣자.
영순	응? 뭐를?
강호	아빠….
영순	아빠?

강호	(돌 사진 가리키며) 저기 저 사진처럼… 여기에도 아빠 사진 넣자. 그럼 우리 셋이 함께 있는 거잖아.
영순	그래… 그러자….

영순, 웃으며 강호 머리를 쓰다듬는다. 그러다 서서히 굳어지는 영순의 얼굴. 헉!!! 벌떡 일어나 앉는다. 강호의 돌 사진을 쳐다보는 영순. 아기 강호와 영순… 그리고 오려 넣은 해식의 사진.

강호	Na 늘 아버지 어머니와 셋이 함께했던 그 추억 속에 고스란히 머물러 있다는 것을요.
강호	엄마… 왜 그래?

영순, 허겁지겁 달려가 돌 사진 액자를 꺼내 들더니

영순	그 추억 속에… 그 속에….

영순, 액자를 이리저리 돌려보더니 다급하게 액자 뒤 나무판을 분리해 낸다. 그리고 이내 커지는 눈… 영순, 떨리는 손으로 액자 속에 들어 있는 무언가를 꺼내 든다. 파란색 SD카드다.

나쁜엄마

EPISODE
9

그 애를 만난 건 바로 그때였다.
어둡고 차갑고 팍팍하기만 했던 나의 인생에
한줄기 따스한 빛을 비춰준 아이.
아무리 아프고 무서워도 울거나 비명을 지를 수 없는
수족관 속 물고기에게 바다를 꿈꾸게 해준 아이….
아니… 바다가 되어준 아이.

1.   마을회관 앞 / D

이장과 청년회장과 박씨, 정씨, 양씨 등 마을 사람들이 모여 김치를 담그고
있다. 한쪽에서 서진과 예진이 정씨 휴대폰을 보고 있다.

이장   때깔 보니께 올해 김치도 맛있겠네.

청년회장   그럼유… 이게 두벌 고춧가루라 맛있을 거예유.

박씨   작년에는 비가 하두 와서 태양초는 엄두도 못 냈는디
              올해는 날이 좋아 다행이여.

정씨   그럼~ 고추는 뭐니뭐니 해도 태양초지… 건조기 돌린 거랑은
              차원이 다르잖어. 비싸서 그릏지….

박씨   봄부터 밭 갈아서 모종 심고, 고추 말짱 매주고, 때맞춰 약 주고,
              여름 땡볕에 따, 씻고, 말려서, 빻는 거 생각하면 비싼 것도
              아니여~

그때, 영락없이 팩을 붙인 얼굴로 다가오는 이장 부인.

이장 부인 어머… 고춧가루 색깔 좀 봐. 역시 고추는 삼식이 아버지 고추가
              최고예요.

박씨   야!… 거… 말 좀 똑바로 못 혀?…

이장 부인 아! 고추는 삼식이 아버지가 농사진 고추가 최고예요… 됐죠?

박씨   큼… 그래야제.

사람들 쿡쿡쿡 웃음을 참는데… 그때, 휴대폰에서 뭔가를 보던 예진이 소리

지른다.

예진	어? 이 언니… (서진 보며) 맞지?
서진	응… 그러네….
예진	할머니!! (달려와 휴대폰 정씨에게 보이며) 예전에 강호 오빠랑 같이 왔던 그때 그 언니 결혼한대요.
정씨	뭐?

정씨, 휴대폰을 보자 하영의 결혼 기사가 보인다. [오태수 의원 딸, 도상그룹 아들과 결혼]. 사람들이 몰려와 휴대폰을 같이 들여다본다.

박씨	오매 뭐여? 진짜네?
이장	잠깐만 잠깐만… 아니 그럼… 이니가 오태수 의원 딸이었던 겨?
청년회장	(놀라) 오태수요?!!… 오태수라면….
양씨	맞아요… 그 대통령 나온다는 제일미래당 후보.
박씨	시상에… 그럼 강호가 대… 대통령 사위가 될 뻔헌 거여?
정씨	지금 그게 중요혀? 옘병할 년… 강호 저리 된 지 얼마나 됐다고 고새 딴 놈헌티 시집을 가?
이장 부인	도상그룹 아들이면… 저라도 당장 시집가겠어요.
이장	남편 앞에서 뭔 말을 그렇게 섭섭허게 혀? 얼른 퉤퉤퉤 혀….
이장 부인	퉤퉤퉤….
정씨	에휴… 가뜩이나 심란한데 강호 엄마 알면 을마나 속 뒤집어질 거여?

청년회장	아이고, 안 돼요, 안 돼… 이건 강호 엄마헌티 절대 비밀로 허자구요….
영순	이미 알고 있어요.

갑작스런 영순의 등장에 깜짝 놀라는 마을 사람들.

영순	(쓸쓸하게 웃으며) 어쩌겠어요… 각자 자기 인생이 있는 건데….
이장 부인	맞아요, 산 사람은 살아야죠… 읍!

이장이 김치로 이장 부인 입을 막았다.

영순	(청년회장 보며) 청년회장님 저 좀 잠깐….
청년회장	저요?

2. 영순네, 마루 / D

영순의 노트북에 SD카드를 꽂는 청년회장.

영순	아~ 그게 거기다 그렇게 꽂는 거구나~

노트북을 조작하는 청년회장.

청년회장	자… 됐어요. 여기 요거 두 번 클릭해서 보시면 돼요.
영순	너무 고생하셨어요….

청년회장	아휴~ 고생은 무신… 또 궁금헌 거 있으시면 언제든 연락 주세유.
	강호 잘 있어… (영순에게) 안녕히 계세유.
강호	(꾸벅 인사하며) 감사합니다. 안녕히 가세요.

청년회장이 나가자 다시 노트북을 보는 영순.

영순	어디 보자… 여기를 두 번 클릭하면….

영순이 파일을 클릭하자, 네 자리 비밀번호 입력창이 뜬다.

영순	어? 이게 뭐야… 비밀번호?…
강호	(영순을 보며 얼른) 나 비밀번호 알아요!… 0907… 내 생일!
영순	그건 우리 통장 비밀번호구….

'0907' 쳐보는 영순, 틀리다는 메시지가 뜬다.

영순	그래, 그렇게 쉬운 걸 해놨을 리가 없지… 그럼 뭐지?
	(강호를 보더니) 뭘까? 강호야?… 혹시 생각나는 숫자 없어?
강호	숫자… 숫자….

강호, 골똘히 생각하다가 주머니에서 편지를 꺼내 다시 펴보더니

강호	근데 엄마… 엄마 생일은 5월 12일이잖아요.
영순	(눈이 커져) 세상에… 우리 아들… 엄마 생일도 기억해?!!…
	아이고 이뻐라….

나쁜엄마

강호	(고개를 갸웃) 근데 엄마… 이상해요… 여기 9월 7일에 썼는데… 왜 다음 주 엄마 생일날 보자고 해요?
영순	응?

영순, 강호가 내민 편지를 받아서 본다.
[그럼 다음 주 어머니 생신날 찾아뵙겠습니다.]

| 영순 | 어? 그러네… (표정이 탁! 굳어지더니) 잠깐만… 그럼 어머니 생신날 찾아뵙는다는 게 혹시…!!! |

영순, 비밀번호란에 얼른 '0512'라고 친다. 그리고 엔터를 탁! 순간, 파일이 열리며 줄줄줄 나오는 날짜별로 정리된 문서들.

영순	맞았어!!!!… 맞았어, 강호야!!…
강호	와!! (짝짝짝 박수 치더니 영순 목을 끌어안는 강호) 됐다!!
영순	아~ 역시 우리 아들 똑똑해… 거기서 그걸 어떻게 생각해 냈대?… 자자, 그럼 이게 뭔지 같이 한번 볼까?

영순, 노트북 화면에서 맨 위 파일을 클릭한다. 잠시 눈으로 스윽 훑어보는 영순.

| 영순 | 잠깐… 이건… 강호, 너… 일기 같은데?… 2008년 3월 3일…. |

3.   **서울대학교, 정문 (과거) / D**

서울대 정문을 바라보고 서 있는 대학생 강호.

강호　　　　　[Na] … 드디어 서울대 법학과에 합격했다.

다부진 표정으로 힘차게 걸어 들어간다.

4.　　　　서울대학교, 강의실 (과거) / D

강의실에 앉아 있는 신입생 강호. 한 여학생이 일어나 발표를 하고 있다.

여학생　　　…성소수자, 난민, 장애인 등을 비롯한 사회적 약자의 인권
　　　　　　　보호를 위해 노력하는 인권변호사가 되고 싶습니다. 이상입니다.

교수　　　　(끄덕끄덕하더니) 좋아… 자, 그럼 다음은… (학생을 쭉 보다가) 오~
　　　　　　　그래… 이번에 수석 입학한 우리 최강호 학생.

교수의 말에 일어나는 강호.

교수　　　　그래, 자네는 왜 법대에 왔나?

강호, 흠흠 목소리를 다잡고는 다부진 표정으로 말한다.

강호　　　　대한민국은 자유 민주주의를 수호하는 법치 국가입니다.
　　　　　　　법의 목적은 사회 구성원 다수의 행복과 이익을 실현하는
　　　　　　　공공복리와 모두에게 평등한 정의… (잠시 머뭇)… 모두에게
　　　　　　　평등한 정…

강호, 끝내 말을 잇지 못하더니 이내 고개를 푹 숙인다. 당황스런 얼굴로 그런

나쁜엄마

강호를 바라보는 교수와 학생들. 순간, 번쩍 고개를 드는 강호.

강호 실은… 그걸 알고 싶어서 왔습니다.

교수 응?

강호 제가… 왜… 무엇 때문에… 여기 이 법대에 와야만 했는지!…
그걸… 알고 싶어서요.

5.　　　**경찰서 (과거) / D**

영순 강호야!! 강호야!!

놀란 얼굴로 허겁지겁 뛰어 들어오는 영순. 피투성이가 된 대학생 강호와
또 다른 또래 남학생이 함께 앉아 조사를 받고 있다.

영순 이… 이게 무슨 일이야… 어? 강호야… 왜 이래…
(경찰 보며) 우리 아들 왜 이래요, 네?

경찰 학교에서 성적 문제로 시비가 좀 붙은 모양인데… 최강호 학생이
먼저 폭력을 썼기 때문에 합의를 하지 않는 한 형사처벌을
면하기 어려울 것 같습니다.

강호 (버럭) 합의요? 제가 합의 못 합니다… 출석도, 시험도, 레포트
제출도 제대로 하지 않은 새끼가 과 수석을 했어요. 어머니가
현직 판사라는 이유로 마음대로 성적 조작하고 장학금을 주는 게
말이 됩니까? 그것도 법대에서요?!!!

남학생 하…. (형사 보며) 저 명예훼손에 허위사실유포죄까지 추가할게요.

영순, 그 말에 잠시 멍하더니 갑자기 달려가 남학생의 손을 잡는다.

영순   미안해요. 내가 대신 사과할게요…. 돼지 치는 엄마 돕겠다고…
지 힘으로 장학금 타가며 공부하다 수석을 놓치니까 속상해서
그랬나 봐요… 제발….

순간, 그런 영순을 탁 뿌리치는 남학생… 자신의 손 냄새를 맡는다.

남학생   윽. 이게 무슨 냄새가 했더니… (강호 향해) 억울하면 너도 축산과를
가지 그랬냐? 그럼 돼지 치는 니 엄마가 빽 좀 써줬을 텐데….

강호   뭐? 이 새끼야?!!!!!!

강호, 남학생에게 달려드는데… 그런 강호를 막아서더니 냅다 따귀를 때리는
영순. 강호, 놀라 멍한 눈으로 영순을 보는데… 순간, 털썩 남학생에게 무릎을
꿇는 영순.

영순   (남학생 향해) 잘못했어요. 제발 한 번만 용서해 주세요….

영순, 벌떡 일어나 우악스럽게 강호 양손을 잡더니 남학생 쪽을 향해 빌게
만든다.

영순   빌어… 니가 잘못했다고 하라고….

강호   (손 뿌리친다)

영순   (다시 손을 잡고) 빨리 빌어, 이놈의 새끼야!… 너 이러다 감옥 가…
무릎 꿇고 빌어!! (강호 등짝 때리며) 빌라고!! 빌어!! 얼른!!

강호   (울고불고 난리 치는 영순을 보며 멍하니) 엄마… 엄마… (버럭) 엄마!!!!

비명에 가까운 강호의 고함에 일순 조용해지는 경찰서.

강호   그러니까 내가 이 새끼한테 빌어야 된다고?… 감옥 가면 사시
        못 보니까 이 개새끼 앞에서 무릎 꿇라는 거잖아… 지금?!!!!
        맞다… 그게 엄마가 바라는 거였지? 목적을 위해선 수단, 방법
        가리지 않는 비겁한 속물이 되는 거…. (무릎을 꿇고 남학생에게
        싹싹 빌며 악에 받쳐) 미안하다… 내가 감히 주제 파악도 못 하고
        까불었다. 그러니까 나 사시 좀 보게 해주라… 씨발… 나 좀
        용서해 주라… 제발 용서해 줘… 용서해 주십시오!!!!

강호, 이내 바닥에 머리를 박고 오열한다. 주먹으로 바닥을 계속 내리쳐 점점
핏빛으로 물들어가는 강호의 손.

강호   [Na] 그날 알았다. 내가… 왜… 무엇 때문에… 여기 이 법대에
        와야만 했는지! 지금부터 내가 해야 할 일이 무엇인지.

6.   **법원 (과거) / D**

싸늘하게 굳은 얼굴로 법원으로 들어가는 강호.

7.   **법원, 민원실 (과거) / D**

붕대를 감은 손으로 직원에게 등본을 내미는 강호.

강호	유족입니다. 아버지 재판 판결문 좀 보고 싶은데요.

8. 법원, 야외 (과거) / D

벤치에 앉아 판결문 읽고 있는 강호. 표지를 덮더니 휴대폰을 들어 찍는다. 찍힌 사진을 확대해 보면, 사건번호, 피고인 송우벽, 검사 오태수… 이름이 보인다.

9. 서울중앙지검, 열람 등사실 (과거) / D

강호, 데스크 직원 앞에 서 있다.

강호	절차에 따라서 재판기록과 증인신문조서를 신청했잖아요. 왜 안 된다는 거죠?
직원	죄송하지만 그건 당사자가 직접 오셔야지만 열람하실 수 있습니다.
강호	당사자는 이미 사망하셨다니까요.
직원	재판 자료 공개는 현재 본 사건을 이관받으신 검사님의 재량이라… 저희도 어쩔 수 없습니다.

실망하는 강호.

10.		봉우경찰서, 복도 (과거) / D

정신없이 통화 중인 형사. 그 옆을 졸졸졸 따라가고 있는 강호.

형사	아! 글쎄… 일단 신변 확보해서 끌고 오라고!! 새끼야…… 영장 곧 발부된다니까!!… 하여간 이 새끼들은 일 처리를… (전화 끊고는 강호 보더니) 뭐야?… 넌 왜 아직까지 거깄어?
강호	보여주십시오. 공공기관의 정보공개에 관한 법률에 의하면 유족에게도 수사기록을 공개할 수 있도록 되어 있습니다. 이러면 직무 유깁니다.
형사	(어이없게 웃더니) 뭐? 직무 유기?… 와~ 내가 진짜…. (강호를 탁! 밀며) 너 뭐야, 새끼야… 법대생이면 경찰 따윈 우습냐?
강호	그게 아니고요….
형사	아아… 됐고… (턱턱 밀며) 얼른 가서 사시 보고 판검사 돼서 내 직무 유기 구속영장 들고 다시 와… 22년 전 수사기록이건 100년 전 수사기록이건 싹 다 갖다 바칠 테니까…. (강호를 밀며) 나가!!
강호	형사님…
형사	꺼지라고, 새꺄!… 가뜩이나 바빠 죽겠는데… 확! 그냥!!!

형사에게 떠밀리는 강호.

11.   봉우경찰서 앞 (과거) / D

성큼성큼 걸어나오다 홱, 다시 경찰서를 노려보는 강호.

영순   [V.O] 열심히 공부해서 판검사 되고 나면 아무도 너를 무시하거나
            괴롭힐 수 없어. 그게 진정한 힘인 거야… 무슨 말인지 알지?

이를 악물고 주먹을 불끈 쥐고는 경찰서 정문을 나간다.

12.   강호 공부 몽타주

- 도서관에서 열심히 공부하는 강호.

- 주짓수를 배우는 강호.

- 서점에서 책 고르다가 우연히 오태수 저서를 발견하고 반가워하는 강호.

- 노트북으로 오태수 인터뷰를 보는 강호. 책상에 쌓여 있는 오태수 관련
  논문들.

- 운동 실력이 늘어가는 강호의 모습.

- 입영통지서를 받는 강호.

- 내무반에서 모두가 잠든 가운데, 플래시 켜고 공부하는 강호.

- 서울대 졸업식. 수석 졸업 상장 받는 강호. 그 모습을 뿌듯하게 지켜보는
  영순.

- 도장이 든 통장을 강호에게 내미는 영순.

나쁜엄마   94

영순   앞으로는 매달 여기로 돈 부칠게. 방도 좀 큰 걸로 얻고… 알았지?

- 강호, 고시원 책상 맨 밑 서랍에 통장을 넣고 열쇠로 잠가버린다.

- 미친 듯이 운동하는 강호.

- 4화 8씬, 횟집에서 알바하는 강호… 쟁반에 반찬들을 챙겨 손님 테이블에
  내려놓는데… '강호?'…. 고개를 들어보면 미주다. '미주?'

강호   [Na] 그 애를 만난 건 바로 그때였다. 어둡고 차갑고 팍팍하기만
             했던 나의 인생에 한줄기 따스한 빛을 비춰준 아이.

- 신나서 뛰어가는 강호. 네일샵 앞에 도착하자 안에서 열심히 네일아트하던
  미주와 눈이 마주친다. 4화 11씬, 3차 합격통지서를 유리창에 탁! 붙여
  보이는 강호. 아아… 눈물을 흘리는 미주. 문을 열고 뛰어나와 강호에게
  팍 안긴다.

강호   [Na] 아무리 아프고 무서워도 울거나 비명을 지를 수 없는
             수족관 속 물고기에게 바다를 꿈꾸게 해준 아이…. 아니…
             바다가 되어준 아이.

13.   **사법연수원, 휴게실 (과거) / D**

강호, 커다란 우편 봉투를 열자 발레단 공연 팸플릿과 티켓이 나온다.
공연 팸플릿을 열어보는 강호, 출연자 명단에 '하영'이라는 이름을 찾아본다.
그때, 발레 공연 팸플렛을 탁! 빼앗아 드는 연수원 동기1.

동기1	이야… 이게 뭐야? 공부벌레 최강호가 고상한 취미가 있으셨네? 발레 보러 가려고?
강호	발레가 아니고 오태수 고검장님 보려고.
동기1	오태수?
강호	(팸플릿 뺏어 보여주며) 여기 이 오하영이 오태수 고검장님 따님이거든. 아무리 바쁘셔도 딸 발레 공연은 꼭 가신대… 고검장님을 가까이서 볼 수 있는 절호의 기회야. 운 좋으면 인사라도 할 수 있지 않을까?
동기1	대단하다, 대단해… 너 이 정도면 사생팬을 넘어 스토커야, 스토커….

그때, 달려오는 동기2.

동기2	최강호!!… 최강호 어딨어? (강호 발견하고 달려와) 야! 빅뉴스야… 빅뉴스!! 이번 특강 때 오태수 고검장님이 오신대.
강호	(놀라) …진짜야?
동기1	이야!… 최강호 이 자식 좋겠네… 그렇게 한번 만나보고 싶어 하더니….

강호의 얼굴에 환한 미소가 번진다.

14.　사법연수원, 강당 (과거) / D

2화 22씬의 강의하고 있는 오태수를 웃으며 보고 있는 강호.

강호　　　Na 28년 전 아버지의 재판을 맡았던 오태수 검사는
　　　　　서울고등검찰청 검사장이 되어 있었다.

오태수　　자, 과거의 케케묵은 법조인의 한 사람으로서 미래의 법조인
　　　　　여러분께 부탁 하나 할게요. 우리 그동안 공부한다고 참 머리
　　　　　많이 썼잖아요… 안 그래? 그러니까 이제 이 머리 말고, 여기
　　　　　이 뜨거운 가슴으로… 생각을 합시다. 오늘 강의는 여기까지!

'와!!!!!!' 사람들 일제히 일어나 기립 박수를 친다. 그 속에서 가장 힘차게
박수 치는 강호.

15.　사법연수원, 야외 (과거) / D

연수원생들이 오태수를 둘러싸고 사진 찍고, 저서에 사인 받는 등 정신없는
분위기다. 그때, 교수 하나가 강호를 데리고 오태수에게 다가온다.

교수　　　자자… 다들 이제 그만….

연수원생들이 하나둘 돌아간다.

교수　　　선배님… 여기 최강호라고 이번 사법연수원 수석 입학에
　　　　　학기 내내 한 번도 일등을 놓친 적이 없는 수잽니다.

오태수	아!… 그래? (악수 건네며) 우리 동문인가?
강호	네… 뵙게 돼서 영광입니다.
오태수	(강호 어깨 다독이며) 뭐 수석이면 판사 임용되는 거야, 시간문제겠네.
강호	전 검사가 되고 싶습니다.
교수	롤모델이 선배님이랍니다. 저는 말할 것도 없고 선배님 학사, 석사 논문까지 달달 외울 정도로 아주 열성 팬이에요.
오태수	아! 그래? 하하하… 이거 내가 더 영광이네… 부디 몸도 마음도 건강한 검사가 돼서 우리 메마른 법조계에 신선한 활력소가 돼주길 바래요.

오태수, 강호의 등을 토닥이고 돌아서 걷다가 갑자기 발걸음을 멈추고 다시 강호를 돌아본다.

오태수	근데… 우리 혹시 어디서 본 적 있나?… 낯이 좀 익네….
강호	아니, 뵌 적은 없고…(머뭇거리다) 실은 예전에 고검장님께서 저희 아버지…

그때, '아빠!!!!' 하는 소리가 들려온다. 보면, 차 한 대가 서 있고 뒷좌석 창문에서 손을 흔들고 있는 한 여자… 하영이다.

하영	(손목 시계 가리키며) 늦었어요, 빨리….
오태수	어어 그래… (강호 보며) 난 일정이 있어서… 다음에 또 보자고… 후배님.
강호	(큰 소리로) 네!… 꼭 다시 뵙겠습니다. 선배님!

나쁜엄마

오태수, 웃으며 돌아서 차에 오른다. 차 안의 하영을 바라보는 강호.

16.   서울중앙지검, 복도 (과거) / D

양복을 차려입고 서 있는 강호를 비롯한 시보들. (남자2, 여자2) 지도 검사가
그런 시보들 앞에 서 있다.

지도 검사   자, 우리 서울중앙지검으로 발령받은 신입 시보 병아리들 환영한다.
              지금부터 각 기관의 위치 및 업무 상황에 대해 설명해 줄 테니까
              삐약삐약 잘 따라오도록.

    CUT TO

강호를 포함한 시보들을 데리고 다니며 각 시설들을 안내해 주는 지도 검사.

지도 검사   자, 이쪽은 집행과 보존 1, 2팀이 근무하는 곳이고, 이쪽이
              기록보존실. 재판에 관련된 모든 자료들과 사건기록을 찾아볼 수
              있는 곳이야. 다음은 3층 형사과로 가볼까?… 병아리!

'삐약삐약' 장난하며 우르르 몰려가는 시보들 틈에서 기록보존실을 유심히
보는 강호.

17.   서울중앙지검, 기록보존실 앞 (과거) / D

들어서는 강호. 데스크에 앉아 있는 직원에게 다가간다.

강호	안녕하십니까? 형사8부 소속 최강호 시보입니다. 이번에 청담동 부녀자 살인사건을 배당받아 수사 중인데요. 3년 전 역삼동 여대생 살인사건 때와 범죄가 일어난 시간, 장소, 수법에서 꽤 겹치는 부분이 있어서요···. 참고를 좀 하고 싶은데··· 그때 당시 재확정기록을 좀 볼 수 있을까요? 원심, 항소심에 기록된 증인신문조서가 필요해서요.
직원	(조회하더니) 아, 네. 찾아다 드릴게요, 잠시만요···.
강호	죄송하지만··· 실무수습 경험도 할겸 제가 직접 찾아보고 싶은데··· 그래도 될까요?

18. 서울중앙지검, 기록보존실 (과거) / D

자료들이 빼곡한 기록보존실. 주머니에서 핸드폰을 빼더니 앨범에서 사진을 찾는 강호. 아버지 해식의 판결문에 있는 사건번호를 확대해 본다. 자료를 찾기 시작하는 강호.

CUT TO

해식의 자료를 찾는 강호의 여러 모습. 그리고 드디어 해식의 재판기록을 손에 드는 강호. 얼굴에 만감이 교차된다.

강호	[Na] 결국 그렇게도 보고 싶었던 아버지의 재판기록을 손에 넣었다. 분명 이 끝에 어머니와 나의 비틀어진 운명, 그 시작이 있을 것이다.

퇴근 준비하는 선영과 미주, 그리고 동료들.

선영　　어머어머 강호세끼… 아니아니 사시세끼다!

미주가 쳐다보자 통유리창 앞에 서서 손 흔드는 강호.

선영　　정성이다, 정성이야… 어떻게 하루를 안 빠지고… 아! 그렇게
　　　　좋으면 빨리 결혼식을 하든가….

미주　　아직 임관식도 안 했는데, 결혼식은 무슨….

선영　　아! 그거다!… 임관식!… 그날 강호 씨 어머님 올라오실 거
　　　　아니야… 그날 정식으로 인사시키고 프로포즈 하겠다, 그치?

미주　　(배시시 웃으며) 그런가?…

선영　　당연하지…. 아후! 저… 저… 또 시작했다, 또….

보면, 강호가 유리창에 입김 불어 '10√2'를 쓰고 있다.

미주　　흣… 다들 조심히 들어가세요~~ (선영에게) 사랑해, 언니!

선영　　내일 유리창 싹 닦아놔!!!

미주, 듣는 둥 마는 둥 손을 머리 위로 흔들며 달려나간다.

미주, 얼른 달려나와 강호 팔짱을 낀다.

미주		잘 다녀오셨습니까? 최강호 검사님!… 오늘은 어떠셨나요?

강호		하루 종일 자료 찾고, 정리하고, 반납하고… 정신 없었죠.

미주		어이구~ 그럼 내 생각할 정신도 없었겠네요?

강호		아! 그건… (머리 가리키며) 여기가 아니고 (가슴에 손 대고) 여기로
		하는 거라… 전혀 문제 없었습니다.

미주		흐훗… 밥은 잘 챙겨 먹었구? 영양제는?

강호		당연하지… 누구 명령이라구… (종이봉투 내밀며) 아! 맞다 이거….

미주		이게 뭐야?

강호		검찰청 식당 밥은 어떤 맛일지 궁금하다며….

미주		뭐?… 설마?

미주, 열어보면 플라스틱 용기에 담긴 반찬들, 요구르트, 사과….

미주		세상에… 아줌마처럼 이걸 몰래 싸 온 거야?

강호		(웃으며) 나밖에 없지?

미주		당연히 너밖에 없지!… 검찰청 밥을 훔쳐 나오다니…
		그러다 절도죄로 현행범 체포되면 어쩌려고….

강호		와~! 우리 미주 그런 것도 알아?

미주	이래 봬도 서당개 3년이거든?… 뭐, 일하다 모르는 거 있음 나한테 물어봐….

강호, 그 말에 피식 웃으며 걷다가…

강호	음… 그럼!… 이런 경우는 어떤 건지 말해 봐… 어떤 사건을 맡은 검사가 증인을 신청했어… 근데 그 증인이 법정에서 피해자에게 불리한 진술을 한 거야… 왜 그랬을까?
미주	잠깐만… 검사는 피해자에게 도움이 되라고 증인을 신청했을 거 아니야. 근데 오히려 피해자에게 불리한 진술을 했다고? 그럼 증인이 중간에 마음이 바뀐 거네?
강호	그렇지. 불리한 증언을 할 사람인 줄 알았으면 채택도 안 했을 테니까.
미주	에이 그럼 답은 뻔하네… 증인이 피해자에게 평소 원한이 있었거나… '너 어디 한번 당해 봐라…' 아님… 중간에 마음 바뀔 일이 있었거나… 가령 누군가에게 협박을 받았다든지… 돈을 받았다든지….
강호	(우뚝 멈춰 서더니 스르르 미주를 본다) 그치? 누가 봐도 그런 거지?

강호의 눈빛이 반짝인다.

21.   소방청 (과거) / D

소방공무원이 서류 하나를 들춰보며 다가온다.

곽상철 씨는 1988년도에 퇴사하신 걸로 기록이 돼 있는데요.

22.   거리 (과거) / D

여기저기 사람들에게 주소를 들고 물어보는 강호의 모습 몇몇 개.

강호   Na 곽상철… 아버지와의 두터운 친분으로 자주 농장 소방시설을
          점검해 주었다는 소방공무원. 하지만 재판에서 그는 평소
          아버지의 농장 전기시설에 문제가 많았다는 다소 이해하기 힘든
          증언을 했다.

23.   낚시터 (과거) / D

허름한 낚시터. 강호가 들어와 주변을 살피면 50대가 된 소방공무원(이하
상철)이 제초기를 들고 주변 풀들을 깎고 있는 모습이 보인다.

강호   저… 혹시 곽상철 씨 되시나요?

상철   (돌아보더니) 누구…?

강호   안녕하세요. 저는 최강호라고 합니다.

`CUT TO`

낚시터 한쪽 플라스틱 테이블에 앉아 소주를 마시는 상철과 강호. 퉁퉁 불은
라면이 안주로 놓여 있다.

나쁜엄마   104

상철	최고 좋은 이름 지어줄 거라고 그렇게 신나하시더니… '강호'라고 지으셨구나… (붉어진 눈을 꾸욱 누르다가) 맞다… 형수님은?… 형수님은 안녕하시고?
강호	네.
상철	갑자기 이사를 가서서 연락할 방법도 없고… 하긴 연락할 면목도 없지만….

상철, 소주를 한 잔 따라 마신다.

상철	나 땜에 형님이 그렇게 되신 거 같아서 화재 현장이 괴로웠어. 불이 무서운 소방관이 어떻게 제대로 일을 하겠어. 결국 다 때려치우고 하루 종일 이렇게 물만 쳐다보며 살고 있네… 흣.

다시 한 잔을 따르는 상철.

강호	그때 왜 그런 증언을 하셨는지 말씀해 주실 수 있습니까?

씁쓸한 얼굴로 가만히 강호를 바라보더니…

상철	고맙다… 물어봐 줘서… (소주 한 잔을 쭈욱 마신다) 어머니가 많이 아프셨어. 결혼해서 애는 낳았지… 우리 세 식구 먹기도 빠듯한 형편에 어머니 병 수발에 병원비까지 대려니까 지긋지긋했나 봐…. 마누라가 이혼을 하자더라고. 그때, 용라건설 사람들이 찾아왔어. 증언만 잘 해주면 병원비와 수술비를 다 대주겠다는 거야… 해식이 형님 생각하면 절대 그러지 말았어야 했는데…. (강호 손을 잡으며) 정말 미안해… 그치만 계속 고집부리다간 모두

다 위험해질 것 같았어….

강호   위험해진다니… 그게 무슨 뜻이죠?

상철   나라에서 벌인 일이야. 게다가 그놈들은 깡패들이고. 애초에
            우리같이 힘없는 사람들이 반대하고 뻐팅길 수 있는 일이
            아니었다고. 나오는 보상금이나 받고 조용히 떠나는 게
            상책이었지. 근데 형님은 그럴 수 없다고 했어. 이건 불의다…
            맞서 싸워야 한다… 그러다 농장에 불이 났어. 누가 봐도 그놈들
            짓이었지만 아무도 그 말을 할 수가 없었어.

인서트 상철의 집 (과거)

젊은 시절 소방공무원복을 입은 상철과 마주 보고 서 있는 송 이사.

송 이사   곽상철 씨 공무원이지예? 공무원이 나랏일 방해하면 공산당
            되는 깁니다.

상철   아무리 나랏일이라도 그렇지… 어떻게 남의 농장에 불을
            지릅니까?

송 이사   그치예?… 맞심더… 아무리 생각해도 농장에 불 지른 건
            잘못했어예. 고마 확… 최해식이 집에다 질렀으모 이래 골치
            아픈 일도 없었을 긴데….

상철   !!!

송 이사   (상철 어깨 툭 치며) 불은 예고 없심더… 우리 공무원님 집에도
            날 수 있고, 또 어무이 계신 병원에도 날 수 있고….
            자나깨나 불조심. 방심하지 마입시더!

다시 현실.

상철	형님이 돌아가셨다는 말을 듣고 뭔가 이상했지. 분명 항소할 거라고 여기저기서 모은 자료들을 나한테 보여줬었거든. 곧 신문기자들도 만나고 방송국하고 인터뷰도 할 거라고 했어. 모든 게 다 밝혀지면 나도 위증죄가 되니 이제라도 솔직히 말하라고 해서 녹취까지 해 가셨다고…. 그런 사람이 갑자기 자살이라니 말이 안 되잖아. 분명 그놈들 짓일거라는 느낌이 들었어…. 근데 수사 결과 아무 증거도 나오지 않았고… 난 송 이사의 보복이 두려워 입을 닫을 수밖에 없었어.
강호	송 이사라면…?
상철	맞아… 아부지랑 재판 붙었던 용라건설 송우벽 이사… 지금은 우벽그룹 회장이 됐지.
강호	(놀라) …우벽그룹이요?

24. 미주 자취방 (과거) / D

노트북 화면, 송우벽에 관련한 여러 인터넷 기사가 보이는 가운데… 송우벽, 우벽그룹 관련 재판기록을 보고 있는 강호.

강호	[Na] 송우벽… 1980년대 우벽그룹의 모태였던 용라건설의 이사. 아버지 농장 방화 혐의와 아버지의 죽음, 그 뒤 용라건설 회장의 갑작스런 사망 등으로 여러 번 용의선상에 올랐으나 모두 무혐의로 풀려났다. 현재 도상그룹과 재계 1, 2위를 다투는

우벽그룹의 회장.

무죄, 혐의 없음, 증거불충분 등 재판 결과에 동그라미 치는 강호.
강호, 후~~ 깊은 한숨을 내쉰다. 그때, 미주가 들어오자 황급히 서류를 치우고
노트북을 닫는 강호. 그런 강호를 의아하게 쳐다보다 이내 환하게 웃는 미주.

미주	내일 임관식에 어머님 올라오시지?
강호	아니….
미주	응?… 안 오신다고? 왜?… 설마 연락도 안 드린 거야?
강호	….
미주	강호야… 아무리 그래도 그건…
강호	미주야….

강호의 단호한 눈빛에 이내 방긋 웃는 미주.

미주	알았어… 난 몇 시에 어디로 가면 돼?
강호	…미안해… 내일은 나 혼자 가야 될 것 같아. 임관식 마치고 바로 가봐야 할 데가 있어… 중요한 일이야.
미주	그치만… (이내 끄덕끄덕) …그래 뭐 어쩔 수 없지. 맞아… 어머님도 못 오시는데 나만 가 있는 것도 이상하긴 해….
강호	대신 저녁에 우리끼리 파티 할까? 어때?

미주, 가만히 강호를 빤히 보다가 이내 웃으며…

미주   그러자….

미주, 돌아서 나가다가 힐끗 다시 강호를 돌아본다. 노트북을 다시 켜서 보는
강호. 미주, 한숨을 쉬며 나간다. 멍하니 노트북에 시선을 두고 있던 강호.
스르르 휴대폰을 쳐다본다. 그 위로 어버이날 노래가 흐른다.

25.   **법무부, 강당 (과거) / D**

검사 임관식 행사가 열리고 있는 강당.

사회   다음은 부모님 및 친지들께서 신임 검사들에게 직접 법복을
         입혀주는 순서가 있겠습니다.

여전히 어버이날 노래가 흐르는 가운데 여기저기서 터지는 플래시 세례….
부모님들이 신임 검사가 된 자식들에게 법복을 입혀준다. 그 속에서 가만히
서서 법복을 보고 있는 강호. 이내 혼자서 묵묵히 검사복을 입기 시작한다.

CUT TO

서울중앙지검 검사라는 명찰을 달고 앞에서 선서하는 강호의 모습이 보인다.

강호   나는 이 순간 국가와 국민의 부름을 받고 영광스러운 대한민국
         검사의 직에 나섭니다.

상철   V.O …검사가 됐구나.

상철과 함께 앉아 있는 강호.

상철 형수님께서 많이 실망하셨겠네?

강호 네?

26. 돼지 농장 앞 (과거) / D

자전거를 타고 농장 쪽에서 나오는 상철과 마주치는 녹두전을 든 영순.

상철 안녕하세요, 형님!…

영순 어머 상철 씨… 농장 다녀오시나 봐요…. 녹두전 했는데…
드시고 가시지.

상철 아닙니다. 가봐야 돼서요. 아! 애기 소식 들었어요. 축하드려요.
형님께서 어찌나 좋아하시던지… 벌써부터 아들일지 딸일지
이름 고민하고 계시던데요?

영순 에이~ 딸이면 어떻고 아들이면 어때요…. 그저 건강하게만
낳아서 나중에 음~~ 멋진 화가로 키우고 싶어요.

상철 화가요?

영순 네… 실은 원래 제 꿈이 화가였거든요. 예고 준비하는 중에
부모님 돌아가셔서 결국 포기했지만, 왠지 우리 애기는
절 닮아서 그림을 잘 그릴 것 같은 거 있죠. (배 만지며) 그치?…

아니야? 제발 맞다고 해줘… <u>흐흐훗</u>.

환하게 웃어 보이는 영순.

27.　　　　**법무부, 강당 (과거) / D**

계속해서 선서하는 강호.

강호　　　불의의 어둠을 걷어내는 용기 있는 검사.

인서트 1　과거

– 어린 시절, 책상에 앉아 행복한 얼굴로 스케치북에 그림을 그리는 강호.

– 그때, 스케치북을 홱 뺏더니 그 자리에 문제집을 올려놓는 영순.

강호　　　힘없고 소외된 사람들을 돌보는 따뜻한 검사.

인서트 2　과거

– 중학교 시절, 전국 청소년 그림대회 '대상'을 받는 강호.

– 상장과 물감, 붓, 등 미술용품들을 아궁이에 버리는 영순. 말리며 우는 강호.

강호　　　오로지 진실만을 따라가는 공평한 검사.

인서트 3　과거

– 1화 57씬, 고등학교 시절, 조회대 안에서 문제집에 미주를 그리는 강호.

– 문제집의 그림을 보고 탁! 문제집을 덮어버리던 영순.

강호   스스로에게 더 엄격한 바른 검사로서 국민을 섬기고 국가에
        봉사할 것을 나의 명예를 걸고 굳게 다짐합니다.

28.   봉우경찰서 (과거) / D

굳은 얼굴로 저벅저벅 걸어 들어오는 강호. 10씬의 형사가 앉아 있는 책상으로
거침없이 다가가더니 탁! 검사증을 내려놓는다.

강호   1988년 최해식 사망사건 수사기록 가져오세요.

29.   봉우경찰서, 취조실 (과거) / D

수사기록을 손에 들고 있는 강호. 떨리는 손으로 수사기록을 펼친다.

강호   [Na] 드디어… 그렇게… 아버지를 만났다.

아버지의 현장 기록 사진, 사체 사진, 부검 사진 등이 보인다. 참혹한 광경에
시선을 떨구는 강호.

형사   (안절부절못하며) 현장에서 발견된 소주병에도 최해식 씨
        지문밖에 없었고 목을 맨 끈 역시 농장에서 쓰던 끈이었던 걸로
        밝혀졌어요. 타살 정황이 전혀 없는 데다 부검 결과 또한
        기도 압박에 의한 질식사, 자살이었습니다.

나쁜엄마

강호, 해식의 목에 선명히 나 있는 줄 자국을 본다. 그러다 문득 고개를
갸웃하는 강호… 앞, 뒷장의 사진을 몇 번이고 비교해 보더니…

강호   이게 현장 사진, 이게 부검 사진 맞나요?

형사   네. 그렇습니다.

강호   (표정 오묘해지더니) …당시 담당 형사가 누굽니까?

30.   **파출소 (과거) / D**

작은 동네 파출소. 파출소장과 함께 앉아 있는 강호가 사진 한 장을 내민다.

강호   자살사건 현장에서 찍은 피해자 사진입니다. 어딘가 좀 이상하지
         않습니까?

소장   글쎄요….

강호   여기… 목 부분을 잘 보십시오. 상처라고는 끈에 의한 압박흔,
         즉, 삭흔만 선명합니다. 손이 결박되지 않은 상태에서 자살을
         시도한 사람이 질식 직전까지 아무런 몸부림도 없었다는 증거죠.

소장   뭐… 충분히 그럴 수 있습니다. 자살을 시도했을 때의 높이와
         피해자의 하중으로 인해 순간적인 목뼈골절로 즉사하는 경우는
         얼마든지 있으니까요.

강호   그렇군요… 그렇다면 이건 어떻게 보십니까? (사진을 내민다)
         피해자의 부검 사진입니다. 사건 현장 사체 사진에는 분명히
         없었던 손톱자국이 부검 사진에는 뚜렷합니다.

소장	(사진 보다가 슬쩍 강호 눈치를 보더니) 글쎄… 이게….
강호	(말 끊으며) 누군가가 피해자의 자살에 의문을 제기했겠죠.

플래시백 1화 28씬, 오태수 검사실

영순	(사진 가리키며) 이것 좀 보세요. 이상하지 않아요? 목이 너무 깨끗하잖아요. 사람이 아무리 죽으려고 마음먹었어도 괴로우면 몸부림친 흔적이라도 나 있어야 되는 거 아니에요?
강호	서서히 질식되어가는 순간을 겪은 사람의 목이라고 하기엔 너무 깨끗했으니까요. 물론 그때도 목뼈골절에 의한 즉사를 주장할 수도 있었겠지만 유감스럽게도 현장은 피해자가 하중에 의한 충격에 즉사를 할 만큼 높은 곳이 아니었습니다.
소장	….
강호	즉, 피해자는 살해 혹은 의식이 소실된 상태에서 자살로 위장된 죽임을 당했을 가능성이 큽니다. 그것이 밝혀질까 두려웠던 누군가가 부검 전 가짜 저항흔을 만들어놓은 것이죠.

강호, 소장에게 바짝 얼굴을 디민다.

강호	그게 누굽니까?
소장	(당황해서) 예?… 아니 난 도통 무슨 말씀을 하시는 건지….
강호	(수사 기록지 보이며) 당시 담당 형사셨죠? 부검 관련 책임자도 형사님이셨구요. 이 사건이 종결된 직후… 과장으로 승진을 하셨더라구요? 갑자기 아파트랑 땅도 좀 사셨고….

나쁜엄마

소장	아! 글쎄… 전 모르는 일이라니까요….
강호	모르신다?… 음… 한 달 뒤에 정년 퇴임하신다고 들었습니다. 뭐 한 달만 파보면 알겠죠. 그게 퇴임이 될지… 해임이 될지….

강호, 일어서자…

소장	이 사람이 지금… 30년도 지난 일이야. 공소시효도 끝났다고!! 수사권도 종결됐는데 이제 와서 뭘 어쩌겠다는 거야?
강호	네, 맞습니다. 30년이 지났죠. 그래도 억울한 건 밝혀야지 않겠습니까? 30년이 지났어도… 이분은 제 아버지니까요.
소장	!!!!!!!!!!
강호	송.우.벽! 딱 이름 석 자만 말씀하십시오. 그럼 전 이곳에 온 적도 소장님을 만난 적도 없는 겁니다.

31. 검사실, 강호 방 (과거) / D

황급히 들어오는 강호. 책상 밑에 놓아둔 송우벽 관련 재판기록을 책상 위에 탁 올려놓고 펼쳐본다. 충격을 받은 듯 눈이 커지는 강호. 또 다른 기록지, 또 다른 기록지… 정신없이 이것저것 펴보는 강호. 담당 검사의 이름이 모두 오태수다.

32.   오태수네 앞 (과거) / N

이층주택 앞에 멈추는 자동차. 그 안에서 오태수와 하영, 부인이 내린다.
행복해 보이는 세 사람. 그리고… 저만치 떨어진 곳에서 오태수를 노려보고
서 있는 강호.

소장   [V.O] 송우벽이 아니라 오태수 검사의 지시였습니다.

분노에 차 오태수를 노려보던 강호의 시선이 하영에게로 옮겨간다.

33.   미주 자취방 (과거) / N

5화 3씬과 연결된 장면. 강호, 주머니에서 통장 하나를 꺼내 미주에게 내민다.
(12씬 영순이 줬던 통장) 질끈 눈을 감으며 고개를 돌리는 미주.

강호   그동안 집에서 보내준 돈이야.

미주, 천천히 고개를 돌려 통장을 바라본다. 그러다 이내 표정을 바꾸고는 홱!
통장을 집어 펼쳐본다.

미주   애개… 겨우 이거야?… 난 판검사 뒷바라지해 주면 한몫 단단히
챙길 수 있을 줄 알았는데… 생각보다 별로네…. 뭐 아무튼
후배나 누구 사시 볼 사람 있으면 또 소개시켜 줘… 이번엔
돈 좀 있는 애로…. 알잖아, 나 밥하고 빨래 잘하는 거….
아! 그리고 사랑도….

미주, 애써 밝은 목소리로 말하고는 후~ 촛불을 꺼버린다. 강호, 그런 미주를 가만히 보다가 말없이 일어나더니 짐 가방을 챙겨 든다. 저벅저벅 걸어나가다 현관 앞에 잠시 멈춰 서는 강호. 돌아보지 않고 말한다.

강호   그 일… 뭔지 알고 싶어?

미주   알면… 우리 달라져?

강호   아니….

미주   그럼 나도… 아니….

강호… 그대로 문을 열고 나간다… 쾅!

34.   **미주 자취방 앞 (과거) / N**

강호 버전의 ♪ **두 사람** 노래가 흐르는 가운데… 대문을 열고 나오는 강호. 무표정한 얼굴로 캐리어를 끌며 걷는다. 골목길을 지나 언덕을 내려와 계단을 지나… 한참을 표정없이 걷는 강호. 어느덧 동네 어귀 미주네 네일샵 앞을 스쳐 지나간다. 문득 걸음을 멈추는 강호. 고개를 돌려 네일샵을 본다. 천천히 다가와 늘 자신이 서 있던 유리창 앞에 서는 강호. 사시 합격통지서를 붙이던 강호와 유리창 너머로 좋아하던 미주의 모습들이 스쳐 지나간다. 가만히 유리창에 손을 대보는 강호. 이내, 흑… 고개를 숙인다. 강호의 어깨가 떨려온다…

강호   [Na] 모르게 해주세요… 내가 얼마나 사랑했는지….
             모르게 해주세요. 내가 얼마나 사랑하는지…. 그리고 끝내…

모르게 해주세요. 왜 이 사랑을… 이렇게 아프게 묻어야
하는지….

유리창 여기저기 그동안 강호가 써왔던 수백개의 '10√2' 글자들이 환영처럼
나타난다.

강호   [Na] 증오하고 원망하며 그렇게 마음속에서 나를 지우고
            또 지우다가… 결국엔 잊어야 한다는 그 마음마저 잊은 채…
            행복하게 해주세요.

강호… 그렇게 한참을 그 자리에 서서 운다.

35.   강호 범인 검거 몽타주

- 룸싸롱 문을 박차고 들어가 조폭들을 어마어마한 실력으로 제압하고
  검거하는 강호의 모습.
- 범인과의 추격전, 골목을 돌고 돌아 결국 싸움 끝에 제압하는 강호.
- 바닷가 어선에 들어가 범인들 제압하고 마약 찾아내는 강호의 모습.
- 각종 신문과 사이트에 강호가 일망타진한 범죄 조직, 연쇄살인범 등에 관한
  기사가 실리고….

36.   검사실, 강호 방 (과거) / N

2화 28씬, 짝!! 강호의 뺨을 내리치는 하영. 다들 놀라서 일시정지 상태가
되는데…

강호   흠… 제보를 받는 과정에서 뭔가 착오가 있었던 것 같습니다.
저 죄송합니다.

하영   죄송? 죄송해?… (가방 들고) 이 지경을 만들어놓고 겨우 죄송해?

강호   가방은 변상하겠습니다.

하영   허~~~ 나도 우리 아빠 검사였어서 니 월급 얼만지 아는데…
웃기지 마… 널 팔아도 이거 못 사…. (소지품 몇 개 챙겨 들며)
일어나!!

하영, 나가자 우르르 쫓아 나가는 일행들. 강호, 쓸쓸한 얼굴로 서서 뺨을
어루만지는데…

수사관1   괘… 괜찮습니까?

강호   아… 전… 괜찮습니다.

수사관1   아니… 검사님 말고 저희요.

강호   ?

수사관2   (모니터 보며) 지금 여길 보니까 아까 그 오하영 씨가 오태수
의원… 그러니까 전 고검장님 딸이에요.

수사관들   뭐어?!!!!!

의미심장한 미소의 강호.

37.　　　　　**보육원 일각 (과거) / D**

2화 30씬, 하영이 하얀 에코백을 멍하니 쳐다보고 있다.

강호　　　아버님이 얼마나 존경받는 분이신지 아시죠? 늘 검소하고
　　　　　소탈하신 모습에 국민들이 더 신뢰하고 지지합니다. 그런데
　　　　　오하영 씨가 그런 비싼 가방을 들고 재벌들하고 어울려 클럽이나
　　　　　다니면 되겠어요? 아버님 욕 먹이지 마시고 앞으로 이거 들고
　　　　　다니세요.

하영　　　아니, 당신이 뭔데…

강호, 또 다른 쇼핑백에서 검정 비닐봉지를 내미는 강호.

강호　　　그리고 이거…

하영이 받아서 봉투를 열어보자 대추가 한가득 들어 있다.

강호　　　대추가 천연 신경안정제래요… 공황장애 심하지 않다고
　　　　　했으니까 신경안정제 같은 거 먹지 말고 이거 푹 끓여서 자기
　　　　　전에 마셔요. 새벽에 경동시장까지 가서 사 온 거니까 한 알도
　　　　　버리면 안 돼요.

강호, 돌아서더니 씨익 웃는다.

38.   빌라촌 (과거) / D

흰색 시체 보존 선이 남아 있는 사건 현장을 살피고 있는 강호. 통화 중이다.

강호   속상했겠네….

하영   속상한 정도가 아니지… 어렸을 때부터 이 무대에 서는 게
        진짜 내 꿈이었단 말이야. 세계에서 제일 유명한 뉴욕 발레단
        예술감독이랑 러시아 발레단 안무가가 직접 내한해서 연출하는
        지젤이 상상이나 돼? 이거 하려고 오빠 보고 싶은 것도 참구…
        전화하고 싶은 것도 꾹 참으면서… 진짜 이 악물고 버텼는데…
        하필 지금 무릎이 나갈 게 뭐야…. 하… 정말 너무 속상해
        죽어버릴 것 같아… 나 술 사줘… 응?

그때, 강호 눈에 보이는 무언가.

강호   잠깐만… 내가 다시 전화할게.

하영   안 돼… 여보세요? 여보세요?

강호, 전화를 끊더니 [쓰레기 무단투기 금지], [치우지 않으면 고발 조치합니다]
등 쓰여 있는 후미진 곳으로 다가간다. 보면 A4 용지에 쓰레기 무단 투기하는
누군가의 사진들이 붙어 있다. 홱 고개를 돌려 어딘가를 보는 강호. 빌라 한쪽
구석에 조그만 CCTV 보인다.

플레이되고 있는 동영상을 보며 얼굴이 굳은 부장검사.

부장검사   이게 뭐야?

강호   희한하게도 우미정 사건 현장 주변 CCTV가 다 망가지거나
      녹화가 지워져서 묻힐 뻔했는데… 다행히 근처 쓰레기 무단 투기
      감시 카메라를 찾았습니다.

부장검사   그래서? 뭘 보라고….

강호   여기 이 차 보이시죠? 사건 시점과 장소, 위치를 감안했을 때
      여기 이 차 블랙박스에 사건 현장이 찍혔을 가능성이 높습니다.
      번호판 두 자리가 가려져 조금 시간은 걸리겠지만 곧 사건의
      전말을 파헤쳐 오겠습니다.

부장이 암담한 얼굴을 쓸어내린다.

강호   진범을 잡을 증거를 찾아서 기뻐하실 줄 알았는데…
      아니신가 보네요?

부장검사   강호야… 이거 그냥 덮자.

강호   !!!

CUT TO

놀란 얼굴의 강호.

강호	뭐라구요? 정종구를 없앨 수도 있다구요?
부장검사	(나직이) 살인을 한 죄책감에 못 이겨 자살한 걸로 위장.
	나중이라도 뒷탈 없을래면 그게 깔끔하다고 생각할 거야….
강호	그렇다고 아무 죄도 없는 사람을 죽이기까지 한다구요?
부장검사	송 회장이 어떤 사람인지 몰라?… 심지어 하나밖에 없는
	외손자야. 충분히 그러고도 남을 사람이라구.

강호, 가만히 부장을 쳐다보다 입을 연다.

강호	부장님… 이 사건 저한테 주십시오.
부장검사	뭐?!!
강호	이제 곧 차장검사 되실 분이 이런 지저분한 일에 손대셨다
	흠집이라도 나시면 어쩌시려구요?… 이참에 후배도 좋은 족보
	하나 만들 수 있게 도와주십시오. 깔끔하게 마무리하겠습니다.

얼떨떨한 얼굴로 강호를 보는 부장… 이내 씨익~ 웃는다.

40.   **구치소 면회실 (과거) / D**

강호가 4화 20씬에 나왔던 정종구와 마주 앉아 있다.

정종구	우리 가게에 자주 오는 손님인데… 그날 자리에 립스틱을
	두고 갔어요. 그래서 가져다주려고 갔는데… 죽어 있었어요…

진짜예요. (울먹울먹) 저는 진짜 미정 씨를 죽이지 않았어요.

강호   네… 맞아요. 정종구 씨는 우미정 씨를 죽이지 않았어요.

정종구   (놀라) !!!!

강호   그 증거를 지금부터 내가 찾을 거예요. 그러니까… 그때까지 당신… 살아 있어야 돼요….

강호, 덥석 정종구의 손을 잡는다.

강호   명백한 증거를 찾아올 때까지 나를 믿고 내가 시키는 대로만 하세요…. 반드시 내가 정종구 씨… 살립니다. 알았죠?

강호의 간절한 눈빛에 눈물을 흘리며 고개를 끄덕이는 정종구.

41.   **서울지방검찰청, 법정 (과거) / D**

4화 20씬, 강호가 정종구 앞에 서 있다.

강호   따라서 피고인 정종구는 평소 좋아했던 우미정에게 호의를 베풀다 폭행을 당했고 그에 따른 수치심과 모멸감을 느낀 상태에서 다른 남자와 함께 있는 피해자의 모습을 보고 범행을 결심하게 됐다는 결론을 유추할 수 있는 것입니다. 피고… 인정하십니까?

강호, 간절한 눈으로 정종구를 바라본다. 그런 강호의 눈빛을 읽는 정종구.

정종구   ……네.

아아… 방청객석에서 2화 4씬 할아버지가 벌떡 일어나 길길이 날뛴다.

할아버지   말도 안 돼… 종구야! 니가 죽인 게 아니잖여… 빨리 아니라고 혀.

고개를 툭 숙이는 정종구.

강호   이상입니다.

42.   송 회장네, 정원 (과거) / D

4화 21씬, 식사 자리. 강호와 송 회장이 마주 앉아 있다. 하하하 웃으며
분위기가 좋은 두 사람.

송 회장   아버님은 어떤 일을 하세요?

강호   …돌아가셨습니다.

송 회장   아… 이런… 내가 괜히 맘 아픈 얘길 꺼냈네. 미안해요….

강호   아닙니다. 제가 태어나기 전에 일이라… 아버지에 대한 기억이
            전혀 없습니다.

송 회장   아이고… 최검이 나기도 전이면… 젊은 나이셨을 텐데…
            우짜다….

강호   (잠시 머뭇거리다) …자살이라고 들었습니다.

송 회장	(눈을 희번뜩하더니) 자살? 아니 왜?
강호	운영하던 농장이 화재로 망하면서 심적으로 많이 힘드셨던 것 같습니다. 그 이상은 저도 잘… 아니… 솔직히 말씀드리자면 알고 싶지 않습니다. 제게 아버지란 사람은… 사랑하는 아내와 배 속의 자식을 버리고 도망간 무책임한 인간일 뿐이니까요.
송 회장	흠… 어찌 됐든 유감이네요… 자, 한잔 들어요.

송 회장, 잔을 내밀자 공손히 건배하는 강호. 술을 마시며 강호를 유심히 보던 송 회장, 잔을 내려놓더니……

송 회장	근데, 최 검사. 내 뭐 하나 물어봅시다… 이유가 뭐예요?
강호	예?
송 회장	이번 재판 말이야… 돈입니까? 힘입니까?

강호, 가만히 송 회장을 바라보다가 이내 천천히 입을 연다.

강호	원하면… 주실 수 있습니까?
송 회장	내 손자놈을 살려줬는데… 못 줄 것도 없지.
강호	그럼… 둘 다 주십시오.
송 회장	(가만히 보다가 이내 호탕하게 웃는다) 하하하하… 이야~ 우리 최 검사… 싸나이네~ 으이?… 하하하하….

송 회장, 손짓하자 소 실장이 다가와 007가방을 열어 보인다. 골드바가 가득한 가방… 강호의 얼굴이 환해진다.

송 회장	대신 인자부터 니는 내 식구데이.
강호	(멍하니 보다가 벌떡 일어나더니) 감사합니다… 감사합니다, 회장님… 열심히 하겠습니다.

90도로 인사하는 강호. 부들부들 떨리는 주먹.

CUT TO

송 회장네서 나오는 강호. 수사관에게 전화를 건다.

강호	말씀드린 차 번호판 찾아내고 어떻게 해서든 블랙박스 회수하세요.

43.   강호 오피스텔 (과거) / N

셔츠 단추를 채우며 거울 앞에 서는 강호, 거울 보며 미소를 지어 보인다.
그때, 넥타이 하나를 찾아 들고 다가오는 하영.

하영	오빠, 오빠… 이거 이쁘다. 이거 하자.

강호, 넥타이를 보더니 표정이 굳는다. 5화 1씬 미주가 선물했던 바로 그
넥타이다.

강호	자기가 3주년 기념일에 선물해 준 그거 맬게.
하영	에이~ 그건 너무 요란해. (넥타이 매주며) 흐흣 표정 봐… 완전 얼었네… 긴장하지 마. 우리 아빠 무서운 사람 아니야.

하영, 강호 볼에 뽀뽀를 쪽 해준다. 하영이 매주는 넥타이를 멍하니 보고 있는
강호.

44.　　　　　　일식집 (과거) / N

굳은 얼굴로 오태수를 보는 강호.

오태수　　　너한텐 이상한 냄새가 나… 처음 본 순간부터 그랬어….
　　　　　　그게 뭘까?… 개천에서 난 용이라 흙 비린내가 나는 건가?

강호　　　　아버님.

오태수　　　아버님? 아하하하하… 이 친구 재밌네…. (표정 굳히며) 잘 들어.
　　　　　　일주일 안에 너희는 헤어지고, 하영이는 내 계획대로
　　　　　　도상그룹 며느리로 들어갈 거야. 너 같은 놈은 나 같은 사람을
　　　　　　절대 아버님이라고 부를 수 없어. 넌 아버지가 없어서 잘
　　　　　　모르겠지만….

45.　　　　　　수현네 앞 (과거) / N

2화 34씬, 여러 번 벨을 누르는 강호. 아무도 없는 듯 대답이 없는데.
그때… '누구시죠?' 하는 목소리가 들린다. 강호, 쳐다보면 양손에 장바구니를
들고 다가오는 임산부, 황수현.

벤치에 앉아 있는 수현과 강호.

강호   좋아요. 이렇게 합시다. 수현씨와 배 속의 아이는 제가 책임지고
지켜드리겠습니다. 그러기 위해서는 오태수를 제 손 안에 넣어야
되고 그건 송 회장이 있어야 가능합니다…. 우벽그룹에 관한
모든 기밀 자료를 저에게 넘겨줄 수 있습니까?

황수현, 잠시 생각하더니 이내 고개를 끄덕인다.

46.   산후조리원 (과거) / D

황수현과 강호가 통유리를 통해 아기를 보고 있다.

강호   아… 너무 예쁘네요… 진짜….

황수현이 웃더니… 주머니에서 뭔가를 꺼내 내민다. 보면, 아기의 머리카락이
담긴 투명 봉투다.

47.   골프장, 필드 (과거) / D

중년의 남자들과 라운딩하는 오태수 모습이 보인다.

48.   골프장, 샤워실 (과거) / D

가운 입고 나오는 오태수, 수건으로 머리를 털고 수건을 바구니 수거함에
넣고 지나간다. 잠시 후, 다가와 수건을 집는 손… 강호다…. 수건에 붙어 있는
머리카락.

49.   강호 오피스텔, 욕실 (과거) / N

2화 18씬, 욕조 안에서 통화 중인 강호.

강호   내일 송 회장에게 유전자 검사지를 보여줄 겁니다.

수현   부디 조심하세요. 아이의 존재를 오태수가 알게 되는 순간
            검사님은 물론 검사님 어머님과 주변 사람들까지도 위험해질 수
            있다는 거 아시죠?

강호   네.

전화를 끊는 강호. 후우~ 한숨 쉬며 욕조에 몸을 푹 담그고 눈을 감고 있는
강호. 그때, 인터폰 울리는 소리가 들리자 욕실 인터폰으로 받는다.

강호   네.

경비원   F 아, 검사님… 여기 경비실인데요. 어머님이란 분이
            찾아오셨어요.

강호, 엄마라는 말에 잠시 눈동자가 흔들린다. 하지만 이내 표정 굳히며…

강호	(차가운 얼굴로) …없다고 하세요.

50. 강호 오피스텔, 거실 (과거) / N

창문을 통해 밖을 내다보는 강호. 경비에게 꾸벅꾸벅 인사하더니 절뚝절뚝 트럭을 향해 걸어가는 영순이 보인다. 눈시울이 붉어지는 강호. 오피스텔을 빠져나가는 영순의 트럭을 바라보다가 이내 커튼을 내리고는 흐느낀다.

51. 송 회장네, 서재 (과거) / D

2화 36씬, 유전자 검사 결과지를 들고 있는 송 회장.

강호	저를 진짜 아들로 받아주십시오.
송 회장	뭐라꼬?
강호	법적으로 인정받을 수 있는 회장님 양아들 말입니다. 그럼 저는 회장님의 아들로서 오태수 의원의 딸과 결혼을 할 겁니다. 회장님은 오태수를 얻고, 오태수는 저를 얻고, 저는 아버지를 얻게 되는 거죠. 그야말로 누구 하나 쉽게 배신할 수 없는 사이… 가족이 되는 겁니다!

52.　수현네, 거실 (과거) / N

들어오는 강호. 노트북을 보고 있던 수현이 얼른 일어난다.

수현　　오셨어요?… 이것 좀 보세요… 우벽그룹이 재작년 싱가폴에
　　　　　 설립한 페이퍼컴퍼니….

강호　　(수현이가 내민 노트북을 닫으며) 짐 싸세요.

수현　　네?

53.　바닷가 (과거) / N

멈춰 서는 차. 강호가 내리더니… 뒷좌석을 연다. 황수현이 아기를 안고 나온다.

54.　부둣가 (과거) / N

신림싱싱횟집 사장이 강호에게 황수현의 짐을 받아 안쪽으로 놓는다.

강호　　여기 이분은 제가 일했던 횟집 사장님이세요. 필리핀으로 가는
　　　　　 밀항선까지 바래다주실 거예요.

사장　　배가 작아서 멀미가 좀 날 건데… 한 시간만 참으세요.
　　　　　 가서 큰 배로 갈아타면 좀 나을 거예요.

강호　　(작은 가방 내밀며) 이건 수현 씨랑 아기가 살 필리핀 집 주소와

여권, 그리고 이건 생활비예요. 혹시라도 오태수가 눈치채면
위험하니까 조용히 숨어계셔야 돼요, 아셨죠?

수현 (울먹) 정말 감사합니다.

강호 아무 걱정 말아요. 모든 것이 계획대로 끝나고 나면 그때 다시
돌아와서 아기랑 행복하게 살 수 있어요. 알았죠? (사장 보며) 그럼
잘 부탁드려요.

사장 걱정 마… 잘 태워다 드리고 연락할게.

배가 서서히 움직인다. 손 흔드는 강호. 마주 보고 손 흔드는 수현.

55. **바닷가 간이 선착장 (과거) / N**

2화 41씬. 강호, 수현의 차로 다가온다. 그리고는 차의 후미를 힘껏 민다.

강호 방금 처리했습니다.

강호, 영상통화 화면으로 서서히 물에 가라앉는 차를 보여준다.

56. **오태수네 앞 (과거) / D**

차를 대고 있는 강호. [신림싱싱횟집]으로 계속해서 전화를 건다. 하지만
받지 않는 전화. 그때, 대문이 열리며 나오는 하영과 오태수, 태수 부인. 얼른
전화기를 주머니에 넣고 내리는 강호, 오태수를 향해 인사한다. 오태수와

강호의 눈이 잠시 무겁게 마주친다. 굳어 있는 하영의 양 어깨를 잡고
쓸어내리는 오태수.

오태수	어머님께 인사 잘 드리고… 아까 아빠가 한 말 명심하고… 알았지?
하영	(불안한 시선을 떨군다) ….
오태수	(강호 보더니) 어려운 말씀드리러 가는 길이라 마음이 무겁겠군.
강호	송 회장님께서 아들로 받아주신 순간 이미 남인 분입니다. 법적으로 깔끔하게 마무리 짓고 싶어 가는 길이라 오히려 가볍습니다. 그럼 다녀오겠습니다.

강호, 꾸벅 인사하더니 하영과 함께 차에 오른다. 멀어져 가는 차를 오래오래
노려보는 오태수.

57.   비포장도로 (과거) / D

2화 45씬. 구불구불 비포장도로를 달리는 강호의 검정색 벤츠. 그때, 울리는
휴대폰 [신림싱싱횟집]이라고 뜬다. 눈이 커지는 강호… 하지만 하영의 눈치를
보더니 전화를 꺼버린다.

58.　　　영순네, 안방 (과거) / D

2화 50씬, 영순, 장롱 이불 사이에 깊숙이 숨겨둔 패물함을 꺼내와 강호와
하영 앞에 내놓는다. 영순, 패물함을 열자 다이아 반지와 목걸이가 걸려 있다.

영순　　　이거 읍내에서 제일 큰 금은방에서 산 건데… (반지 꺼내 하영에게
　　　　　건네며) 다이아야.

하영, 다이아 반지를 골똘히 쳐다본다.

강호　　　넌 잠깐 나가 있어.

하영이 나가자 가만히 영순을 보는 강호. 몇 번이고 입을 떼려다 머뭇대더니…
이내…

강호　　　물 한 잔만 주세요.

영순　　　아… 그래… 잠시만….

영순이 나가자… 강호, 얼른 화장대 위에 놓인 돌 사진 액자를 집는다. 문밖을
살피며 재빨리 액자 뒷부분 나무판을 떼어내는 강호. 주머니에서 파란색
SD카드를 꺼내더니 안에 넣는다. 그리고는 다시 화장대 위에 액자를 놓는 강호.
그때, 들어오는 영순. 강호에게 물잔을 건네고는 싱글벙글 신이 나 앉는다.

영순　　　세상에! 세상에!… 며늘 애기… 돼지띠라며? 이런 인연이 있어?
　　　　　내가 누구야… 돼지 엄마잖아…. 진작에 우리 집에 시집 올
　　　　　운명이었던 거야~ 그지?

물을 마시며 화장대 위에 놓인 돌 사진 액자를 쳐다보는 강호.
컵을 내려놓더니… 종이 한 장을 꺼내 영순에게 내민다.

강호   저… 지금까지 저를 키워주신 송 회장님의 양자로 들어갑니다.

뭐?… 충격을 받은 듯 멍한 영순의 얼굴….

59.   영순네, 마루 / D

충격을 받은 영순의 얼굴이 현실과 디졸브된다.

강호   Na 이미 공소시효가 끝나버린 아버지의 사건으로는 더 이상
         그들과 싸울 수 없습니다. 아니 어쩌면 아버지의 사건은
         처음부터 제게 큰 의미가 없었는지도 모릅니다.

– 노트북 화면 속에는 강호가 그동안 모아 온 우벽그룹 관련 여러 자료들이
   들어 있다.

강호   Na 제가 진짜 복수하고 싶었던 건 그들로 인해 철저히
         망가져버린 어머니의 삶. 세상에서 가장 사랑하는 아들에게
         평생을 나쁜 엄마로 살아야 했을 그 아픔입니다.

– 영순에 맞아 시퍼렇게 멍든 어린 강호의 다리에 약을 발라주며 혼자 조용히
   흐느끼는 영순. 자는 척하며 같이 숨죽여 우는 어린 강호.
– 어린 강호의 찢어진 그림을 다시 스카치테이프로 하나하나 붙여 상자
   속에 넣는 영순. 다락 한 켠에 쌓아놓은 책을 하나 빼 들고 나오다 상자를

발견하고 열어보는 강호.

– 어린 강호의 식판을 차갑게 뺏어들고 나오더니 부엌에 서서 그 남은 밥을
    먹는 영순. 그런 영순을 슬쩍 보는 강호.

강호　　　Na 저는 이제 송우벽의 아들이 되고 오태수의 사위가 되어
　　　　　　그들이 쌓아올린 모든 것을 완전히 무너뜨릴 것입니다.

– 2화 55씬, 영순을 차갑게 밀치고 나와 차에 오르는 강호. 이를 악물고
    운전한다.

강호　　　Na 그것이 얼마나 험난하고 위험한 일인지를 알기에 결국
　　　　　　이렇게 어머니와의 연을 끊어야만 하는 못된 아들을 용서해
　　　　　　주세요. 언젠가 이 모든 것이 끝나고 다시 어머니 곁으로 돌아갈
　　　　　　수 있는 날이 온다면… 어린 시절 그 어느 한때처럼 어머니 품에
　　　　　　안겨 따뜻한 녹두전 한 장 먹고 싶습니다.

– 2화 57씬, 영순이 싸준 음식 보따리를 낭떠러지 밑으로 던져버리는 강호.
    붉어진 눈에서 눈물이 흐른다.

노트북 화면을 보는 영순의 눈시울이 점점점 붉어져 온다. 영순, 멍한 눈으로
가만히 주위를 둘러본다. 마루 벽에 붙은 해식의 영정… 그리고 강호에서
멈추는 시선. 영순, 눈물이 가득 고인 얼굴을 천천히 흔들며 말한다.

영순　　　하지 마… 하지 마… 강호야….

영순, 강호를 다급하게 잡더니…

영순   안 돼… 이제 더 이상 아무것도 하면 안 돼….

갑자기 뭔가가 떠오른 듯 확! 얼굴이 굳어지는 영순. 벌떡 일어나더니 뒤란
쪽으로 뛴다.

강호   엄마!! 어디 가요?… 네?

얼른 영순을 따라가는 강호.

60.   영순네, 창고 / D

바들바들 떨리는 손으로 정신없이 창고 자물쇠를 풀고 안으로 들어서는 영순.
강호의 온갖 서류들이 담긴 상자들을 주욱 둘러보더니… 달려가 쌓여 있는
상자들을 하나씩 끄집어내기 시작한다. 그러다 상자의 무게를 못 이겨 바닥에
엎어지는 영순. 얼른 달려와 그런 영순을 부축하는 강호.

강호   엄마… 괜찮아요? 안 다쳤어?… 어디 봐봐….

하지만 꿈쩍도 않는 영순. 넘어진 모습 그대로 흑흑 흐느낀다.

플래시백   1화 67씬, 영순네, 마당

강호   …내 인생이요? 내 인생이 어딨는데요?…

영순   뭐?

강호   그거 엄마 인생이잖아요. 지겨워요. 지긋지긋해… 숨이 막혀

살 수가 없다고요!! 왜 엄마 마음대로 내 인생을 정해놓고 나를
괴롭혀요? 아빠가 억울해서 죽은 게 내 탓이에요?!!

순간, 찰싹 강호의 뺨을 내리치는 영순. 강호… 놀라서 영순을 본다.

영순   그러게… 그러니까… 그게 누구 탓이냐고?!! 니 아빠가 왜,
       뭣 땜에 억울해서 죽었는지 그것 좀 가르쳐달라고!!

강호   (붉어진 눈으로 본다) ….

영순   지긋지긋해? 도망가고 싶어 미치겠지?… 판검사 돼… 그래야
       너 벗어나. 저 고약한 돼지 똥냄새한테도, 이 나쁜 엄마한테도….

다시 현실. 여전히 바닥에 넘어진 채 울고 있는 영순.

영순   그래서 그렇게 엄마한테 모질었던 거야? 너 혼자서 복수하려고?
       너 혼자만 위험하려고? (덥석 강호를 껴안더니) 아아 내 새끼…
       내 불쌍한 새끼… 얼마나 힘들었어… 얼마나 혼자서 무섭고
       외로웠어… 흑흑흑. (그러다 표정 무섭게 굳어지더니) 안 돼… 안 돼…
       이젠 절대로 해선 안 돼….

영순, 다시 벌떡 일어나더니… 미친 듯이 짐을 빼내기 시작한다.

61.   **박씨네, 부엌 / D**

막 일어난 얼굴로 느릿느릿 걸어 나오는 삼식이. 물을 꺼내 벌컥벌컥 마신다.
그러다 선반에 놓인 약상자를 보는 삼식.

삼식   하여간… 새끼는 은제 죽을지 모를 판에 얼마나 오래 살려고
         노인네들이… (약통 하나 들어서 보더니) 전립선? 하~ 그래 뭐…
         중요하지 전립선….

삼식, 약을 꺼내려고 약통을 손바닥에 툭툭 치는데 우르르 쏟아져 버리는 알약들.

삼식   에흐씨~

삼식, 바닥에 떨어진 약을 주워서 다시 통 안에 넣다가 씽크대 밑으로 들어간
약을 꺼내려고 엎드리는데… 문득 뭔가가 보인다. 삼식, 손을 뻗어 상자를
꺼내더니 열어본다.

삼식   이게 웬 똥이여?

보면, 영순이 박씨에게 줬던 루이뷔통 가방이다.

62.   마을 일각 / D

몸을 잔뜩 움츠리고 걷는 삼식. 손에 휴대폰이 들려 있고 '당근나라' 채팅창에
메시지 쓰고 있는 삼식. [지금 출발합니다. 카드, 계좌이체 NO… 무조건
현금거랩니다!] 그때, 쌩~ 지나가는 트롯백의 차. 그 바람에 으악! 놀라
들고 있던 것을 떨어뜨리는 삼식.

삼식   아후씨… 놀래라….

보면, 바닥에 떨어진 더스트백… 그리고 빠져나와 있는 가방. 삼식, 얼른

주워서 다시 품에 안더니 주위를 살피며 빠르게 걷는다.

63.　　　영순네 앞 / D

리어카에 상자들을 가득 싣고 끌고 나오는 영순. 트럭에 상자들을 옮긴다.
풀숲에 숨어 영순네 집을 보고 있는 소 실장과 차 대리.

소 실장　　너 확실히 본 거 맞지?

차 대리　　당연하죠. 제가 머리는 나빠도 이 시력 하나는 끝내주거든요.
　　　　　　　만약 잘못 본 거면 그땐 진짜 상추밭에 묻어버리십쇼!!

소 실장　　근데… 아까부터 뭘 저렇게 옮기는 거지?

차 대리　　너무 느리다… 가서 좀 도와줄까요? (놀라더니)… 어? 최강호도
　　　　　　　나오는데요? 우와… 차에 타요… 타!!

소 실장　　나도 보고 있어… 조용히 좀 해!!

영순과 강호가 차에 오르더니 출발한다. 차가 사라지자 나오는 소 실장과 차 대리.

소 실장　　오케이~ 됐어!

차 대리　　자, 가시죠~ 제가 안내하겠습니다.

멍한 얼굴로 서 있는 소 실장과 차 대리. 텅~ 비어 있는 창고.

차 대리   마… 말도 안 돼… 분명히… 여기에….

그때, 차 소리가 어렴풋이 들리더니… 곧이어 대문 열리는 소리가 들린다.
헉!! 놀라는 두 사람… 황급히 창고 안으로 몸을 숨긴다. 영순이 들어오자
강호가 따라 온다. 영순, 뒤란 한쪽에 놓인 휘발유 통을 집어 든다.

강호   그게 뭐예요?

영순   차에 그냥 있으라니까….

강호   무거워요… 내가 들게요….

영순   아니야… 괜찮아… 가자….

영순이 앞서 나가자 강호가 쫓아가다가 멈칫! 창고를 돌아본다.

강호   어?

강호, 다가와 창고 문에 열쇠를 찰칵 채운다.

강호   문단속은 철저히!!

강호, 씨익 웃더니 다시 뛰어간다.

65.　　　　영순네, 창고 / D

망연자실한 모습으로 서 있는 두 남자의 뒷모습. 차 대리, 다리 풀려 풀썩
주저앉는다. 그런 차 대리의 손등에 뚝 떨어지는 물방울. 차 대리, 올려다보면
주먹을 불끈 쥐고 부들부들 떨고 있는 소 실장. 뺨을 타고 내려온 눈물자국.

66.　　　　난다기획사, 복도 / D

악보 하나 들고 노래하며 복도를 걷는 트롯백.

트롯백　　　♪ **당신은 배추꽃 나는 청벌레~ 영원히 당신 곁에 살 거예요~**
　　　　　　　꼬물꼬물 당신 속을 파고들어가 아삭아삭 당신 사랑 갉아먹고서
　　　　　　　팔랑팔랑 흰나비가 되보렵니다. (갑자기 하동균 나비야의 후렴구랑
　　　　　　　비슷해지더니) **나비야~ 나비야~** (김흥국의 호랑나비로) **하얀 나비야**
　　　　　　　날아봐~

그때, 울리는 전화벨.

트롯백　　　아… 최 대표… 그르지 않아도 사무실 앞이야… 내가 이번에
　　　　　　　노래 하나를 만들었는데… (표정이 확 굳는다) 뭐라고?!!

보면, 눈앞에 망연자실한 얼굴로 서 있는 최 대표. 후다다닥 정신없이 뛰어
들어가 보면 사무실 안이 엉망진창, 급하게 떠난 흔적들만 가득하다.

최 대표　　　망했어요… 선생님 이름 걸고 땡긴 투자금 다 들고…

날라버렸다구요!

툭, 무릎에 힘이 빠지며 주저앉는 트롯백. 그때, '저 있다' 하는 소리 들리며
투자자들로 보이는 사람들이 우루루 몰려온다. '우리 돈 어떡할 거야', '내 돈
내놔!! 이 사기꾼 새끼야' 사람들에게 몰매를 맞는 트롯백.

67.   돼지 농장, 공터 / N

강호의 물건들과 서류들이 공터 바닥에 가득 쌓여 있고 영순이 그 위에
휘발유를 붓는다.

강호   (놀라 휘발유 통 뺏으며) 어… 엄마!!… 왜 그래요?

영순   (휘발유 통 빼앗으려 하며) 이리 내놔!

강호   이거 내 꺼잖아요… 내 꺼랬어요, 엄마가!!!

영순   (버럭) 최강호!!!…

강호   (움찔) ….

영순   지금부터 엄마 말 잘 들어… 이거 나쁜 거야…. 가지고 있으면
          아주 위험한 거라고…. 잘못하다간 너도 아빠처럼 될 수 있어.

강호   아빠…처럼요? 아빠가 어떻게 됐는데요?

영순   (붉은 눈으로 강호를 쳐다보다가) 당장 없애야 돼….

영순, 트럭으로 간다. 그때, 강호의 눈에 보이는 자신의 사진이 붙은 검사증.
강호, 얼른 검사증을 집어 주머니에 넣는다. 영순, 트럭 안에서 성냥갑을

가지고 오더니 탁탁 성냥을 그어… 던진다. 순식간에 치솟는 불길… 활활 타기
시작한다.

영순   내가 망가지면서 하는 복수는 복수가 아니야. 진짜 복수는…
         복수하려는 그 이유조차 생각 안 날 만큼 깨끗이 잊어버리고
         보란 듯이 잘 사는 거야. 잊자… 이제 이걸로 다 잊어버리자.
         너도 나도… 그리고 (하늘을 보며) 당신도….

영순, 주머니에서 SD카드를 꺼내더니 불길에 휙 던진다.

68.   에필로그

어두운 바닷가… 철썩거리며 바위에 부딪치는 파도.
그리고… 바위틈에 보이는 한 여자의 시신… 황수현 옷이다.

나쁜엄마

EPISODE
10

근데도 다 참았어요.

엄마가 좋아하니까… 엄마 행복하게 해줄려고….

근데… 왜 엄마는 내가 좋아하는 거 못하게 해요?

왜 맨날 엄마 맘대로 해요?

엄마도… 엄마도… 내가 바보라서 그래요?

1.   영순네, 마당 / D

영순, 탁탁 성냥을 그어… 던진다. 순식간에 치솟는 불길… 활활 타기
시작한다.

영순   내가 망가지면서 하는 복수는 복수가 아니야. 진짜 복수는…
         복수하려는 그 이유조차 생각 안 날 만큼 깨끗이 잊어버리고
         보란 듯이 잘 사는 거야. 잊자… 이제 이걸로 다 잊어버리자.
         너도 나도… 그리고 (하늘을 보며) 당신도….

영순, 주머니에서 SD카드를 꺼내더니 불길에 휙 던진다. 화르르 타오르는 불.
그때, 농장 마당으로 들어서는 검은 승용차들. 차 문이 열리며 검은 양복의
험악한 어깨들이 우르르 쏟아져 나온다.

영순   다… 당신들 누구예요?

순간, 강호에게 달려들더니 다짜고짜 강호를 때리더니 바닥에 눕혀 제압하는
어깨들.

영순   뭐… 뭐 하는 거야!!! 강호야!! 강호야!!!

그때, 등 뒤에서 들려오는 서늘한 목소리.

목소리   아이고~ 오랜만입니다. 사모님.

스르르 돌아보는 영순. '헙！' 눈이 커진다. 야구방망이를 짚고 절뚝절뚝
걸어오는 송 회장.

| 송 회장 | 살아생전 부군께서도 그래 호기롭고 용감하시드만 강호 이놈아가 지 아부지를 쏙 빼박았다 아입니까… 멕여주고 입혀주고 아들만치로 키아준 은혜도 모르고… 으이? |

송 회장, 넘어져 있는 강호의 얼굴을 야구방망이로 짓이긴다.

송 회장	말해 봐라, 강호야… 니 내한테 뭔 짓을 할라 캤노?
강호	(야구방망이를 잡고 바둥거리며) 어… 엄마….
영순	그만… 그만하세요!!!!

영순, 송 회장에게 달려들지만… 송 회장을 호위하던 또 다른 어깨의 손에 바닥으로 넘어진다. 아아~ 영순, 얼른 바닥에 무릎 꿇고 빌기 시작한다.

영순	제발… 이러지 마세요. 우리 강호 사고로 머리 다친 거 아시잖아요. 아무것도 몰라요… 회장님한테 아무 짓도 못 한다구요.
송 회장	그야 모를 일이제… 은제 다시 정신 돌아와 내 목에 칼을 꽂을지…. 그동안 내한테 딱 붙어가 내 죽일 증거를 억시로 모아놨다 카대예… 실은 내… 그거 찾으러 왔심니더.
영순	그런 거 없어요… 아니 이젠 없어요. 저것 봐요… 내가 싹 다 태워버렸다구요.
송 회장	태워요?… 와요?… 캬… 이 봐라… 뭔가 있다, 그쟈?
영순	다시 못 돌아가게 하려고 그랬어요… 행여나 강호가 누구 아들인지 당신이 알게 되면 오해할까 봐… 위험해질까 봐….

진짜예요. 강호는 우리한테 무슨 일이 있었는지 전혀 몰라요.

그 말에 눈을 번뜩이는 송 회장. 절뚝절뚝 영순 앞으로 다가와 쭈그리고
앉는다.

송 회장   우리한테 무슨 일이 있었는데예?

영순   (공포에 어린 눈으로 가만히 본다) ….

그때…

강호   무슨 일이 있었는지 제가 말해드릴까요?

영순, 흠칫해 보면 멀쩡한 얼굴로 송 회장을 노려보고 서 있는 강호.
놀라 눈이 커지는 영순, 바들바들 떨리는 손을 내저으며…

영순   아… 아니야… 안 돼… 안 돼, 강호야!!!!!!!!!!!

2.   **영순네, 안방~강호 방 / N**

'강호야!!!!!!!!!!!!!' 벌떡 일어나 앉는 영순. 꿈이다. 영순, 눈물범벅 된 얼굴로
허겁지겁 강호 방으로 달려간다. 평온하게 잠들어 있는 강호. 영순, 하아~
안도의 한숨을 쉬며 털썩 주저앉더니, 이내 읍! 배를 움켜쥔다.

대기 의자에 앉아 수첩에 뭔가를 끄적이고 있는 영순. '모돈 100두, 돈사 소독,
급이기 보수, 울타리, 그물망 치기' 등 농장 재개장을 위한 필요 목록들이다.
그때 바로 옆에 환자복을 입은 60대 아줌마가 통화하는 소리가 들린다.

아줌마1   야휴… 됐어, 새끼야!! 시끄러, 끊어!!!

아줌마, 신경질적으로 전화를 탁! 끊는다. 옆에는 병문안 온 친구가 있다.

아줌마1   아이고, 아이고 징그러~ 웬수바가지….

아줌마2   왜 또? 아들래미?

아줌마1   아니, 지 아빠가 그 어려운 자리 부탁부탁해서 겨우 취직시켜
                놨더니 며칠이나 됐다고 또 때려치고 나와~ 아후 지겨워….

아줌마2   또 그만 뒀어?… 요번엔 왜?

아줌마1   왜긴 왜야 또 그놈의 영화 감독인지 뭔지 한다고 지랄이지.
                멀쩡한 감독들도 몇 년씩 돈 한 푼 못 벌고 빌빌댄다는데…
                지가 뭐 봉준호야?… 내가 봉준호다! 니놈 같은 기생충을
                만들었으니….

아줌마2   에휴… 남자애들은 철 쉽게 안 들어… 처자식이나 생겨야 정신
                차릴까. 우리 아들도 장가 보내놓고 나니까 딱 달라지드라.

아줌마1   그래?

아줌마2   당연하지… 여우 같은 색시에 토끼 같은 새끼들이 줄줄이 딸려

나쁜엄마   152

있는데 지가 정신 안 차리고 배겨? 그 좋아하던 술, 담배도
딱 끊고… 바이큰지 뭔지 그 위험한 동호회도 딱 끊고 을마나
착실하게 사는데.

두 사람의 대화를 귀를 쫑긋해 듣고 있는 영순… 어느새 수첩에 '장가, 색시,
토끼 같은 새끼들' 등이 추가로 쓰여 있다.

4.   **병원, 진료실 / D**

의사 앞에 앉아 있는 영순.

의사   (모니터에 입력하며) 음… 그 외 다른 증상은 없으시구요?

영순   실은… 요즘 아랫배가 좀 묵직하고 몇 번 하혈을 했어요.

의사   그건 지금 드시는 약 때문에 자궁내막이 얇아져서 그런 걸
         겁니다. 앞으로 더 힘든 증상들이 나타날 텐데… 이렇게 매번
         약만 타 가지 마시고 입원 치료를 받으시는 게 어떨까요?

영순   (단호하게) 안 돼요!!… 아니… 그러니까 제 말은… 나중에요.
         지금은 제가 꼭 해야 될 일이 있어요.

5.   **영순네, 안방 / D**

검사증 속 늠름한 얼굴의 강호 사진. 강호, 제법 많이 큰 아기 돼지 '사자'에게

검사증을 보여주고 있다.

강호   이거 나야… 여기 봐… 최.강.호… 대.검.찰.청… 멋있지?

강호, 사진 속 자신을 스윽 만져보더니, 거울 속 꾀죄죄한 자신을 본다.
화장대로 다가가 머리빗을 들더니 사진처럼 7대 3 가르마를 해보는 강호…
잘 안 된다. 그때, 문이 열리며 외출에서 돌아오는 영순. 강호, 허겁지겁
검사증을 주머니에 넣고는 얼른 빗으로 돼지를 빗겨주는 척 한다. 빗질이
간지러운 듯 꽥꽥 몸부림치다 밖으로 도망가버리는 아기 돼지.
강호, 잡아보려 하지만 힘을 못 이겨 놓치고 만다.

강호   (헉헉대며) 사자가 엄청 힘이 세졌어요.

영순   그러게… 사자도 이제 집을 따로 만들어줘야겠어. 애기 가질 수
          있을 때까지만 수틀 생활에 적응할 수 있도록 조그맣게 집을
          하나 지어주자. 그러면 나중에 다른 돼지들하고 같이 지내도
          크게 문제 없을 거야.

강호   다른 돼지들이요?

영순   (빙긋 웃으며) 응… 다음 주에 돼지들 들어와….

강호   와!!! 그럼 엄마 다시 농장 하는 거예요?

영순   아니… 강호 니가 할 거야. 이제부터 우리 강호는 '행복한 농장'
          사장님이야.

강호   어?… 그럼 검사는요? 저… 이제 검사 안 해요?

순간, 표정이 확 굳는 영순.

영순	누가 그래? 니가 검사라고…!
강호	(당황해서) 그게… 그러니까… 이장님하고… 아줌마들하고… 마을 사람들 다요! 빨리 나아서 다시 검사하라고….
영순	(강호 양손을 덥석 잡고) 엄마 얘기 똑바로 들어. 강호, 너 이제 검사 아니야. 누가 너한테 무슨 말을 하든 무조건 아니라고 해… 무조건 모른다고 해… 강호, 너는 이제부터 농장 하면서 행복하게 살 거야. 제발 아무것도 기억해내지 말고 그냥 이렇게 살자… 알았지?

강호, 간절한 표정의 영순을 가만히 보고 있다가 이내 배시시 웃으며…

강호	나 농장 잘할 수 있어요. 엄마한테 다 배웠어요. 그쵸?
영순	그럼… 당연하지. 누구 아들인데….
강호	(밖으로 나가며) 사자야!… 사자야, 어딨어?

강호가 나간 쪽을 보며 후우~ 한숨짓는 영순.

6.　　　**영순네, 뒤란 / D**

창고 주변을 어슬렁거리며 냄새 맡고 있는 사자를 발견하는 강호.

강호	여깄었구나? 사자야… 나 사장님 됐어… 행복한 농장 사장님. 이제 너 집도 새로 지어줄 거야. 좋지?

그러다 문득 표정이 씁쓸해지는 강호.

강호   근데 난 기분이 이상해… 사람들은 다 나보고 빨리 나아서 다시
         검사가 되라는데… 엄마는 안 된대… 위험하다고 아무것도
         기억하지 말래. 후우~~~ 무슨 일이 있었던 걸까?

그때, '강호 형~~~ 강호 오빠~~~' 하는 서진, 예진의 목소리가 들린다.
급 밝아지는 강호의 얼굴.

강호   예진아~!!! 서진아~!! (사자에게) 나가자!!

사자를 몰고 나가는 강호.

7.   읍내 다방 / D

20대 후반 예쁜 여자가 앉아 있다.

여자   그러지 말고… 5만 원만 더 깎아주세요.

카메라 돌아가면 삼식이 앉아 있다.

삼식   하아~~ 이 냥반 참… 평일 오후 여섯 시 여의도 나들목 같은
         분이시네.

여자   여의도 나들목이요?

삼식   꽉 막혔다고!!… 이거 원래 420만 원짜리여요. 그걸 일부러

나쁜엄마   156

읍내까정 들고 나와서… 진퉁인지 확인헌다길래 이러고
커피까지 사주고 있는 거 아녀요. 근디 거서 5만 원을 더
깎아달라구요?… 됐어유… 안 팔어. 그냥 잘 다져서 개밥이나
주고 말래유.

삼식이 면장갑을 끼더니 가방을 더스트백에 넣으려고 하자, 얼른 낚아채는
여자.

여자   이거 진짜 새삥 맞는 거죠?

삼식   과학수사대 불러봐요. 여서 아가씨 지문 말고 딴 지문 나오나?
           천 일 기념으로 여친 줄라고 산 건디 딴 놈이랑 바람이 나는
           바람에… 흑흑 ♪**그 천 일 동안 행복했었나요~?** 흑흑 미주야~

여자   알았어요, 알았어… (휴대폰 꺼내 들며) 지금 입금할게요.

8.   **마을 일각 / D**

터덜터덜 걸어오는 삼식, 전화가 울려서 보면, [배 선장]이다.
'하아~' 옆 전봇대에 머리를 박았다, 주먹으로 때렸다, 발길질했다가…
얼른 예쁜 목소리로…

삼식   아이고, 형님!… 안녕하셨어요?

배 선장   방금 내 통장에 희한한 게 들어왔네? 분명 2억이 들어왔어야
           되는데 동그라미 두 개가 비었어… 마치, 니 몸속에서 곧 비어질
           두 개의 콩팥처럼….

삼식	아, 그게… 일단 이자 먼저 드렸습니다.
배 선장	아~ 그런 거지? 살짝 놀래라~ 그럼… 원금이랑은 언제쯤 미팅할 수 있을까? 아아, 오해하지 마… 쪼는 거 아니야… 내가 우리 삼식이를 왜 쪼겠어? 1억 8천짜리 집도 있고, 2억 5천짜리 방앗간도 있고, 고추밭에 참깨밭에… 맞다! 부모님이 우리 삼식이 생명보험도 아주 알차게 들어놓으셨드라.
삼식	(놀라) 아아 형님!!! 제발….
배 선장	♪ **미루나무 꼭대기에 삼식이 머리가 걸려~** 있고 싶지 않음 주말까지 넣어라. 뚝!

삼식, 멍하니 전화기 쳐다보다가… 미친 듯이 전봇대를 발로 걷어차며…

| 삼식 | 노래하지 마… 노래하지 마… 노래하지 마, 새끼야!!!!! |

그때… 어디선가 들려오는 청년회장의 목소리.

| 청년회장 | 전봇대가 뭔 노랠 불렀길래 패고 지랄이여~ |

삼식, 돌아보면 청년회장과 두 남자가 같이 서 있다.

청년회장	인사햐… 여기 농촌진흥청에서 나온 분들이랴.
삼식	농촌진흥청이요?
직원1	안녕하세요. 농가 방문차 나왔다 우연히 봤는데… 세상에 상추 농사를 어떻게 이렇게 잘 지으셨어요? 올해는 한파도 심하고 파밤나방까지 기승이라, 인근 상추밭들 피해가 말도 못했거든요.

근데 이것 좀 보세요. 이 잎도 넓고 탱탱한 데다 색도 또렷하고,

조직도 부드럽고… (줄기를 툭 짜르더니) 와… 이 우윳빛 진액….

진짜 최상급이에요, 최상급!!… 직접 농사지으신 거예요?

삼식   아… 뭐… 거의 그렇다고 봐도 무방한…

청년회장   (말 자르며) 이 속없는 새끼가 지었을 리는 만무하구요….

(삼식이 보며) 어딨냐? 그 총각들….

9.   영순네, 창고 / D

차 대리가 부러진 삽의 머리 부분을 잡고 열심히 창고벽 밑 흙바닥을 파내고
있다. 소 실장, 반대쪽 벽에 망연자실한 얼굴로 앉아 있다.

소 실장   (멍하니 보다가) 차라리 그 시간에 유서를 쓰는 게 빠르지 않겠니?

차 대리   실장님은 그게 문젭니다. 어떻게 매사 그렇게 부정적입니까?

보십쇼… 여기… 이제 거의 다 팠… (놀라며) 이야!! 실장님!!

빛!! 빛이 들어와요!!

CUT TO

작은 구멍에 어깨가 끼어 낑낑대고 있는 차 대리.

차 대리   밀어요… 밀어… 더 힘껏!!

하다가, 순간 뭔가를 보고 눈이 커지는 차 대리.

차 대리   때… 땡겨요!! 땡겨!! 빨리 땡겨!!!

보면, 사자가 차 대리에게 다가온다.

소 실장   밀라는 거야? 땡기라는 거야?

차 대리   땡기라고!!!! 읍읍! 돼지!! 여기 돼지!!

차 대리의 얼굴을 코로 부비적거리는 사자. 소 실장, 순간 헉! 놀라 얼른
차 대리를 당긴다. 얼굴이 침 범벅이 된 차 대리가 다시 창고 안으로 끌려
들어온다. 벽에 판 구멍으로 사자가 꿀꿀대며 머리통을 들이민다. 기겁을 하는
소 실장과 차 대리, 사자 머리를 밀어내기 시작한다. 그때, '사자야!! 사자야!!'
하는 강호와 예진, 서진의 목소리가 들려온다.

10.   **영순네, 창고 앞 / D**

여기저기 두리번거리며 사자를 찾는 강호와 서진, 예진.

예진   이상허네, 분명 이쪽으로 갔는디?… 어!!! 저깄다!!!

강호, 예진, 서진, 창고 쪽으로 다가오다가 머리를 박고 있는 사자의 엉덩이를
발견한다.

강호   (달려와 사자를 잡고 끌어내며) 아까부터 왜 여기 와서 이러는 거야?
             (눈이 커지며) 히익!! 이게 뭐야? 여따 구멍을 파놓으면 어떡해?!!

서진   아이고야… 아줌니 알면 또 곡소리 나겠네….

나쁜엄마

강호, 주위를 둘러보는데 바닥에 웬 삽 머리가 떨어져 있다.

강호   (예진, 서진에게) 사자 꽉 잡고 있어.

강호, 얼른 삽 머리를 주워 들고는 흙을 파서 덮으려는데… 쉽지 않다.
강호, 달려가 화단에 있는 커다란 돌덩이를 끄응 집어 든다.

서진   (놀라) 우와~ 저 무거운 걸 들었어!

예진   (푹 빠진 얼굴로) 혹시 내가 말했나?… 나 강호 오빠랑 결혼할
거라고.

강호, 낑낑 돌을 들고 와 구멍을 턱! 막는다.

11.   **영순네, 창고 / D**

일순간 빛이 사라진 창고 안. 그때, 울리는 차 대리의 휴대폰.

차 대리   여보세요? 네… (놀라며) 뭐라구요?!! 하~ 알겠습니다.

차 대리, 전화를 끊더니 창고 안을 미친 듯이 뛰어다니며 뭔가를 찾기
시작한다.

차 대리   큰일 났어요… 지금 당장 여기서 나가야 돼요!

소 실장   (놀라며) 왜? 무슨 일인데?… 서… 설마… 회… 회장님?

차 대리   네… 청년회장님이요. 인터뷰 요청이 들어왔대요.

소 실장　　(어이없어서) 인터뷰라니….

차 대리　　(양복을 벗어 팔에 감으며) 우리 상추요… 시간 없어요…
　　　　　　당장 나가야 돼요!!!!

차 대리, 말끝에 달려가더니 팔꿈치로 문을 퍽!!!! 가격한다. 순간, 위쪽
경첩이 떨어져 나가며 반쯤 휘어져 공간이 생기는 문. 소 실장, 헐~ 황당한
얼굴로 서 있다.

12.　　　　**마을회관 앞 / D**

평상에 앉아 각종 크기의 유리병에 술을 담그는 마을 사람들. 인삼, 더덕,
백하수오, 오미자, 돌배 등을 씻는 정씨와 여자들, 병에 재료들을 담는 이장,
그 위에 소주를 붓는 양조장 양씨… 보인다. 그때, 박씨가 마을회관 안에서
해물파전을 부쳐 내온다.

박씨　　　자자… 술도 많은디 파전이랑 한 잔씩들 드시고 허세요~

이장　　　아이고… 어쩌자고 또 음식을… (했다가 얼른) 마침 출출혔는디
　　　　　　잘됐네~ 자자… 어여 하나씩들 들어….

이장, 젓가락을 나눠준다…

이장 부인　어머!!… 너무 맛이써요.

박씨　　　(좋아서) 허이구… 웬일이여? 칭찬을 다 허고….

이장 부인　아니… 맛이 쓰다구요… 뭘 넣으면 이런 맛이 나지?

박씨　　　(노려보다가 한 점 집어 아구아구 먹으며) 쓰버럴! 맛있기만 허구만….

그때, 다가오는 청년회장.

청년회장　　개가 똥을 끊지… 개가 똥을 끊어… 아! 다이어트 헌다더니…
　　　　　　고새를 못 참고 또 먹는 겨?

박씨　　　파전은 살 안 쪄!!!… 이거 봐… 오징어, 바지락… 해물이지?
　　　　　　파, 당근… 야채지? 메밀가루… 곡식… 천연 소화제!!

청년회장　　아~ 그 좋은 것들을 기름에 튀긴 겨?

박씨　　　(부들부들) 이거 콩기름여!!!… 콩!!!… 단백질 몰러?!!

이장 부인　　(실실 웃으며) 아~ 콩기름이 단백질이구나… 그럼 포도씨유는
　　　　　　비타민?

　사람들 이장 부인 말에 큭큭거리며 웃는다. 박씨, '에흐씨…' 글라스에 소주를
가득 따라 원샷한다. 그때, 다가오는 영순.

영순　　　다들 여기 모여 계셨네요?

정씨　　　아이고… 강호 엄마 왔네… 이리 와서 이거 한 점 들어.
　　　　　　(파전을 영순 입에 넣어준다)

박씨, 침을 꼴깍 삼키며 긴장한다.

영순　　　와~~~~ 맛있어요.

박씨　　　맛있어?… 그러니까 맛이 있다는 거지?

| 영순 | 네… (박씨가 헤벌죽 웃자) 쪼금만 덜 쓰면 진짜 맛있겠다. |

푸하하 웃음이 터지는 사람들.

| 영순 | 술 담그시나 봐요. |

| 양씨 | 지금쯤 담궈놔야… 또 한 해 지낼 텐께 다들 힘을 보태야쥬…. |

| 영순 | 그니까요. 다 같이 힘 보태는 자린데… 왜 맨날 저만 빼놓으세요? |

| 청년회장 | 아휴… 그동안 돼지 치랴, 강호 챙기랴 바쁘셨잖아유. |

| 영순 | 마음 써주신 거 잘 알죠… 감사해요. 그치만 앞으로는 저도 꼭 불러주세요. 우리 강호도요. 한 마을 사는데 저희만 왕따시키시면 서운해요~ |

| 이장 | 아이고, 왕따라니… 알았어… 앞으로는 두 사람 빠지지 말고 나와. 강호 싹 나아서 다시 검사님 될 때까지는 얄짤읎어! |

이장의 말에 표정이 굳어지는 영순.

| 영순 | 저기… 이장님… 우리 강호 이제 검사 안 해요. 다시는 안 할 거예요. |

| 박씨 | 뭘 또 그렇게까지 단호하게 안 한다 그려…. |

| 정씨 | 맞어… 강호, 하루가 다르게 좋아지고 있잖여. 금방 다시 정신 돌아올 거니께, 마음 약한 소리 허지 말어. |

| 영순 | (정색하며) 좋아지다뇨!! 말도 안 돼…. 우리 강호 아직 많이 아프고, 아무것도 몰라요. 그러니까 행여 딴 데 가서 정신이 돌아오니 뭐니 그런 소리 절대 하지 마세요. 강호는 이제 여기 |

나쁜엄마

조우리에서 평생 돼지 농장 하면서 살 거예요.

응?… 사람들 어리둥절한 얼굴로 영순을 본다.

영순   이장님… 예전에 말씀하셨던 그 과수원집 아가씨 있잖아요.
          혹시 자리 좀 만들어주실 수 있을까요? 저… 강호 결혼시키려구요.

일동   !!!!

이장   겨… 결혼을 시킨다고?

영순   네. 참한 색시 만나서 애기도 낳고 가정도 꾸리면 우리 강호
          지금보다 훨씬 더 안정적이고 행복하게 살 수 있을 것 같아요…
          좀 도와주세요.

이장   (멍하니 보다 결심하듯) 그려!! 뭐… 까짓거 중신 못 헐 게 뭐 있어?
          인물 좋겄다, 사지멀쩡허겄다.

정씨   아휴… 그럼유… 게다가 머리도 좋고 심성도 을매나 착해유.

박씨   돼지 농장에, 그 많은 재산에… 색시들이 줄을 설 텐디 뭐가
          문제여?

청년회장 그치… 문제는 삼식이 새끼지.

박씨   (청년회장에게 종주먹 들이대며) 그 입 다물어유!

이장   오케이~~!! 좋았쓰~ 내가 이 조우리 이장의 명예를 걸고 우리
          강호 무조건 장개 보낸다. 아자자자자!!!

와!! 박수 치는 사람들.

13.   정씨네, 안방 / N

바닥에 엎드려 그림을 그리고 있는 예진. 미주, 서진, 정씨가 치킨을 먹고 있다.

미주   (예진에게) 정말 안 먹을 거야?

예진   응… 나중에 예쁜 웨딩드레스 입으려믄 날씬혀야 댜.

미주   (그림 슬쩍 보며) 뭐 그리는데? 우와~ 신랑, 신부네.

예진   내 결혼식… 야외에서 할 거여.

미주   오오… 그렇구나. 신랑이 진짜 잘 생겼네. 얼굴도 작고 다리도
        길고… (그림 보며) 근데… 이건… 뭘 들고 있는 거야?

예진   돌!

미주   세상에… 힘도 센가 보다.

예진   남자는 힘이제!!… (턱으로 서진이를 가리키며) 저걸 어따 써?

보면, 콜라병 뚜껑을 못 따서 낑낑거리고 있는 서진. 미주와 예진의 시선이
자신을 향하자 슬그머니 콜라병을 아령처럼 들었다 놨다 한다.

예진   아! 다 그렸다!! 짠!!

미주, 웃으며 그림으로 시선을 돌리다가 흠칫! 그림 위에 [행복한 농장♥]
이라고 쓰여 있다.

미주   행복한 농장?

예진   응. 강호 오빠 인자 사장님 됐어. 행복한 농장 사장님. 다음 주에

돼지도 다시 들어온댜. 그럼 난 행복한 농장 사모님 되는 거제, 훗!

정씨 어이구~ 사모님은 무슨… 꿈 깨~ 강호 내일부터 색시… (했다가 미주 본다)

미주 ?

정씨 어… 그니께… 색시한 여자를 좋아한댜… (일어서며) 느끼해서 김치 좀 가져와야겠네. (나간다)

예진 내일부터 섹시한 여자를 좋아헌다고? 그게 뭔 소리여?

미주, 갸웃한다.

14. **정씨네, 마루 / N**

방문 앞에 서서 후~ 한숨 쉬는 정씨.

정씨 에휴… 시집도 못 간 딸년… 뭐 듣기 좋은 소리라고….

15. **영순네, 마루 / D**

영순, 커다란 거울 앞에서 드라이기를 들고 강호 머리를 만지고 있다.

강호 엄마, 이거 왜 하는 거예요?

영순 오늘… 우리 강호, 엄마랑 갈 데가 있거든.

강호	어디 가는데요?

영순, 잠깐 생각하다가 장롱으로 가더니 구석에서 패물함을 꺼내 온다.
영순이 패물함 뚜껑을 열어 앞에 놓자 눈이 커지는 강호.

영순	이거… 강호 너 색시 꺼야.
강호	색시요?…
영순	응… 색시…. 강호랑 한 집에 살면서 같이 농장도 하고 또 농사도 짓고… 그렇게 서로 사랑하고 아껴주면서 오래오래 곁에 있어 줄 친구.

강호, 그 말에 표정이 환해지더니…

강호	친구?… 아! 그럼 미주 씨요?
영순	아니… 미주는 안 돼! 미주는 이미 사랑하는 사람들이 있어서 강호 곁에 있어줄 수가 없거든.
강호	사랑하는 사람이… 누군데요?
영순	누구긴… 예진이랑 서진이… 그리고 미국에 있는 예진이, 서진이 아빠지.
강호	(시무룩) 아… 그 호로새끼요?
영순	스읍… 본 적도 없는 사람한테 그런 말 하면 못 써. (강호의 머리를 쓰다듬으며) 걱정 마… 엄마가 우리 강호, 미주보다 더 좋은 색시 만나게 해줄 거야….

영순, 다시 드라이기를 잡고 강호의 머리를 만지기 시작한다.

강호, 씁쓸한 얼굴로 미주가 발라준 손톱 끝에 조금 남은 매니큐어를
만지작거린다.

영순　　　　(드라이하며) 아휴… 근데 이게 왜 이렇게 안 되니….

그때, 대문이 팍! 열리며 바람을 가르고 등장하는 박씨와 정씨, 이장 부인.

박씨　　　　(꼬리빗을 척 꺼내 들며) 비켜~~!!!

박씨, 능숙하게 강호 머리를 촤악촤악~ 만지더니, 무스를 듬뿍 발라 싹 넘긴다.
회심의 꼬리빗으로 정교하게 가르마를 탄 2대 8 마무리. 와!! 성공의 박수를
치는 사람들. 어안이 벙벙한 강호.

이장 부인　　자, 그럼 이제 내 차롄가?

이장 부인, 가져온 검은 박스를 열자 온갖 전문가용 메이크업 용품들이
가득하다. 능숙하게 강호 눈썹을 정리하고, 비비크림 바르고, 코와 턱에
쉐이딩을 하는 이장 부인.

박씨　　　　저 여편네는 도대체 정체가 뭐여?

정씨　　　　야쿠자라잖여… 큭큭 (박씨 잡아끌며) 우린 가서 옷이나 찾자고….

16.   영순네, 안방 / D

장롱 문을 열고 강호의 옷을 고르는 박씨와 정씨.

박씨   (양복 하나 꺼내며) 이거 괜찮네… 고급져 보이고.

정씨   (넥타이를 하나 골라 들고) 와! 얘는 딱 내 취향이네.

보면, 5화 1씬에서 미주가 선물했던 그 넥타이다.

박씨   뭐 향수 같은 건 없나?

박씨, 여기저기 둘러보다 화장대 위에 놓여 있는 패물함을 발견하고 열어본다.

박씨   흐미… 이걸 여적지 갖고 있었네….

정씨   (같이 보며) 그르네… 이쁜이들아~ 후딱 좋은 주인 찾아가자~

17.   영순네, 마루 / D

기대 어린 얼굴로 올망졸망 모여 강호를 기다리는 영순과 정씨, 박씨, 이장 부인. 드디어 안방 문이 열리자 쏟아져 나오는 강렬한 빛에 다들 눈이 부셔 고개를 돌리는데… 이지적인 은테 안경에, 미주의 넥타이, 군더더기 없는 날렵한 수트핏의 강호가 나온다. 그런 강호에게 향수를 칙칙 뿌려주는 박씨. 정씨, 박씨, 이장 부인이 방청객처럼 환호성을 지르며 좋아한다.

영순   우리 아들 너무 멋있다… 너무 멋있다….

나쁜엄마   170

울먹울먹한 얼굴로 강호를 바라보고 있는 영순. 문득 생각난 듯 달려가 댓돌
아래에 손을 넣더니 강호의 구두를 꺼낸다. 댓돌 위에 반짝이는 구두를
가지런히 놓는 영순.

영순   드디어 이걸 다시 신는구나…. (강호에게) 자, 신어봐, 강호야….

강호, 구두를 신는다.

강호   와~ 딱 맞아요….

영순   응… 당연하지… 니 꺼니까….

그때 '빠-빠-빠-빠-빠…' 울리는 경적 소리. 열린 대문 밖으로 봉고차에서
대기하고 있는 이장과 청년회장 보인다.

18.   **읍내 다방 / D**

침울한 얼굴의 강호 옆에 영순. 이장이 앉아 있다. 그리고 그 앞으로 맞선녀와
부모님이 앉아 있다. 잘생기고 반듯한 강호의 모습이 맘에 드는 듯한 표정이다.
다른 테이블에 손님처럼 앉아 있는 청년회장과 박씨, 정씨.

청년회장   아이고… 저게 누군가? 조우리 일등 신랑감 최강호 아닌가?

정씨   맞네요. 보아하니 장개 가려고 선보는 것 같지요?

박씨   흐미~ 어떤 색신지 몰라도 데려가는 사람은 횡재했네, 그려….

국어책을 읽는 듯한 발연기에 영순이 목에 대고 손을 흔들며 커트 신호를

보낸다. 이장이 얼른 맞선녀 쪽 부모에게 파일 하나 건넨다. 파일 안에는 온갖 상장과 성적표, '수석 합격' 사진들이 가득하다.

이장   하여간 애기 때부터 머리 하나는 남달랐으니께.

화면 돌아가면 맞선녀와 부모… 다른 사람들로 바뀌어 있다.

이장   아, 얼굴 잘생겨, 체격 좋아, 사람 착해…. (영순 보며) 농장에 돼지가 몇 마리쥬?

맞선녀와 부모님들 다른 사람으로 바뀌어 있다.

이장   (계산기 두드리며) 감자밭이 오십 마지기면… 어디 보자 150평당 100박스만 잡아도 어휴… 500박스가 넘네?

맞선녀와 부모님들 다른 사람으로 바뀌어 있다.

이장   (그림 그리며) 여… 집허고 축사 건물은 빼고 순수허게 터만 잡아도 평당 70!

맞선녀와 부모님들 다른 사람으로 바뀌어 있다.

이장   더 이상 볼 게 없는 거쥬… 다만!! 딱 하나… 아주 쪼그만 흠이 있다믄….

맞선녀와 부모… 뭘까? 궁금한 듯 긴장하고…

이장   (강호 보며) 우리 강호 올해 나이가 몇 살?

나쁜엄마   172

강호   일곱 살… (엄마를 한 번 보더니) 아니… (손가락 펼치며)
서른 다섯입니다.

경악하고 일어서는 맞선녀와 부모들. '이 사람들이 장난하나, 어디서 바보를
데려다가', '아후 재수 없어' 기분 나쁜 듯 홱 나가버린다.

영순   (벌떡 일어나) 저… 저기… 잠깐만요…. (후~ 한숨 쉬며 앉는다)

강호, 시무룩하게 고개를 숙이고 있다가 천천히 영순을 보더니

강호   엄마… 나 그냥 엄마랑 둘이 같이 살면 안 돼요?

억장이 무너지는 영순, 강호를 꼭 안아준다.

19.   **읍내 다방 앞 / D**

청년회장의 봉고차에 타고 있는 마을 사람들.

영순   오늘도 고생 많으셨어요.

정씨   너무 마음 쓰지 마… 색시는 을매든지 있으니께.

이장   그랴… 내가 더 좋은 혼처 찾아볼 테니께 걱정 말고….

박씨   없으믄 내가 만들어서라도 델꼬올 껴!

청년회장   (박씨 보며) 그럼 후딱 만들러 갈까?

박씨   아잉~~

| 영순 | (웃으며) 고맙습니다. 조심히 들어가세요. |

봉고차가 출발하자 트럭에서 장바구니를 꺼내 오는 영순.

영순	강호야! 나온 김에 페인트 좀 사자.
강호	엄마… 근데… 농약은 왜 한 번도 안 사요?
영순	응? 무슨 농약?… 아하~ 알겠다. 너 오늘 멋지게 입은 거 미주한테 자랑하고 싶어서 그러는구나?
강호	(배시시 웃는다) ….
영순	(피식 웃더니) 그래… 그럼 미주한테 가 있어. 페인트 가게 갔다 엄마가 데리러…

강호, 이미 쏜살같이 달려가고 있다.

20.   응렬농약사 / D

느끼하게 생긴 상가 번영회장이 네일케어를 받으며 미주의 가슴을 힐끗힐끗 쳐다본다. 기분이 나쁘지만 꾹꾹 참고 옷을 여미는 미주.

| 농약방 사장 | (물건 가지고 들어오며) 어이구… 상가 번영회장님 자주 오시네유? |
| 번영회장 | 응응… 요게 아무것도 아닌거 같은디 은근 스트레스가 풀리네~ 기분도 좋고, 냄새도 좋고…. |

미주에게 고개를 디밀고 킁킁대는 번영회장. 인상을 찌푸리며 가판대로

이동하는 농약 가게 사장.

번영회장 자긴 은제 퇴근햐?

미주 (쳐다본다) ?

번영회장 아니… 그러니께… 은제 문을 닫냐?… 뭐 그런 거지…
영업 마감 시간.

미주 마감 시간은 저녁 여섯 시예요.

번영회장 아… 딱 좋네… 그럼 퇴근 후에는 뭐 햐?

미주 왜요?

번영회장 어디 분위기 좋은 디 가서 커피나 한잔 할까 해서. 궁금한 것도
있고.

미주 뭐가 궁금하신데요?

번영회장 아~ 가령, 저기 손 마사지의 경우… 어떻게 만져주냐… 뭐 이런 거?
마사지도 여러 종류가 있잖여. 오일마사지도 있고, 출장마사지도
있고… (미주 손 쭈물럭대며) 이렇게 할 수도 있고, 또 이렇게
할 수도 있고….

그러자 빙그레 웃는 미주. 손가락을 번영회장 손가락 사이사이에 껴서 깍지를
낀다.

미주 요렇게 할 수도 있고…?

번영회장 (좋아서) 이힛힛… 그치그치….

순간, 미주가 번영회장의 손을 홱 꺾어버린다. '으아아아아악!!'

미주　　　(이를 악물고) 이르크 흘스드 있그…….

미주, 번영회장 손을 꺾은 채 홱 밀어버리더니…

미주　　　한 번만 더 개수작 부리면 그땐 모가지 꺾일 줄 아세요.

번영회장　이년이!!!!

미주　　　아니아니… (자신을 가리키며) 이년 말고… (손가락으로 CCTV 가리키며) 사모님한테….

번영회장, CCTV를 보고 당황했다가 갑자기 벌떡 일어나며…

번영회장　야!!… 내가 뭘 워쨌는디!!

미주　　　제 가슴 훔쳐보고, 손 주물럭거렸잖아요… 그리고 뭐요? 출장마사지요?!!

번영회장　아니 근디, 이게 어따 대고 눈을 까뒤집고… 너 내가 누군지 몰러?!!

미주　　　알지요. 발정 난 개새끼처럼 미용실이며, 커피숍이며 여기저기 쑤시고 다니면서 젊은 여직원들 괴롭히는 이봉수 상가 번영회장님!

순간, 날라오는 번영회장의 손. 쪽가위를 든 손으로 얼굴을 가리는 미주. 그 바람에 번영회장의 손이 쪽가위에 푹 찍힌다.

번영회장   으악!!! 으아아아!! 피!! 피!! 이 미친년이!!!

번영회장이 미주의 멱살을 잡더니 밖으로 끌어낸다.

21.   웅렬농약사 앞 / D

농약방 사장을 비롯한 손님들 놀라서 뛰어나와 '아휴, 왜 이러세요!' 하며
번영회장을 잡고 말린다.

번영회장   이거 안 놔? 이 싸가지 없는 년… 살인미수로 당장 처넣을 거여!!!

그때, '하지마!!!' 하는 소리와 함께 달려와 번영회장의 손을 미주에게서
잡아떼는 강호. 양팔을 벌리고 미주를 안 듯 막아선다. 순간, 미주의 눈에
보이는 넥타이… 자신이 선물한 넥타이다. 눈빛이 흔들리는 미주.

번영회장   허~ 이 새끼 또 뭐야? 야!! 야!!!

번영회장, 강호의 어깨를 탁! 잡는다. 순간, 반사적으로 번영회장의 손을
낚아채 확 꺾더니 다리를 퍽 쳐서 밀어버리는 강호. 전광석화 같은 강호의
날렵한 기술에 모두들 놀라는데….

번영회장   너… 너… 너 뭐야?!!

자기가 한 행동에 자신도 놀란 듯 얼떨떨한 강호.

강호   나… 난….

그때, 강호의 뒤에서 소리치는 미주.

미주　　검사예요!!··· 서울중앙지검 최강호 검사!!··· 당신 이제 큰일
　　　　났다···. 자기야··· 저 사람 당장 감옥에 집어넣어!··· 저 사람이
　　　　나 막 만지고 욕하고 성희롱했어!

번영회장　(멍하니 보다가 칫! 웃으며) 뭐? 검사? 웃기고 자빠졌네···.
　　　　야! 서울중앙지검 검사가 미쳤다고 너 같은 애를 만나냐?
　　　　(강호에게) 야··· 니가 말해 봐!! 너 검사야?··· 응? 검사냐고!!!

강호, 당황해 어쩔 줄 몰라하다가 뒤에 있는 미주를 돌아보며···

강호　　미주 씨··· 나 이제 검사가 아니···

그때, 저 앞에서 굉음과 함께 달려오는 오토바이 한 대. 미주를 향해 빠르게
돌진한다. 순간, 강호의 머릿속에 과거 수능시험장 앞에서의 미주 모습이
파편처럼 파바박 떠오른다.

-　노란 매니큐어 칠해주며 '오늘 우리 용띠들 행운의 색이 노란색이랴'
-　'너는 내 꺼! 최강호!' 하며 응원해 주던 미주.
-　쾅! 오토바이가 미주를 덮치고··· 날아가는 김밥 도시락. 순간, 미주를
　낚아채 감싸 안으며 바닥으로 쿵 넘어지는 강호. 그때 강호의 주머니에서
　바닥으로 떨어지는 무언가. 농약 가게 사장이 집어 보면··· 강호의
　검사증이다.

농약방 사장　최강호··· (놀라) 대검찰청?!!

사람들　　(웅성거리며) 뭐라고?!! / 대검찰청? / 시상에!! 진짜였어···.

나쁜엄마　　　　　　　　　　　　　　　　　　　　　　　178

번영회장　　(당황해서) 거… 검찰?

사람들, 검사증 둘러싸고 웅성대는데… 스르르 눈을 뜨는 미주.
강호의 얼굴이 보이자 깜짝 놀라 일어나 앉는다.

미주　　(강호 흔들며) 강호야!!… 강호야!!! 정신 차려 봐… 강호야….

어렴풋이 눈을 뜨는 강호… 아픈 듯 끄응 머리를 감싸고 일어나 앉는다.

미주　　왜 그래… 응? 머리 아파?… 다친 거야?….

그때, 강호의 이마에서 얼굴을 타고 흐르는 피. 미주, 놀라 얼른 옷소매로 피를
닦고 지혈하며…

미주　　아아… 어떡해… 미쳤어, 미쳤어… 나 때문에….

울음이 터져버리는 미주. 그런 미주를 가만히 보더니… 서서히 손을 들어…
눈물을 닦아주는 강호.

강호　　괜찮아, 미주야…… 시험은 내년에 다시 보면 돼.

강호, 미주의 입술에 쪽 뽀뽀를 하더니 빙그레 웃는다. 미주, 떨리는 눈으로
강호를 바라보다가… 이내 벌컥 강호의 목을 끌어안고 입을 맞춘다.
그때, 막 페인트를 사들고 코너를 돌아오던 영순. 그 모습을 보고 '헙!!'
당황해 얼른 길모퉁이로 몸을 숨긴다.

영순과 강호가 벽화를 그리고 있다. '행복한 농장'이라는 커다란 글씨와 함께
푸른 들판에 뛰노는 아기 돼지들, 예쁜 꽃과 나비들이 밑그림으로 그려져 있고
영순이 색칠하고 있다. 영순, 뭔가 할말이 있는 듯 주저하다가 이내 결심한 듯
강호를 보며…

영순　　　 근데, 강호야… 아까 읍내에서 말이야….

보면, 넋 빠진 얼굴로 아무렇게나 붓질하고 있는 강호.

영순　　　 강호야… 최강호!!

강호　　　 (퍼뜩 놀라) 네?

영순　　　 너 뭘 칠하고 있는 거야?

보면, 빨간 꽃에 이어 빨간색으로 칠해지고 있는 돼지.

강호　　　 아!…

강호, 얼른 수세미를 들고는 박박 지우다 땀을 닦듯 머리를 올리는데…
그때, 머리카락에 가려 있던 이마의 상처가 드러난다.

영순　　　 (놀라며) 잠깐만! 너 여기 이마… 왜 이래?

영순이, 얼른 강호의 머리를 올려 넘기면 깊게 상처가 나 있다.

23.　　　돼지 농장, 사무실 / D

강호의 이마에 난 상처에 약을 발라주던 영순, 놀라며…

영순　뭐라고?!!… 오토바이?!!… 애가 미쳤어, 진짜!! (몸 여기저기 살피며) 봐봐… 또 어디 다쳤어? 어?

강호　(당황해서) 아니에요… 엄마… 나 안 다쳤어요.

영순　안 다치긴 뭘 안 다쳐? 여기 죄 상처네… (팔을 걷어보고 놀라며) 허!!! 최강호!! 아무리 그래도… 달리는 오토바이에 뛰어들면 어떡해?

강호　…미주가 다칠 뻔했어요….

하더니… 갑자기 버럭!

강호　그래서 뭐!!!… 죽기라도 했어?!!

강호, 그 말을 하고는 어리둥절해진다.

영순　(놀라) 가… 강호야… 그게 무슨… 왜… 그런 말을 해?

강호　(고개 젓더니) 몰라요… 갑자기 그 말이 생각났어요.
(팔꿈치 보더니 다시 해맑게) 윽! 여기도 까졌다… 여기도 약 발라주세요.

영순, 멍하다.

24.   영순네, 창고~마당 / N

뒤란, 창고 앞에 새로 지어진 아담한 우리 안의 사자. 사료와 물을 채워주고
사자를 쓰다듬더니 일어선다. 영순, 마당으로 걸어 나오다 문득 멈춰 서더니
대문을 바라본다. 순간, 문이 열리며 들어오는 고등학생 강호. 촤악! 강호의
얼굴로 물이 쏟아지며 1화 67씬으로 연결된다. 영순이 강호를 노려보고
서 있다.

영순	나가!!!
강호	엄마….
영순	돼지 똥물 한 바가지 맞아야 나갈래?!!!!!!!!
강호	…. (가만히 영순을 보다가 힘없이 돌아서는데)
영순	거기 너밖에 없었어? 니가 걔 보호자냐고! 사고 낸 사람은 따로 있는데 니가 왜 오지랖을 부리고 난리야! 오늘이 얼마나 중요한 날인지 몰라?!!!
강호	엄마… 미주가 다쳤어요.
영순	그래서 뭐!!… 죽기라도 했어?!!
(23씬) 강호	그래서 뭐!!!… 죽기라도 했어?!!

다시 현실, 대문을 보며 마루 끝에 힘없이 앉아 있는 영순.

영순	내가 강호한테 너무 큰 상처를 줬어요… 그러니까 그 말이 기억났겠지? 근데… 아직은 안 돼요…. 결혼도 하고 가정도

꾸리고 아기도 낳아야 돼…. 그래야 나중에 기억을 다 찾아도
당신 복수하겠다는 그 위험한 생각 안 해요.

영순, 돌아보면 해식의 영정이 보인다.

영순　　그러니까 제발 도와줘요… 그때까지만 우리 강호 기억 좀…
　　　　잡아주세요.

25.　　**마을 정자 / N**

냇가가 보이는 정자에 혼자 앉아 삼각김밥에 캔맥주를 마시는 미주.

강호　　V.O (놀라) 미… 미주야!!!!!!!!

플래시백 1화 63씬, 수능 고사장 앞

쾅!!!! 오토바이가 미주를 덮친다. 미주 손에 들려 있던 커다란 김밥 도시락이
저 멀리 날아가 와장창 깨져버린다.

플래시백 1화 66씬, 병원, 병실

머리와 다리에 붕대를 감은 미주가 누워 있다. 어렴풋이 눈을 뜨는 미주.
흐릿했던 강호의 모습이 선명해진다. 화들짝 일어나 앉는 미주.

미주　　니… 니가 왜 여깄어? 시험은?

강호　　정신이 좀 들어?

미주	시험은?!!!!!!
강호	….
미주	(눈에 눈물이 고이기 시작한다) 아아… 말도 안 돼… 미쳤어…
	미쳤어…. 아~~ 나 때문에… 어떡해….

미주, 엉엉 울기 시작한다. 울고 있는 미주의 얼굴을 잡더니 눈물을 닦아주는
강호.

강호	괜찮아, 미주야… 시험은 내년에 다시 보면 돼.

미주의 입술에 쪽 뽀뽀를 해주더니 빙그레 웃는 강호 얼굴이 21씬 강호와
겹친다. 미주, 이내 벌컥 강호의 목을 끌어안고 입을 맞춘다.

다시 현실. 미주, '하~~~~ 미쳤어… 미쳤어…' 괴로운 듯 고개를 젓는다.
그때, 저쪽에서 조깅을 하며 달려오는 강호. 미주, 순간 당황해 '어떡해,
어떡해' 하며 주변을 살피다가 맥주가 들었던 비닐봉지를 머리에 뒤집어쓰고
몸을 최대한 구석으로 웅크린다. 강호가 정자 앞을 그냥 스쳐 지나간다. 후우~
안심하며 봉투를 벗으려는데… 그때, 갑자기 멈춰 서는 강호. 미주 쪽을 본다.
놀라 다시 비닐봉지를 쓰는 미주. 미주를 보는 강호… 누가 봐도 미주 옷…
누가 봐도 미주 손톱이다.

강호	미주야… 여기서 봉지 쓰고 뭐해?
미주	(슬그머니 봉지 벗더니) 아… 안녕? (봉지 구기며) 아… 이거…
	그냥 좀 추… 추워서… 흐흐.
강호	추워서?… 아… 비닐하우스 같은 거구나?

미주   (뻘쭘한 미소만) ….

강호   (빤히 미주를 본다)

미주   (어색해서) 잘 가….

강호   응… 너도 잘 가….

강호, 돌아서 가다가 문득 멈춰 선다. 그리고는 홱 미주를 돌아본다.

강호   미주야… 나… 도저히 안 되겠어….

강호, 갑자기 미주에게 성큼성큼 다가온다. 미주, 눈이 커져 어쩔 줄 모르며…

미주   (당황) 뭐… 왜… 이… 이러면….

미주, 눈앞에 얼굴을 바짝 가져다 대더니 얼굴에 손을 가져다 대는 강호.
순간, 어버버하다가 자기도 모르게 눈을 꼭 감는 미주… 심장이 터질 것
같은데… 그때, 미주의 볼에 붙은 뭔가를 떼내는 강호.

강호   또 김 먹었어?…

미주   !

강호   (또 떼어주려고 하며) 이렇게 해봐… 이쪽도 묻었다.

미주   (홱 손을 뿌리치며) 또 김을 먹다니?…

강호   아까 읍내에서 뽀뽀할 때도 김 냄새나고 또 지금도 여기 묻어
       있고.

미주   헉… 그… 그건 점심에 김밥 먹어서 그런 거거든….

강호	아… 그럼 양치질도 하고 그래… 그래야 깨끗해.
미주	(쪽팔려서 씩씩대다가) 너! 왜 자꾸 나한테 반말해?
강호	넌 처음부터 지금까지 쭉 반말했잖아.
미주	그래 난 계속 반말했어!!… 근데 넌 어제까지 존댓말 썼잖아. 왜 갑자기 반말하냐고!! 아까 나 도와줬다고 이제 내가 만만해?
강호	아니… (가만히 보다가) 좋아해.
미주	!!!
강호	그럼 갈게….

강호, 돌아선 간다.

미주	야… 야! 최강호!
강호	응?
미주	(머뭇거리다 얼른 맥주 내밀며) 매… 맥주 하나 마실래?
강호	아니. 나 술 못 마셔… 안녕.
미주	(삐죽대며 혼잣말) 못 마시긴… 너 맥주킬러거든? (핸드백에서 거울 꺼내 보며) 무슨 김이 묻었다는… 히익!!!

미주, 앞니에 떡하니 붙어 있는 김을 보고 기겁한다.

| 미주 | 하아~ 드러워서 갔네… 드러워서 갔어… 으~ 쪽팔려. |

26.   돼지 농장 앞 / D

예쁜 그림이 그려진 담장 보이고… 커다란 트럭에 실린 돼지들이 줄지어
농장으로 들어간다. 영순이 강호와 함께 서서 그 광경을 흐뭇하게 보고 있다.

27.   돼지 농장, 사무실 / D

모니터를 보며 농장관리일지에 정보를 입력하고 있는 강호와 그 옆에 영순.

영순   그렇지… 거기다 넣는 거지… 이야~ 우리 아들 잘하네….
        역시 내가 사장님 하나는 잘 뽑았어.

영순이, 강호의 등을 토닥이다가 문득 강호 손톱 끝에 남은 노란 매니큐어를
본다.

영순   아이고… 우리 아들 손톱 좀 짤라야겠다.

영순, 손톱깎이를 서랍에서 꺼내 드는데… 손을 뒤로 감추는 강호.

강호   아니… 괜찮아요… 나중에 자를게요.

영순   뭘 나중에 잘라… 금방 자르면 되는데… 손 이리 줘….

강호   아! 맞다… 파이프 결로 생겼는지 사료 잘 안 나오던데….

강호, 얼른 일어나 고무망치를 들고 잠바를 챙겨 입는다. 그때, 사무실 문이
열리며 고개를 내미는 안드리아.

안드리아	싸장님!!
영순	(반사적으로) 응?… 아차차… 안드리아~ 이제부터 행복한 농장 사장님은 나 아니고 여기 최강호 사장님이야!… (강호 보며) 맞지?
강호	(힘없이) 네….

강호, 힘없이 사무실을 나간다. 그런 강호를 속상한 듯 보는 영순. 후! 한숨이 난다.

안드리아	나는 잠깐의 상담을 요청한다!
영순	무슨 상담?
안드리아	(강호 쪽 힐끗 보더니) 강호 색시 아직도 못 발견했어?
영순	응….
안드리아	나 우리 과에 여사친 있는데… 혹시 소개팅 원해?
영순	(급 얼굴이 밝아지는 영순) 정말?… 아~ 그럼 너무 좋지…. 그래, 소개 좀 시켜줘! 가급적 빨리!

28.   박씨네, 마루 / D

삼식이가 근심 어린 얼굴로 마루에 누워 있고 새끼 강아지 한 마리가 삼식이 얼굴을 밟고 넘어다니며 귀찮게 한다.

삼식	아… 씨… 저리 좀 가라고!! (강아지 잡더니) 안 되겠다… 잡아먹자… 아항~

삼식, 강아지를 번쩍 들어 입에 넣는 시늉을 한다. 순간, 놀라 삼식의 얼굴에 오줌을 싸는 강아지.

삼식   (놀라 벌떡 일어나) 으악… 퉤퉤퉤… 입에 들어갔어!!… 우웩….
         (옷에 혓바닥을 닦더니) 너 일루 와, 새끼야!!

삼식이 강아지를 쫓자, 도망가는 강아지. 마당과 마루를 오가며 서로 뺑뺑 도는데… 박씨가 나오다 그런 삼식이를 한심하게 보며 고개를 절레절레.

박씨   그러고 같이 뛰어다닝께 어떤 게 진짜 개새긴지 모르겠네.

삼식   에이씨 말을 해도… 어? 잠깐… 뭐여? 루즈까지 바르고 어디가?

박씨   (구두 신으며) 읍내에 색시 구하러 간다.

삼식   색시?… (실실 웃으며) 아니 그 중요한 걸 왜 엄니 혼자 결정허고
         그랴? 근디… 그럴 필요 읎어… 이미 오래전에 날 사로잡은
         여인이 있어.

박씨   널 잡은 여인이면… 여경밖에 더 있겠냐?

삼식   아!! 진짜!!

박씨   강호 색시감 보고 올 거니께… 나가서 사고 치지 말고 집에
         딱 붙어 있어….

삼식   강호?… 최강호?

박씨   에휴… 패물만 좋은 거 사다 놓으면 뭐 하… 막상 강호놈 보면
         기겁을 혀서 도망가는디….

박씨, 대문을 쾅 닫고 나간다.

뭔가 묘안이 떠오른 듯 빙그레 웃는 삼식.   `

29.   도로 / D

봉고차를 운전하는 청년회장과 조수석에 이장. 뒷자리에 영순, 정씨, 박씨.

정씨 잉?… 베트남?

영순 네. 안드리아랑 같은 학교 친구라는데, 한국 사람하고 결혼해서
여기서 살고 싶다고 했대요. 그래서 강호 얘기를 했더니
만나보고 싶다고 하더래요.

박씨 아이고~ 잘됐네….

정씨 잘된 거여?… 난 넘의 나라 색시라는 게 좀…. 시집 오면 농장도
맡아서 해야 될 거고, 강호도 잘 챙겨야 될 텐디… 외국 사람이면
말도 잘 안 통하고 뭐 김치 하나 지대로 담구겄어.

청년회장 에이… 무슨 말씀이세요… 요즘 외국서 온 색시들이 을매나
똑똑한데유. 착하고 생활력도 강하고 손도 야무지고….

이장 맞어맞어… 나도 몇 집 아는디… 한국말도 나보다 잘허고,
시부모도 을매나 살갑게 잘 모시는지 몰러.

박씨 잠깐만… 근디 왜 강호는 안 데려가? 만나고 싶다고 했다며….

영순 그게… 혹시 몰라서요. 말로는 다 괜찮다고 해놓고 막상 만나고
나서 싫다고 하면 강호가 또 상처받을까 봐요.

박씨 으휴… 엠비랄 것들! 어떻게 사람 면전에 대고 바보란 소릴 혀?

나쁜엄마   190

정씨, 박씨 쿡 찌른다.

박씨   아니… 내가 아니라 그것들이 그랬다고… 난 그런 생각 한 번도 해본 적 읎어.

정씨   (영순 손 잡으며) 신경 쓰지 말어… 아니… 우리 강호가 어디가 부족혀서!! 솔직히 요즘 강호만 한 신랑감이 어딨어? 막말로 내가 딸만 하나 더 있었음 당장 사위 삼았을 겨…. 그러니께 그런 싹수없는 것들은 무시허고… 오늘 선 잘봐서 다 같이 베트남 여행이나 가자고!

박씨   그려~ 그러자고… (하다가 영순 얼굴 보더니) 잠깐만! 나 좀 봐봐….

박씨, 가방에서 팩트 꺼내 영순 얼굴에 발라주며…

박씨   이그… 맘고생 혀서 그런가… 얼굴 푸석헌 것 좀 봐 (립스틱 발라주며) 좀 바르고 댕겨…. 곧 죽을 사람처럼 핏기도 없이 그러고 댕기지 말고… 어뗘? 강호 엄마 이쁘제?

이장   아이고… 훨씬 보기 좋네….

청년회장   강호 보내놓고 강호 엄니도 시집 보내드릴까 봐유….

정씨   나는? 나도 과분디 나는 왜 빼유?

이장   그럼 이참에 내 친구놈들허고 2대 2 소개팅 함 주선혀?

정씨   됐어유… 다 늙어서 송장 치를 일 있슈?

박씨   그니께… 상조나 소개해 줘요….

깔깔깔 웃는 사람들. 영순도 희미하게 웃어 보인다.

30.　　　돼지 농장 / D

사료 수레를 끌고 와 새끼 돼지들에게 사료를 부어주는 강호. 사료를 먹는 귀여운 아기 돼지들을 웃으며 바라보다가 서서히 표정이 어두워진다. 안쪽 주머니에 검사증을 꺼내 보는 강호.

> 플래시백 21씬, 웅렬농약사 앞

미주　　검사예요!!… 서울중앙지검 최강호 검사!!… / 자기야… 저 사람 당장 감옥에 집어넣어!

> 플래시백 5씬, 영순네, 안방

영순　　강호, 너 이제 검사 아니야… / 이제부터 우리 강호는 '행복한 농장' 사장님이야.

강호, 후우~ 한숨을 쉬며 고개를 숙인다. 그때, 밖에서 '강호야~ 놀자!!!' 하는 삼식이 목소리가 들린다.

31.　　　영순네, 마루 / D

검정 봉지를 여는 삼식.

삼식　　(막걸리 병 하나를 꺼내며) 짜잔~ 자자… 내 죽마고우 부랄친구… 행복한 농장 사장님 된 기념으로 축하주 한잔!

삼식. 종이컵에 막걸리를 따라 강호에게 내민다.

강호 나 술 못 마셔….

삼식 아니, 너 술 마셔… 심지어 잘 마셔…. 우리가 다시 만난 곳도
 술집이었으… 자… 쭈욱 한잔혀.

강호 안 되는데….

삼식 아, 글쎄… 괜찮다니까… 최강호! 넌 어른이여! 싸나이가
 호기롭게 술도 좀 먹고 필름도 딱 끊겨보고… 응?… 혹시 알어?
 정신이 돌아올지? (술잔 들이밀며) 한 잔 마시고 또 그러다 졸리면
 한숨 자고… 그게 여유로운 이 시골인들의 삶인 거여….

강호, 불안한 눈으로 덜덜덜 떨며 술잔을 잡는다.

CUT TO

막걸리 병을 들고 병나발 부는 강호. 옆에는 빈 병들이 널브러져 있고…

삼식 (불안한 듯) 저… 저기… 강호야… 그만햐… 상남자, 쾌남!!! 인정!
 인정! 아, 그만 좀 마시라고… 나 아줌니한테 디져….

벌게진 얼굴로 탁! 막걸리 병 내려놓는 강호. 알딸딸하게 취해 있다.

강호 삼식아! 딸꾹!

삼식 없어!! 이젠 술 없어!!

강호 검사 되려면 어떻게 해야 돼?… 나 다시 검사 되고 싶어… 딸꾹!

삼식	(멍하니 보다가) 아~ 우리 강호가 다시 검사가 되고 싶구나? 아휴… 그럼 또 이 친구가 도와줘야지~ 에… 일단 검사는 싸가지가 없어야 뎌.
강호	싸가지….
삼식	근디… 걱정 마… 넌 애시당초 싸가지가 읎었어.
강호	(환하게 웃으며) 어휴… 다행이다.
삼식	둘째, 검사는… (골똘히 생각) 그래! 수갑!… 수갑이 있어야 뎌… 나쁜 놈들 잡아야 되니께.
강호	(땅이 꺼져라 한숨 쉬며) 나 수갑 없는데… 그건 어떡해야 가질 수 있어?
삼식	음… 걱정 마… 내가 구해 줄게.
강호	정말? 정말로 구해 줄 수 있어?
삼식	당연하지, 나만 믿어! 아 맞다… 근디… 내가 수갑 그냥 주면 너 나한테 디게 미안하겠다… 그치?
강호	아니….
삼식	(당황했다가 정신차리고) 아니긴… 잘 생각혀 봐… 미안할 거여… 어쩌면 엄니헌티 혼날지도 몰러… 이렇게 좋은 걸 어떻게 그냥 받아 왔냐구… 개새끼라구….
강호	(시무룩) ….
삼식	그리고 검사는 절대 공짜로 뭘 받으면 안 뎌… 신세 조져… 감옥 가….

강호	(놀라며) 뭐? 감옥에 간다고?!! 그럼 나 어떡해?
삼식	가만있자… 어떻게 해야 우리 강호가 청송교도소를 면할까? 아! 그려… 이렇게 허자. 우리 서로 선물을 하는 거여….
강호	선물?
삼식	응… 서로 갖고 싶은 걸 주는 거제. 강호 너가 갖고 싶은 수갑은 내가 구해 주고… 난… 하~ 난 뭐가 갖고 싶지? (고민고민하는 척) 음… 음… 아! 맞다… 반지! 나 요즘에 반지가 너무 갖고 싶었는디….
강호	반지?
삼식	응. (휴대폰에 반지 사진 넘기며) 이렇게 생긴 거… 요런 거… 요런 거….
강호	어? 나 이런 거 있다! 있다, 있다….
삼식	(과하게 놀라며) 으~~응? 있~~어? 와… 나 그냥 혀본 말인디… 있구나~ 그럼 넌 나한테 그거 선물하면 되겠다!
강호	(단호하게) 안 돼!!… 그건 내 색시 꺼야!
삼식	색시? 하하하… 너 색시가 뭔 줄이나 알어?
강호	알아….
삼식	뭔디?
강호	친구.
삼식	친구? (벙쪄 있다가) 딩동댕~ 와 우리 강호 진짜 똑똑허네…. 이야, 어떻게 그렇게 어려운 걸 알았지?… 맞아… 색시는 친구여… 근디 너랑 나랑 친구쟤?… 그러니까 내가 니 색신

거여…. (말해놓고도 뭔가 이상하다)

강호   (미심쩍은 눈초리로) 니가? 내 색시라고?

삼식   (얼른) 어허… 수갑 안 갖고 싶어? 자자, 빨리 가서 색시 꺼
              가져오자.

강호   아! 수갑… 아… 알았어!!

강호, 후다닥 안방으로 뛰어 들어간다. 삼식, 씨익 웃는다.

32.   **해양경찰서 / D**

황수현 사체 발견 당시의 사진이 몇 장 보인다. 강호와 헤어졌던 날 입고 있던
옷과 바위에 끈이 걸린 크로스백도 보인다. 통화하고 있는 20대 조 형사.

조 형사   네네… 알겠습니다.

심각한 얼굴로 들어와 조 형사 쪽으로 다가오는 40대 중반의 신 반장.

신 반장   변사자 신원 확인됐어?

조 형사   (서류 건네주며) 네, 유전자 감식 결과 35세, 여성, 황수현으로
              확인됐습니다. 발견 당시 소지하고 있던 가방 속의 여권은 위조
              여권이었습니다.

신 반장   위조 여권?…. (잠시 생각하다) 사인은?

조 형사   사체 발견 당시 상태와 부검 결과로 봤을 때 타살 혐의는 없어

보이는데….

신 반장   그걸 니가 어떻게 알아?

조 형사   네?…

신 반장   갖고 있던 가방에서 발견된 달라만 1억이야. 그것도 지퍼백에
          꽁꽁 싸서…. 너 같음 위조 여권이랑 1억을 들고 나가서 자살을
          했겠니?

조 형사   그러네요….

신 반장   일단 유족들한테 연락하고 밀항선부터 싹 조사해.

조 형사   네!

신 반장, 가다가 다시 돌아보더니

신 반장   잠깐!… 그럼 같이 있던 애기 여권도 가짜겠네?

33.   읍내 다방 / D

영순의 휴대폰 속 강호 사진을 넘겨 보는 베트남 맞선녀… 후앙.

후앙   너무너무 잘생겨쏘요.

박씨   아, 그럼~ 생긴 건 어따 내놔도 안 빠지제.

후앙   근데… 쪼금 아프다고 들었어요… 사진 말고 동영상 같은 거
        보고 싶은데….

영순	(휴대폰 받아서 사진첩 넘겨 보며) 아… 딱히 찍어놓은 게 없는데….
정씨	아! 나한테 있다!!… 동영상 그거! (휴대폰 사진 찾아보며) 예진이 가시나가 유투분가 뭔가 헌다고 오만 거를 다 찍어놔서… 아! 여기 강호 있네…. (후앙에게 휴대폰 준다)

강호의 동영상을 보는 후앙. 동영상 속에 강호가 그림을 그리고 있다.

예진	안녕하세요, 여러분! 오늘은 제가 세상에서 제일 사랑하는 강호 오빠를 만나볼 건데요. 어머! 오빠가 지금 그림을 그리고 있네요. 뭘 그리시는 거죠?
강호	엄마.
예진	아~ 엄마… 근데 엄마를 왜 그리시죠?
강호	(배시시 웃으며) 좋으니까….
예진	엄마의 어디가 그렇게 좋으세요?
강호	음… 얼굴도 예쁘고… 목소리도 예쁘고… 엄청 똑똑해….
정씨	아휴~~ 그냥 엄마 좋다고 난리네~ 호호호.
박씨	그르게 엄마 바보… 아니… 바… 바보는 아니고 엄마 껌딱지….

영순이 빙그레 웃는다.

강호	또… 친절하고 음식도 잘하고… 그냥 자꾸자꾸 보고 싶고 자꾸자꾸 생각나.
예진	아하… 엄마랑 저랑 비슷한 데가 굉장히 많네요.

나쁜엄마

강호	다 그렸다. (그림 보이며) 짠!
후앙	와~ (영순에게 휴대폰 보여주며) 너무 예뻐요.

그림 속 여자는… 1화 57씬… 문제집에 그렸던 미주다. 표정이 확 굳는 영순.

정씨	아이고, 엄마를 아주 그냥 아가씨처럼 그려놨네. 호호호.
박씨	지대로 콩깍지네~ (호들갑스레 영순 치며) 좋겠어~ 호호호호.
후앙	나 강호씨 맘에 들어요. 착한 사람 같아요. 만나봐도 돼요?
영순	(화색이 돌며) 아아~~ 정말요?…

'아이고~ 잘됐네', '강호 장개 가겠네~' 박수 치며 좋아하는 사람들.
그때, 영순의 휴대폰이 울린다. ♪ **나는 행복합니다~~~** 사람들, 덩실덩실 노래를
따라 부른다.

영순	(웃으며 받는다) 네~ 여보세요?… (눈이 커지며) 네?… 경찰서요?

일동, 얼음이 되어 영순을 쳐다보는 사람들.

34.   **파출소 / D**

삼식이가 앉아 있다. 파출소 뒤쪽으로 [경축 20년 범죄 없는 마을 선정]이라는
현수막이 보인다. 박씨와 청년회장이 뛰어 들어온다. 그리고 그 뒤로는
영순과, 정씨, 이장이 들어온다. 박씨, 눈이 뒤집혀 달려가 삼식이를 두들겨
패며…

박씨	야, 이놈아… 이 미친놈아… 이게 뭐 헌 짓이여? 니가… 니가… 어떻게 또….
청년회장	(같이 패며) 개가 똥을 끊지… 개가 똥을 끊어, 이 자식아!!!
파출소장	(현수막 가리키며) 20년 범죄 없는 마을이라고 이달 말에 우리 이장님 국무총리 표창까정 받기로 혔는디… 20일을 남겨놓고 이게 뭔 일이냐? 삼식아~~

바닥에 스르르 주저앉는 이장.

이장	아이고… 아이고, 아이고 나 미치겠네… 양복에 구두까정 맞춰놨는디… 아이고~~!!!

삼식, 고개를 푹 숙이고 있다.

경찰1	나오자마자 이렇게 사고 치면 괘씸죄 적용되는 거 몰러?… 나올 때 다 교육 받았을 거 아니여?

삼식은 묵묵부답… 고개만 떨구고…

이장	야, 이놈아, 그리고 뭔가를 훔쳤으면 쫌 진득허니 가지고 있다가… 한 20일쯤?… 후에 쫌 잠잠해지면 쩌 멀리 부산 같은 데 가서 몰래 암거래를 하든지 했어야제. 이 경솔한 놈아….
경찰1	(당황해서) 이장님!!
이장	그랴… 나 미쳤다… (경찰들한테) 그짝들도 그러는 거 아니여요. 내가 이번 한 달 동안만 조용히 지내보자고 혔제? 20년을

나쁜엄마

참았는디… 그래 겨우 20일을 못 참아서 홀랑 범인을 잡아 온 거?

경찰1 지들이 잡은 게 아니고 금은방 주인이 신고를 혔다니께요…
본인이 강호 엄니헌테 판 건디… 딴 사람이 들고 왔다고…
장물 같다고….

이장 (현수막 부여잡고) 아이고… 내 20년… 내 잃어버린 20년….

그때, 경찰2가 강호를 데리고 들어온다.

경찰2 최강호 씨 데리고 왔습니다.

술에서 덜 깬 얼굴로 주위를 살피다 영순을 발견하고 좋아하는 강호.

강호 (영순 안으며) 엄마!!!

영순 잠깐만… 이게 웬 술 냄새야? 너 술 마셨어?

강호 응… 삼식이랑… (삼식이 발견하고는) 아!!!! 저기 삼식이다!!!!!
삼식아!!!

삼식 (고개 돌리며) 아흐씨….

경찰1 (패물 꺼내며) 장물로 신고가 들어와서 그러는디요?
그 댁 물건이 맞아유?

영순, 패물을 유심히 본다. 이장, 침을 꿀꺽 삼킨다.

영순 이… 이게 왜 여기….

이장 (쓰러지며) 아이고, 아이고… 맞네… (두두둑 현수막 뜯으며)

내 20년… 내 금쪽같은 20년… 삼식이 놈이 말아먹네….

삼식이 고개를 푹 숙인다. 그때…

강호   어? 이거 내가 삼식이한테 선물한 거다.

모두가 놀라 일제히 강호를 쳐다본다. 현수막 뜯던 이장도 손을 멈춘다.

이장   뭐라고?… 선물?

강호   네….

삼식, 문득 고개를 들어 강호를 본다. 강호, 빙그레 웃는다.

영순   무슨 소리야? 다시 얘기해 봐… 그러니까… 니가 이걸
삼식이한테 줬다고?

강호   응… 내가 삼식이 줬어.

이장   (갑자기 표정 밝아지며) 어이구… 어이구 그랬구나… 강호가
삼식이헌티 선물을 준 거구나… (다시 현수막 붙이며) 시상에…
이쁜 강호… 착한 강호… 하하하.

영순   왜? 왜 줬는데?

강호   ….

영순   왜 이걸 삼식일 줬냐고?!!

청년회장   삼식이가 안 주면 죽인다고 협박했나?

이장   에이… 아들헌티 못 허는 말이 읎어?

강호	아니요….

영순	그러면?!!

강호	왜냐면… 삼식이는 내 색시니까요… 맞지, 삼식아?

삼식, 그 말에 얼굴이 울그락불그락하더니 으흑흑… 울음을 터뜨리고…
파출소장과 경찰들은 귀를 의심하고, 다들 어리둥절해지는데…

강호	어!!! (달려오더니 삼식이 손에 채워진 수갑 만지며) 정말 수갑
	구했구나!! (삼식 껴안으며) 고마워 색시야!

영순, 표정이 좋지 않다.

35.   영순네, 안방 / D

퍽퍽퍽! 회초리가 날아온다. 영순이 강호의 종아리를 때리고 있다.
강호, 아픈 듯 종아리를 잡고 주저앉아 싹싹 빈다.

강호	잘못했어요… 엄마 잘못했어요….

영순	일어나… 당장 안 일어나?

강호	(싹싹 빌며) 다신 안 그럴게요. 절대 안 그래요….

영순	뭐가 니 껀지, 뭐가 중요한지도 몰라? 니 물건 절대 남한테
	주지 말라고 했지!!! 몸도 성치 않은 애가 술까지 마시질 않나…
	도대체 왜 안 하던 짓을 해!! 왜!!

강호	… 검사 되고 싶어서요.
영순	(놀라서 보다) 무슨 소리야!!… 검사라니?… (가만히 마음 추스르더니) 강호야… 아니야. 엄마랑 약속했잖아. 우리 아들 이제 여기서 색시랑 행복한 농장 하면서…
강호	(말 끊으며) 싫어요. 나 색시랑 행복한 농장 안 하고 다시 검사할 거예요.
영순	강호야 너 왜 이래?!!… 너 이제 검사 아니야.
강호	나 검사예요. 미주가 나보고 검사랬어요… 서울중앙지검 검사.
영순	미주? 너 그러니까… 지금 미주 때문에 검사하겠다는 거야?
강호	네… 나쁜 사람들 잡아서 감옥에 집어넣을 거예요.

영순, 얼굴 울그락불그락해지더니 우악스럽게 강호 등짝을 내리치며…

| 영순 | 너, 이놈의 자식… 왜 엄마 말 안 들어? 왜 이렇게 엄마 속을 썩여? 빨리 아니라고 해!! 다시는 그런 소리 안 한다고 해!!! 얼른!! |

그때, 쓸쓸히 웃으며 가만히 입을 여는 강호.

| 강호 | 난 엄마가 하라는 대로 다 했잖아요. |

듣지 않고 계속해서 강호를 때리는 영순.

| 강호 | 밥도 잘 먹고, 운동도 열심히 하고, 손도 움직이고 다리도 움직였잖아요. 약 먹고, 침 맞고… 진짜 아프고… 너무너무 |

힘들고… 나… 그때 엄마가 물에 던졌을 땐 진짜 무서웠어요.

강호를 때리던 영순의 손이 점점점 느려지더니 이내 멈춘다.

강호   근데도 다 참았어요. 엄마가 좋아하니까… 엄마 행복하게
해줄려고….

강호, 눈에 눈물이 고여 영순을 본다.

강호   근데… 왜 엄마는 내가 좋아하는 거 못 하게 해요? 왜 맨날 엄마
맘대로 해요? 엄마도… 엄마도… 내가 바보라서 그래요?

영순, 충격받은 얼굴로 강호를 본다.

36.   **응렬농약사 앞 / N**

미주가 문을 열고 나오며 안에 대고 인사를 한다.

미주   내일 뵙겠습니다~

미주, 돌아서다가 흠칫! 영순이 서 있다.

37.   **공원 / N**

가로등 밑 벤치에 앉아 있는 미주와 영순.

영순	갑자기 찾아와서 놀랐지?
미주	아니에요… 무슨 일 있으세요?

영순, 잠시 머뭇거리며 망설이더니… 이내 입을 연다.

영순	미주야, 우리 강호 곧 결혼해.
미주	네?!!!!!
영순	오늘 선을 봤는데… 아가씨가 강호를 마음에 들어하더라고. 외국 사람이기는 하지만 베트남에서 간호학 전공했고 병원이랑 장애인 학교에서 일한 경험도 있어서 강호를 잘 이해하고 돌봐줄 수 있을 것 같애.
미주	….
영순	그래서 말인데… 미주야. 우리 강호 좀 도와주면 안 될까?
미주	그게… 무슨 말씀이세요? 제가 뭘….
영순	강호가 미주 너 많이 좋아하는 거 같아. 니가 남편도 있고 이미 결혼한 사람이라고 말해줬는데도 이해가 잘 안 되나 봐…. 그러니까 미주야… 니가 강호 마음 좀 잡아줘. '나는 강호 니가 아니라 예진이, 서진이 아빠를 좋아한다. 너도 얼른 좋은 사람 만나서 결혼해라.' 니가 얘기하면 강호 그렇게 할 거야.
미주	….
영순	(애원하듯) 부탁이야, 미주야. 내일 그 아가씨가 강호 만나러 오기로 했어. 우리 강호 이번에 꼭 결혼해야 돼… 시간이 없어… 응? 제발 좀 도와줘….

눈물까지 글썽이는 영순을 보며 느낌이 이상한 미주.

미주   아줌마… 무슨 일이에요?… 무슨 일 있으신 거죠?

영순   응?… 일이라니… 아니… 아무 일도 없어.

미주   아뇨… 있어요!… 지난번 농약 사 오신 것도… 강호가
        버림받았다고 얘기했던 것도… 오늘 선본 여자랑 이렇게 급하게
        결혼을 서두르시는 것도… 뭔가 있는 거예요… 그쵸?…

영순   ….

미주   말씀해 주세요… 그래야 제가 도울 수 있어요.

영순, 떨리는 눈으로 미주를 바라보다 이내 무겁게 한숨을 내쉰다.

영순   미주야… 아줌마… 죽어….

38.   정씨네, 마당 / N

넋이 빠져 들어오는 미주, 평상에 털썩 주저앉는다. 점점점 붉어져 오는
미주의 눈.

39.   미주 자취방 (과거) / N

5화 3씬, 강호를 바라보는 미주의 붉은 눈과 디졸브된다. 강호, 미주를 가만히

보다가 말없이 일어나더니 짐 가방을 챙겨 든다. 저벅저벅 걸어 나가다 현관 앞에 잠시 멈춰 서는 강호. 돌아보지 않고 말한다.

강호   그 일… 뭔지 알고 싶어?

미주   알면… 우리 달라져?

강호   아니….

미주   그럼 나도… 아니….

강호… 그대로 문을 열고 나간다. 쾅! 닫히는 문소리에 움찔하는 미주. 멍하니 케이크를 바라보더니 이내 케이크를 퍽퍽 퍼먹기 시작한다. 그러다 푹 고개를 숙이는 미주… 테이블 밑에 놓인 임신테스트기를 본다. 두 줄이 선명하다. 미주의 어깨가 떨려온다.

40.　　**카페 화장실 (과거) / N**

5화 4씬 연결… 선영을 끌고 들어오는 미주.

선영   어때, 저 남자 괜찮지?

미주   언니… 미안해… 미리 말 못 해서…. 나… 실은… 임신했어….

선영   뭐?!!!!!!!!!!… 뭘 해?!!! 임신?!! (하아~ 한숨 쉬더니) 그 자식 알아? 몰라?

미주   말 안 했어.

선영   왜!!!… 이 등신아… 그 얘기를 했었어야지!

미주	하고 싶은 일이 생겼다고 했어. 내가 없어야 할 수 있는
	일이라고… 사랑하는 사람과도 헤어질 만큼 중요한 일인데…
	아이들이 생겼다고 하면… 그 사람… 그 일 포기했을 거야.
	나… 더 이상 그 사람 인생 망치고 싶지 않아….
선영	뭐?… 아이들?… 그게 무슨 말이야?
미주	쌍둥이래… (갑자기 밝아지며) 훗… 초음파를 봤는데 콩알 두 개가
	보이는 거야. 얼마나 귀여운지 알아?
선영	야! 이미주… 너 미쳤어?… 그래서 지금 애들을 낳겠…

순간, 얼른 선영의 입을 막는 미주.

미주	(고개를 끄덕이며) 응!… 셋이서 같이 기다릴 거야.
	강호… 그 일 끝내면 반드시 돌아와.

41. 서울중앙지방법원 (과거) / D

법정에서 나오는 미주. 유모차에 쌍둥이들을 태워 기다리던 선영이 다가온다.

선영	뭐래?… 돈 받을 수 있대?
미주	(후~ 한숨 쉬더니) 판사가 지급명령을 내려도 집주인이 무시하면
	받을 방법이 없대.
선영	뭐? 말도 안 돼…. 그 사람 집이 몇 채래? 강제로라도 뺏어야지!!
미주	이미 다른 사람 명의로 재산을 다 빼돌려서 강제집행도 못 하나 봐.

하… 애기들 낳고 한동안 일 못해서 돈도 없고… 당장 있을 데도
없는데….

그때, '강호 씨~' 하는 여자의 목소리가 들린다. 미주, 놀라서 쳐다보면
한 여자가 차에서 손을 흔든다. 몇몇 남자들과 얘기하고 있다가 '가볼게~'
하며 차에 올라타는 강호.

선영   저… 저… 저거… 최강호 맞지?

미주, 넋이 나간 얼굴로 멍하니 서 있는데 강호와 함께 있던 남자들이
다가오며 하는 말소리가 들린다.

남자1   이야… 최강호, 저 자식… 결국은 해냈구나.

남자2   아니… 저렇게 엄청난 집안 딸이 왜 최강호 같은 애를 사귀는
             거야? 쟤 돈도 없고 빽도 없고… 아무것도 없잖아….

남자1   저 여자가 돈이고 빽이잖아. 연수원 때부터 스토커처럼
             공연장까지 따라다니고 하더니… 공들인 보람이 있네.

남자들 지나가자…

선영   (멍하니) 연수원 때부터라니?… 그때 최강호 너랑 살고 있을
             때잖아?!

충격받은 얼굴의 미주.

나쁜엄마   210

42.　　　네일샵 (과거) / N

선영이가 유모차를 끌고 간다. 힘없이 뒤에서 따라오는 미주. 갑자기 확
네일샵 쪽을 쳐다본다. [CLOSE] 간판이 붙어 있다. 강호가 매일 고백했던
통유리를 보고는 못 볼 것을 본 듯 얼른 시선을 돌리는 미주.

선영　　　온갖 뒷바라지 다 해가며 검사 만들어놨더니⋯ 결국 하고 싶다는
　　　　　　일이 돈 많고 빽 있는 년 만나는 거였어? 아흐⋯ 나쁜 새끼⋯.
　　　　　　언제 나한테 걸리기만 해⋯ 아주 개박살을 내버릴 테니까!!!

그때⋯ 뒤에서 와장창 유리 부서지는 소리가 들린다. 놀라 돌아보는 선영.
네일샵 통유리가 깨져 있고, 그 앞에 씩씩거리며 서 있는 미주.

43.　　　정씨네 앞 (과거) / N

쿵쿵쿵, 대문 두드리는 소리. 졸린 눈을 비비며 방문을 열고 나오는 정씨.

정씨　　　아후⋯ 이 새벽에 누구여⋯.

정씨, 대문을 여는데⋯ 유모차에 쌔근쌔근 잠든 아기 둘이 보인다.

정씨　　　이⋯ 이게 뭐여? 야들이 누구여?

그때, 정씨 눈에 보이는 아기들 위에 편지 봉투. 정씨, 얼른 편지를 열어본다.
헉! 놀라는 정씨의 얼굴. 황급히 밖으로 뛰어나가더니⋯ 주위를 살피며⋯.

정씨	미주야~~~ 미주 너 이년 어딨어?!!!! 당장 일루 안 나와! 아이고… 아이고 이 미친년아… 이 미친년아!!!!!

그때, 응애… 연이어 울음을 터뜨리는 애기들.

정씨	아휴, 이 일을 어쩌… 하나도 아니고 둘씩이나 이 우라질 년이….

정씨, 씩씩거리며 서둘러 유모차를 끌고 들어간다. 카메라 빠지면 벽 뒤에 숨어 있는 미주. 조금씩 무너지며 주저앉더니 입을 틀어막고 흑흑 운다.

다시 현실. 38씬 연결. 울고 있는 미주와 현실의 미주, 겹친다.

미주	그때 애기들 가졌다고 말했어야 했어… 결국 떠난다고 해도… 강호는 알고 있었어야 했다고…. 내가 잘못한 거야… 강호한테도 아줌마한테도… 서진이 예진이한테도… 그리고 엄마한테도….

화면 돌아가면 정씨가 입을 떡 벌리고 미주 앞에 앉아 있다.

정씨	너… 너… 너… 시방 뭐라고 혔냐? 그러니께 쟈들 애비가 가… 강호라고? 저기… 돼지 농장… 최강호? 우리가 아는 그 최강호?!!!!
미주	….
정씨	(고개 저으며) 아… 안 디야… 안 디야, 미주야… 니가 뭐가 부족혀서 그런 바보를…. 너 이거 누구누구 알어? 혹시 강호 엄니헌티도 말혔어?

| 미주 | (고개를 젓는다) 아니….

| 정씨 | (크게 안도의 한숨 쉬며) 휴~~~~ 그럼 됐어…. 너 지금부터 에미 말
잘 들어. 갸는 안 돼. 예진이 서진이 쟈들 키우는 것도 모질라서
애 하나를 더 보태? 너 아픈 사람 수발하는 게 을매나 힘든
일인지 알어? 니 인생 절단나는 겨. 애들한텐 또 뭐랄 꺼? 서진이,
그때 강호가 아빠였음 좋겠다고 혔을 때 예진이 지랄허는 거
봤어? 못 봤어?

| 미주 | ….

| 정씨 | 그리고 이년아… 넌 밸도 읎어? 너 버리고 딴 년헌티 간 놈이여.
니 아부지랑 똑같은 새끼라고! 정신 차려, 이년아….

정씨, 씩씩거리며 일어서 가다가 멈칫! 갑자기 바닥에 주저앉아 꺽꺽! 울기
시작한다.

| 정씨 | 아이고, 아이고 내 팔자야… 서방 복 읎는 년 자식 복도 읎다더니
저 불쌍한 것들을 워쩌… 흑흑.

그런 정씨의 뒷모습을 가만히 바라보는 미주. 뭔가 결심한 듯 입술을 꾸욱
깨물더니 갑자기 벌떡 일어선다.

| 미주 | 왜? 왜 우리가 불쌍해?… 아니!… 우리 하나도 안 불쌍해.

경쾌한 노래가 선행되며…

44.   외출 준비 몽타주

벅벅, 예진이 세수를 씻기고 서진이 양치질을 해주는 미주. 이 옷 저 옷 다
꺼내 아이들에게 대보다가 양복에 드레스… 예쁜 옷을 입힌다. 예진이 머리를
땋다가 묶었다가 풀렀다가… 서진이 머리를 2대 8로 빗었다, 앞으로 내렸다,
무스 발라 착! 넘긴다. 모든 준비 끝! 어느새 곱게 꽃단장한 미주가 예진과
서진의 손을 탁탁! 잡더니 집을 나선다.

45.   박씨네 앞 / D

아이들 손을 잡고 저벅저벅 다부진 얼굴로 걷는 미주. 그때, 집에서 나오던
삼식이와 마주친다.

삼식   아이고, 이게 누구여? 내 사랑 미…

하지만 쳐다도 보지 않고 빠르게 삼식을 스쳐 지나가는 미주와 아이들.

삼식   (멀어지는 미주 보며) 아침 댓바람부터 어딜 가는 겨?

예진   엄마… 우리 진짜 어디 가?

하지만 말없이 빠르게 걷는 미주.

46.   우벽그룹, 회장실 / D

심각한 얼굴로 앉아 사진들을 보는 송 회장. 문이 열리며 들어오는 비서.
꾸벅, 인사한다.

송 회장   소 실장 금마는 아직 소식 읂나?

비서   네.

송 회장   흠… 안 되겄다… 아무래도… 내가 직접 가봐야겠다.

송 회장, 사진을 책상에 툭 던진다. 8화 19씬 잔칫날 찍은 강호의 사진들이다.

47.   영순네, 강호 방 / D

침대에 등을 보이고 누워 있는 강호. 영순이 강호 침대 옆에 서 있다.

영순   강호야… 그러지 말고 얼른 밥 먹고 준비하자. 응? 쫌 있음 손님
          온다니까. 계속 이렇게 엄마 속상하게 할 거야?

하지만 꿈쩍도 하지 않고 눈 꾹 감은 채 누워 있는 강호. 영순, 하~ 한숨을 쉬며
돌아서다가… 어지러운 듯 휘청하더니 머리를 짚는다. 비틀거리며 겨우겨우
밥상을 들고 방을 나가는 영순.

48.   영순네, 마루 / D

밥상을 들고 천천히 걷는 영순. 조금씩 눈앞이 흐려지는가 싶더니… 와장창!
쿵! 쓰러지고 만다.

49.   영순네, 강호 방 / D

소리에 놀라 슬그머니 문 쪽을 돌아보는 강호.

강호   엄마… (대답이 없자 조금 더 크게) 엄마?

강호, 후다닥 침대에서 내려와 마루로 나간다. 마루에 쓰러져 있는 영순.
점점점 눈이 커지는 강호.

강호   엄마!!!!!!!!!!!!!

50.   영순네 앞 / D

대문 앞으로 저벅저벅 다가오는 미주와 예진, 서진.

예진   어?!!! 여긴 강호 오빠네잖여….

미주, 쭈구리고 앉아 예진과 서진의 머리와 옷 매무새를 만져준다.
다시 일어나 크게 숨을 한 번 쉬는 미주… 결심한 듯 문을 두드린다. 쾅쾅쾅!!

나쁜엄마

EPISODE
11

난… 엄마가… 웃었으면 좋겠어….
엄마는 나쁜 엄마가 아니고 예쁜 엄마니께.

1.　　　박씨네, 부엌 / D

부글부글 끓고 있는 흰쌀죽을 젓는 손… 서서히 멈춘다. 화면 커지면 씁쓸한
얼굴로 서 있는 청년회장… 무겁게 후우~ 한숨을 내쉰다. 그러다 킁킁…
'아이고, 아이고, 다 눌었네…' 하며 얼른 불을 끈다.

2.　　　박씨네, 안방 / D

머리를 싸매고 누워 있는 박씨. 청년회장이 밥상을 들고 들어온다.

청년회장　　죽 좀 쒀 왔어… 한술 떠.

박씨　　….

청년회장　　내내 암것도 못 먹었잖여… (다가와 박씨 일으키며)

　　　　　　　　자자, 그러지 말고… 아! 산 사람은 살아야 될 거 아니여….

박씨　　산 사람은 무슨… (못 이겨 일어나며) 누가 뭐 죽었으?

청년회장　　삼식이 저 새끼… 곧 당신헌티 맞아 죽을 거 아녀.

박씨, 숟가락을 들고 가만히 죽 그릇을 쳐다보다가… 씁쓸한 목소리로…

박씨　　저놈 출소헌다는 소식 듣고 몇 날 며칠 잠을 설쳤어.

　　　　　　내 새끼… 속은 좀 들었을까? 이제부터 정신 차리고

　　　　　　잘 살 수 있을까? (갑자기 목소리 바뀌더니) 저따위 개차반으로

　　　　　　살 줄 알았으면… 그때 그냥 잠이나 푹 자는 건데… 쓰버럴!!!

생각할수록 분해 죽겠네!!

박씨, 숟가락을 탁! 놓더니 벌떡 일어나 나간다.

3.   **박씨네, 삼식 방~부엌 / D**

문짝이 부서져라 쳐들어오는 박씨. 다짜고짜 누워 있는 삼식이를 발로 패기
시작한다.

박씨	야, 이 새끼야… 니가 사람 새끼여?
청년회장	(뛰어 들어와 말리며) 아휴~ 왜 그랴… 참어참어!!
박씨	그래, 딴 사람도 아니고 강호 그 불쌍한 애헌티 그러고 싶냐고!!
삼식	(진지한 얼굴로) … 그 새끼가 왜 불쌍헌디.
박씨	뭐여?
삼식	공부 잘하고 똑똑하다고 강호강호… 바보 돼서 불쌍하다고 강호강호…. 지 엄마 사랑도 차고 넘치는디 이건 뭐 옆집 아줌마꺼지 환장을 혀서… 후…내 생일엔 방앗간 바쁘다고 미역국 한 번을 안 끓여주더니… 강호, 서울대 합격했을 땐 아예 방앗간 문 닫고 잔칫상 차려주드라.
박씨	그래, 이 새끼야… 아주 전 부치면서 행복해 뒤지는 줄 알았다. 내 새끼는 도둑질혀서 학교 짤리고 빌빌거리고 있는디 넘의 자식 잘된 꼴 보니께 을마나 기분이 째지든지… 덩실덩실 춤이라도 추고 싶드라!!!

박씨, 말끝에 흐흑 울음을 터뜨리며 주저앉는다.

박씨   내가 누구 땜시 그러고 살았는디… 잘난 놈 옆에 있음 모지리
         자식새끼 뭐라도 하나 주서 먹을까? 아니꼽고 드러워도
         꾹 참고… 그래 버텼건만….

청년회장   (안아주며) 아휴… 울지 마… (삼식에게) 넌 이 새끼야… 왜 넘의
            여자를 울리고 지랄이여?

푹 고개를 숙이는 삼식.

삼식   돈이 좀 필요혔어… 일을 헐래도… 깜빵 댕겨왔다고 어디 하나
         받아주는 데도 없고… (눈물 참듯 눈 꾹 누르며) 아아… 씨… 왜
         이러냐….

청년회장   (삼식 보며) 돈이… 얼마나 필요헌디?

삼식   됐어요.

청년회장   자식새끼 도둑 만드느니 내가 그지 되고 말라니께… 말혀…얼만디?

삼식   (잠시 망설이다 조용히 손가락 두 개를 펴 보인다) 이…

청년회장   (기겁하며) 뭐어~? 이백?!!

박씨   이 개노무 새끼가 뭐 헌다고 이백씩이나!!!

삼식   하!~~~~~ (한숨만)

청년회장   너도 그랴… 돈이 없음 마을 사람들 농사일이라도 도와서…

삼식   마을 사람들? 나만 지나가면 문단속을 두세 번씩 하는 마을
         사람들? 내가 돈이 읎지? 눈치가 읎어?

박씨, 그 말에 다시 달려들어 삼식 패며…

박씨　　눈치가 있는 놈이 한 동네 사는 친구 패물을 갖다 팔어?
　　　　내가 아주 동네 챙피해서… 아! 훔칠려면 집안 물건이나 훔쳐서
　　　　내다 팔던가!!

삼식　　이 집구석에 훔칠 게 어딨어?

박씨　　왜 읎어!!!… (하다가 흡!) 너… 서… 설마!

박씨, 후다닥 부엌으로 달려가 슬라이딩으로 씽크대 밑을 들여다보는데…
없다….

박씨　　내… 내… 이 쓰버럴 새끼를!!!!!

박씨, 칼(중식도)을 집어 들자 뒤따라온 청년회장이 놀라 막는다.

청년회장　　(다급하게) 여보! 안디야… 아무리 죽일 놈이래도 이건 아니여….

4.　　마을 일각 / D

터벅터벅 힘없이 걷고 있는 삼식. 그러다 문득 뭔가를 보고 얼굴이 환해진다.
서진, 예진의 손을 잡고 저벅저벅 다부진 얼굴로 걸어오는 미주 보인다.

삼식　　아이고, 이게 누구여? 내 사랑 미…

하지만 쳐다보지도 않고 빠르게 삼식을 스쳐 지나가는 미주와 서진, 예진.

삼식　　　(멀어지는 미주 보며) 아침 댓바람부터 어딜 가는 겨?

그때, 울리는 삼식의 휴대폰.

삼식　　　여보세요?… 네… 그런데요?… (가만히 듣다가 놀라며) 예에?!!!!

5.　　　**영순네 앞 / D**

대문 앞으로 저벅저벅 다가오는 미주와 예진, 서진.

예진　　　어?!!! 여긴… 강호 오빠네잖여….

미주, 쭈그리고 앉아 예진과 서진의 머리와 옷매무새를 만져준다.
다시 일어나 크게 숨을 한 번 쉬는 미주… 결심한 듯 문을 두드린다. 쾅쾅쾅!!!
그때… 뒤에서 들려오는 누군가의 목소리.

목소리　　　 V.O 저… 혹시 여기가 최강호 씨 댁 맞나요?

미주, 목소리에 돌아보면 한껏 예쁘게 차려입은 후앙이 웃으며 서 있다.

서진　　　네, 맞는디요….

예진　　　(서진 등짝 짝 때리며) 누군 줄 알고 함부로 개인정보를 흘리냐?
　　　　　　(불량스레) 그짝은 누구신디 우리 강호 오빠를 찾아요?

후앙　　　아… 쩌는… 후앙이라고 합니다. 오늘 찾아뵙기로 했는데
　　　　　　연락이 안 돼서…

순간… 문이 쾅! 열리며 사색이 되어 뛰어나오는 강호. 모두가 일제히 강호를
향해 시선을 돌리는데…

강호   미… 미주야… 엄마가!!… 엄마가!!

그 말에 놀라는 미주. 허겁지겁 안으로 뛰어 들어간다.

6.   영순네, 마당~안방 / D

마루에 쓰러져 있는 영순의 모습이 보인다. 미주, 달려가 영순을 잡고
흔들며…

미주   아줌마… 아줌마… 왜 이러세요?

그때, 뒤쫓아 들어온 후앙이 다급히 마루로 올라오며…

후앙   어어… 그로케 막 흔들면 안 돼요… 비껴보세요.

후앙, 미주가 비킨 자리에 앉아 영순의 바지 단추를 풀고 호흡과 맥박을
체크하더니 영순의 손톱을 눌렀다 떼어본다.

후앙   하이포볼레믹 쇼크예요!

미주, 그 말에 얼른 휴대폰을 꺼내더니 119를 누른다.

미주   여보세요. 네… 여기 조우린데요. 응급환자예요.

후앙	강호 씨, 두꺼운 이불하고 베개 좀 갖다주세요.
강호	(넋이 빠진 얼굴로) 네?
후앙	이불하고 베개.
강호	아!…

얼른 방으로 뛰어 들어가는 강호. 마당 한쪽에서 119와 전화 중인 미주.

미주	그래서… 얼마나 걸릴까요? (시계 보더니) 하… 여기 너무 급하거든요… 빨리 좀 와주세요. 네… 부탁드립니다.

전화를 끊고 돌아서는 미주. 강호가 이불과 베개를 한아름 안고 뛰어나오자 후앙이 이불을 받아 둘둘 말더니 영순의 다리를 높이 받친다.

후앙	(강호에게) 피가 심장으로 몰릴 수 있게 머리 좀 받쩌주쎄요.
강호	(허겁지겁 베개로 영순의 머리를 받친다) 이렇게요?
후앙	좀 더 깊숙이 어깨까지요… 오께이… 좋아요….

그런 강호와 후앙의 모습을 보다 뭔가 번뜩!

미주	(서진, 예진 보며) 너희는 집에 가 있어.
예진	(울먹울먹) 강호 아줌마 죽은 거야?
미주	그게 무슨 소리야. 걱정 마, 아무 일도 없어…. 서진아, 얼른 예진이 데리고 가… (후앙에게) 저… 후앙 씨… 한 20분 정도 아줌마 좀 봐주실 수 있죠?

| 후앙 | 네. 그럼요. |
| 미주 | (강호 보며) 강호야… 차 키 어딨어? |

7.   도로 / D

영순의 트럭을 운전하고 있는 미주. 트럭 뒤 칸에 깔려 있는 이불. 그 위에
영순이 다리를 높게 해서 누워 있고 후앙이 영순의 상태를 살핀다. 영순의
몸이 안 움직이게 어깨를 꽉 붙들고 있는 강호.

| 미주 | (통화 중이다) 지금 막 면사무소 지나고 있어요. 한 5분 후면
도착하니까 응급실 앞에 미리 대기 좀 해주세요. |

그때다, 에엥~ 하는 사이렌 소리가 들린다. 미주, 룸미러 보면 트럭 뒤로
따라오는 순찰차.

| 순경1 | 아아… 5989 흰색 포터차량… 우측으로 정차하세요! |

당황하는 미주… 하지만 이내 표정 다부지게 부앙 엑셀을 밟는다.

| 순경1 | 어어?… 정지하세요. 5989!!! |

순찰차가 차선을 바꿔 트럭 옆으로 바짝 따라붙는다. 그때, 강호가 트럭
밖으로 고개를 내밀고 순찰차를 향해 소리 지른다.

| 강호 | 아저씨… 도와주세요! |

순경1	네?
강호	엄마가 쓰러지셨어요. (후앙 보며) 하이… 하이…
후앙	하이포볼레믹 쇼크!!
강호	하이포볼레믹 쇼크예요!!
순경1	(운전하는 순경2에게) 트럭에 하이…어쩌구 응급환자가 있다는디?
순경2	응급환자요?!!
순경1	근디… 저 사람 누구더라… 낯이 익… (눈 커지며) 아!… 삼식이 색시!!!
순경2	예? 삼식이 색시요?!

에에엥~ 사이렌 울리며 트럭을 앞지르는 경찰차…

순경1	아아!! 응급환자 후송 중입니다. 길 좀 비켜주세요!!

길을 터주기 시작하는 앞의 차량들… 미주, 기어를 척! 바꾸고 힘차게 달린다.

8.   병원, 응급실 / D

영순의 상태를 체크하기 시작하는 의료진들. 강호, 간호사를 붙들고…

강호	엄마 왜 이러는 거예요? 어디가 아픈 거예요? 네?
간호사	저, 죄송한데 보호자분은 잠시 밖에서 대기해 주세요.

강호   아니, 싫어요, 저 여기 있을래요.

그때, 강호의 팔을 잡는 미주.

미주   나가 있자. 그래야 아줌마, 빨리 치료받을 수 있어.

미주를 빤히 보는 강호. 이내 미주 손에 이끌려 밖으로 나온다.

9.   병원, 응급실 앞 / D

자판기에서 음료수를 뽑는 미주. 초조한 얼굴의 강호와 후앙이 대기 의자에 나란히 앉아 있다. 미주, 음료수 하나를 후앙에게 내민다.

미주   고맙습니다. 응급조치를 해주신 덕에 무사히 도착했어요.

후앙   (음료수 받으며) 감사는 제가 드려야죠. 앰뷸런스 안 기다리고
                바로 출발한 덕에 저희 어머니 빨리 치료받을 수 있었어요.

미주, '저희 어머니'란 말에 흠칫해 후앙을 보다가 이내 음료수를 따 강호에게 주려는데… 후앙이 먼저 따서 강호에게 건넨다.

후앙   (강호에게) 많이 놀라셨죠? 병원 왔으니까 이제 안심해도 돼요.

강호, 후앙이 내민 음료수를 보다가 미주를 본다. 강호에게 주려고 내밀던 음료수를 아주 자연스레 턴해서 들고 마시며 눈을 피하는 미주.

강호   (어색하게 받으며) 고맙습니다… (그러다 문득) 근데… 누구세요?

| 후앙 | (웃으며) 아!… 정신이 없어서 인사도 제대로 못 드렸네요. |
| | 저… 오늘 강호 씨 만나기로 한 후앙이에요. |

| 강호 | 저를… 만나요?… 왜요? |

그때, 문이 열리며 나오는 간호사.

| 간호사 | 진영순 씨 보호자님! |

세 사람 동시에… '네!!!'

10.   마을 일각 / D

농약 분무통을 등에 메고 땀을 닦으며 걸어오는 정씨… 통화 중이다.

정씨	너 지난번에 옷 가게 하나 내달라고 했지? 내가 그거 해줄
	테니께 가게 한쪽에 네일샵 자리 하나 만들어. 아니, 누가 너보고
	하랴? 미주가 헐 거여, 미주! 마늘밭이건 뭐건 다 팔아서 내줄
	텐게 니가 미주랑 쌍둥이들 책임지고 델꼬 가. 니 동생 여 있다간
	신세 조질 판이여… 아! 그건 니가 알 거 없고!!!!

그때! 와장창 무언가 깨지는 소리가 크게 들린다. 정씨, 고개를 돌려보면
트롯백 집에서 난 소리다.

| 정씨 | 암튼 그렇게 알고 가게 자리 먼저 알아봐! (전화를 끊더니) 이게 뭔 |
| | 소리여? |

정씨, 트롯백 집으로 다가가자 살짝 열려 있는 대문.

11.   트롯백네, 거실~방 /D

조심스레 대문을 열고 들어와 현관문을 열자 컴컴한 거실.

정씨   백훈아~~ 백훈아~~~ 너 온 겨?

그때, 정씨 발에 밟히는 무언가… 집어 보면 비어 있는 햇반 용기다. 그제서야
정씨 눈에 들어오는 거실 풍경. 컵라면, 과자봉지, 배달 음식 용기, 꽁초가
수북한 재떨이 등 쓰레기들이 가득한 거실.

정씨   헤에?… 이게 다 뭐여?

그러다 한쪽 문을 보는 정씨. 방 안 가득 빈 소주병이 한가득 놓여 있고 완전히
폐인이 된 모습의 트롯백이 보인다. 소주병에 남은 소주를 혀끝으로 핥다가,
술이 더 이상 안 나오자 벽으로 던져버려 와장창 깨뜨려 버리는 트롯백.
또 다른 소주병을 들어 혀끝에 대고 탈탈 털어보는데…

정씨   옘~비~랄!! (눈이 커져) 이게 뭔 지랄이여!!!!!!!!!!!!!!!!!

CUT TO

커다란 쓰레기봉투를 들고 쓰레기들을 주워 담는 정씨. 미친 사람처럼 취해서
떠들어대는 트롯백.

트롯백	‘뛰는 놈 위에 나는 놈 있다’… 캬! 명언이야, 명언! 나 콘서트홀 짓겠다고 열라 뛰어댕기는 동안… 그놈들 날라버린거 봐~ 큭큭.
정씨	으이그 웃음이 나오겄다… 아! 니 이름으로 다 투자받은 거라며… 그럼 정신 차리고 빨리 빚 갚을 생각을 해야제. 그래 이러고 숨어서 술만 처먹고 앉았어?
트롯백	내가 뭔 수로 그 많은 돈을 갚어….
정씨	아! 음악하는 놈이 음악혀서 갚아야제.
트롯백	아! 맞다… 거기 쓰레기봉투에 저 피아노도 좀 버려줘. 음악은 개뿔… 맨날 표절이나 하는 내간 새끼가….
정씨	으이그… 그렇게 강호 엄마 속을 뒤집어놓더니… 꼴 좋다… 벌 받은 겨, 이놈아!
트롯백	아… 참… 그 돼지 엄마는 좀 어때?
정씨	어떻긴 뭐가 어뗘… 구제역으로 내내 힘들다가 이제 겨우 추스렸제.
트롯백	아니 그거 말고….
정씨	그거 말고 뭐?… 아들래미?
트롯백	에라이~ 이 아줌마 아직도 비밀인가 보네….
정씨	뭔 소리여? 비밀이라니?

트롯백, 잠시 고개를 숙이고 고민하다가 확 정씨를 본다.

| 트롯백 | 금자, 너… 그 돼지 엄마랑 이 마을에서 제일 친하지? |

정씨	어?… (난감해서) 뭐… 그… 그렇지. 지금까지는….
트롯백	금자야! 나 이 집 팔았어… 이제 곧 이 마을 떠날 거야. 근데… 가기 전에 이 말은 해줘야 내 속이 편할 것 같다.

12.   병원, 진료실 / D

의사와 마주 앉아 있는 멍한 얼굴의 강호.

강호	그… 그게 무슨 말씀이세요?… 시간이 없어요?
의사	(후~ 한숨) 이렇게 아드님이 계신데 그동안 왜 보호자가 없다고 하신 건지… 에… 이런 말씀 드려 죄송하지만… 현재 어머님께서 매우 위중한 상탭니다.
강호	위중한…
의사	네. 위암 말기 단계로 암세포가 복막과 폐까지 전이돼…

순간, 문이 벌컥 열리며 다급하게 들어오는 미주.

| 미주 | 잠깐만요, 선생님… 저 죄송한데요, 그 얘기는 저하고 하세요.
이 친구… 지금 선생님 말씀을 이해하기가 좀 어려울 거예요.
(얼른) 아!… 저는 이 친구랑… 같은 마을 사는… 그러니까… |

그러자 손을 들어 미주의 말을 막는 강호.

| 강호 | 아니요!… 제가 들을 거예요. 저한테 말씀해 주세요. |

제가… 우리 엄마… 보호자예요.

단호한 강호의 모습에 당황하는 미주.

13.   병원, 진료실 앞 / D

후앙이 혼자 앉아 있다. 그때 울리는 전화기 [안드리아]라고 뜬다.

후앙   응… 안드리아… 미안한데 지금은 통화가 곤란해. 내가
         이따가….

그때, 진료실 문이 쾅! 열리며 나오는 강호. 후앙 놀라서 보면, 넋이 나간
얼굴로 복도를 걸어가는 강호. 뒤이어 뛰어나오는 미주가 소리친다.

미주   강호야!!… 잠깐만…

하지만 저벅저벅 말없이 걸어가는 강호. 점점 발걸음이 빨라지는 듯 하더니…
이내 힘껏 내달리기 시작한다.

미주   (따라 뛰며) 강호야!!!!!!!

14.   병원, 병실 / D

정신없이 달려와 병실 문을 확 여는 강호. 누워 있는 영순을 굳은 얼굴로

노려보더니 이내 저벅저벅 걸어 들어가 영순의 손을 잡는다.

강호   (손을 잡아끌며) 엄마 일어나… 가자… 집에 가자… 나랑 집에
           가자….

따라 들어온 미주가 그런 강호를 말린다.

미주   강호야… 왜 이래….

강호   일어나… 집에 가자고… 빨리 눈 뜨라고!!

하다가 이내 영순을 안고 흐느끼는 강호.

강호   잘못했어요……… (영순을 흔들며) 나 검사 안 할게… 엄마가
           시키는 대로 다 할게.

미주   (강호 잡고 말리며) 강호야… 이러면 안 돼….

강호   (미주 손 밀어내며) 이제 미주 안 좋아할게. 엄마 나 미주 안
           좋아할게요… 흑흑… 미주… 안 좋아할게요.

계속해서 '미주 안 좋아할게요'를 반복하다 이내 바닥에 주저앉아 우는 강호.
밀려난 자리에 서서 강호를 안쓰럽게 보는 미주… 눈에서 눈물이 흐른다.
그 모습을 문밖에서 물끄러미 보는 후앙.

15.   정씨네, 앞~마당 / D

마을길을 농약 통을 멘 채로 터벅터벅 걷고 있는 정씨.

트롯백	[V.O] 말기암이래… 농장까지 정리하려고 한 거 보면 시간이 많지 않은가 봐.

정씨, 집으로 들어가더니 그대로 평상에 주저앉는다. 멍한 얼굴로 앉아 있다가 스르르 하늘을 올려다보는 정씨.

정씨	있긴 있슈?… 거기 누가 있긴 있냐구유?… 아무리 무심허다 무심허다… 어떻게 이렇게까지 해유?… 남편 잡아가고 새끼 저리 만들었음 됐제… 그 착한 사람 뭔 죄가 있다고… 위째 죽으라고까지 해유… 어흑….

정씨, 가슴을 치며 꺽꺽 무너지는데… 그때, 방에서 나오는 서진과 예진.

예진	할머니, 도대체 어딨었던 겨? 온 동네 사방팔방 다 찾아댕겨도 없고!!
서진	강호 아줌마가 쓰러졌어요.
정씨	(놀라) 뭐?… 쓰… 쓰러졌어?… 언제?
예진	아까 아침에… 엄마랑 강호 오빠랑 같이 아줌마 델꼬 병원 갔어.

정씨, 그 말에 얼른 휴대폰을 꺼내 미주 번호를 누른다. 하지만 받지 않는 미주. 정씨, 다급하게 농약 통을 벗어 던지더니… 허겁지겁 달려나간다.

16.   병원, 병실 / D

영순의 손을 꼭 붙들고 앉아 있는 강호. 미주가 봉지에 든 무언가를 들고
들어온다.

미주   배고프지? 뭐라도 좀 먹자.

강호   ….

미주   진정제 맞고 주무시는 중이라잖아. 깨어나시려면 좀 더 있어야 돼.

미주, 강호의 어깨를 잡자… 스윽 손을 밀어내는 강호.

미주   혹시… 나 불편해서 그래?…

강호   ….

미주   그래… 알았어… 그럼 여기 두고 갈게… 근데 강호야… 밥은
       꼭 먹어. 니가 기운 차려야 엄마 지킬 거 아니야… 니가 엄마
       보호자라며… 응?

강호   ….

미주   갈게.

미주, 돌아서는데… 순간, 탁! 미주의 팔목을 잡는 강호.

의자에 나란히 앉은 강호와 미주. 미주가 포장을 열자 김밥이 나온다.
물끄러미 김밥을 쳐다보는 강호.

미주　　　당근 빼달라고 했어… 얼른 먹어.

김밥을 보던 강호가 천천히 입을 연다.

강호　　　엄마가 김밥을 싸준 사람들은 집에 안 돌아왔대… 외할머니,
　　　　　외할아버지… 그리고 아빠두…. 그래서 나 소풍 안 보내준
　　　　　거래… 나도 안 돌아올까 봐. 그러니까… 우리 엄마 나쁜 사람
　　　　　아니야….

미주　　　아… 그런 일이 있으셨구나… 그래 맞아… 아줌마 나쁜 사람
　　　　　아니야.

강호　　　근데… 왜 우리 엄마 아파? 난 나쁜 사람이라 벌 받은 거지만…
　　　　　우리 엄마는 왜 벌을 받아?

강호, 울먹울먹하더니 이내 고개를 푹 숙인다.

미주　　　아니야… 강호야…. 너도, 아줌마도 벌 받은 게 아니야.
　　　　　이건… 아무도 바라지 않지만… 누구에게나 일어날 수 있는
　　　　　일이라고. 강호 너가 아플 때… 아줌마가 곁에서 지켜준 것처럼.
　　　　　이젠 니가 아줌마 곁에서 힘이 돼 줘야 돼… 알았지?

고개 숙인 강호의 어깨가 들썩인다. 미주, 가슴 아픈 눈으로 바라보다 이내

강호 어깨를 감싸고 토닥여준다.

목소리   V.O (버럭) 당장 안 떨어져?!!!!

목소리에 놀라 보면 서 있는 정씨.

정씨   벌건 대낮에 뭣 허는 거여, 이것들이!!

미주   엄마….

강호   안녕하세요.

정씨   (강호 노려보며) 안녕헐 상황은 아니고… 엄니 어디 계시냐?
           (미주 보며) 여는 내가 있을 테니께… 넌 어여 집에 가서
           니 새끼들이나 챙겨.

미주   저기, 엄마….

정씨   (미주 등짝을 냅다 때리더니 나지막히 육두문자) 당장 안 가!
           이년아… $$@$%

그때, 영순이 있는 병실 안쪽에서 소란스런 소리가 들려온다.

소리   어머… 환자분 왜 이러세요?

순간, 강호가 놀라 얼른 뛰어간다. 미주도 얼른 뒤따라간다.

나쁜엄마

18.   병원, 병실 / D

강호가 뛰어 들어오면⋯ 영순, 의사, 간호사와 실랑이를 하고 있다.
이내, 팔에 꽂힌 주사기를 확 잡아 빼는 영순.

간호사   이러시면 안 돼요!!!

영순   (버럭) 놔요!!!!!

영순, 확 의사를 보더니⋯

영순   나 이거 맞으면 살아요? 나 여기 누워 있음 살 수 있냐구요?

의사   ⋯.

영순   그럼 잡지 마세요⋯ 살 수 없으면⋯. 살아 있는 시간만이라도
           잘 쓰고 갈 수 있게 도와달라구요⋯. 저⋯ 지금 이러고 있을
           시간이 없어요⋯ 오늘 우리 아들 결혼할 사람⋯ 잠깐 지금
           몇 시야? (벽시계 보고 놀라) 아이고⋯ 어떡해⋯.

영순, 허겁지겁 신발을 신고 일어나다가 강호와 눈이 마주친다. 흠칫 놀라는
영순, 그 자리에 얼어붙는데⋯ 그 순간, 영순에게 달려 들어오는 정씨.

정씨   시상에⋯ 이게 뭔 일이여⋯ 이쟈 좀 살 만허다 혔더니⋯
           아이고⋯.

정씨, 영순을 붙들고 안타까워하는데⋯ 영순의 눈은 강호와 말없이 마주치고
있다.

19.　　읍내 다방 / D

얼기설기 바느질이 된 가방 속 천이 보인다.

여자　　자, 여기 보이죠?… 이래 놓고 진퉁이라고 팔아요?
　　　　확 신고할까 하다가 참는 거예요… 환불해 주세요.

삼식　　저기, 정말 죄송한데… 이게… 그러니까 이 바느질이…
　　　　이쪽에서 그런 건지… 아님 그쪽에서 그런 건지 확인할…

여자　　(전화기 누르며) 신고할게요.

삼식　　(얼른 전화기를 뺏어 끊으며) …생각은 전혀 없구요… 에… 일단
　　　　환불을 해 드리려면 당장 돈이 있어야 되는데… (은행 앱 눌러
　　　　보여주며) 보시다시피 제 은행 잔고가…

여자　　딱! 이백 있네요.

삼식　　네?…

얼른, 휴대폰 화면을 보면 잔액 200만 원이 보인다… 입금자 명이 [박승애]다.

20.　　버스 / D

가방 속을 보고 있는 삼식. 어깨와 귀 사이에 끼워놓은 휴대폰. 신호 가다가
박씨가 받는다.

박씨　　바빠 뒤지겠는데 왜 전화질이여?!!

나쁜엄마　　　　　　　　　　　　　　　　　　　　240

삼식	왜 허락도 없이 남의 통장에 돈을 넣고 그랴….
박씨	갚어!
삼식	알았어… 저 근데… 이왕 갚을 거 쫌만 더 빌려주면…

전화가 뚝 끊긴다. 삼식, 피식 웃으며 휴대폰을 주머니에 넣고는 다시 가방
안을 살피며…

| 삼식 | 하… 어딜 봐도 새 건디… 누가 여따 이런 짓을… |

그러다 문득 표정이 굳는 삼식.

| 삼식 | 이게… 뭐지?… |

삼식, 바느질된 부분을 더듬더듬 꾹꾹 만져보다가… 바느질한 부분을
툭 당기자 후두둑 뜯어진다. 그 안에서 뭔가를 꺼내 드는 삼식. 편지 봉투다.
봉투 안에 들어 있는 종이를 꺼내 보는 삼식.

| 삼식 | 유전자 검사 결과지…? |

삼식, 다시 봉투 안을 들여다보더니 손바닥에 탁탁 털자 SD카드가 떨어진다.

21.   영순네, 마당 / D

정신없이 뛰어 들어오는 영순. 뒤따라 들어오는 강호. 여기저기 둘러보며
뭔가를 찾다가 대뜸 강호 목에 걸린 휴대폰을 집더니 전화를 건다. ♪ **나는**

행복합니다 벨소리가 흘러나온다. 영순, 소리가 나는 쪽으로 가자 댓돌 아래
떨어져 있는 영순의 휴대폰. 영순, 얼른 휴대폰을 들어 전화를 건다.

영순   아!… 후앙 씨… 나예요. 강호 엄마…. 전화기가 없어서 번호를
          알아야지. 아침엔 정말 너무 미안했어요…. 우리 아들이 그러는데
          병원까지 같이 왔었다면서요. 아… 이렇게 신세를 져서 어떡해….
          그러지 말고 지금 어디예요?… 내가 우리 아들 데리고 후앙 씨
          있는 데로 갈게요…. (가만히 듣고 있다가) 네?… 그게 무슨
          말이에요? 아휴… 말도 안 돼… 오해예요, 오해…. 미주는 그냥
          어릴 적부터 친한 친구예요. 결혼도 했고 애기들도 있고… 일단
          만나요… 만나서 얘기해요, 우리… 여보세요? 후앙 씨… 후앙 씨?

전화가 끊겼다. 얼른 다시 전화를 걸어보는 영순… 하지만 받지 않는다.
영순, 하~ 망연자실한 얼굴로 앉아 있다가… 점점 표정이 굳더니… 벌떡
일어나 나간다.

강호   (따라 나가며) 엄마… 어디가요…?!

영순, 홱 강호를 돌아보더니 무섭게 말한다.

영순   거기 있어!!!

강호   안 돼요… 엄마 지금 많이 아파요….

그 말에 가만히 강호를 보는 영순.

영순   그래… 의사 선생님한테 들었지? 엄마… 지금 많이 아파….
          그러니까 강호야… 제발 거기 가만히 있어.

나쁜엄마   242

영순, 홱 돌아서 다시 뛰어간다. 강호, 멀어지는 영순을 가만히 보고 서 있다.
그때… 그런 강호의 뒤에 스윽 다가와 서는 검은 그림자 하나.

22.   **정씨네, 안방 / D**

넋이 빠진 얼굴로 각각 벽에 기대 앉아 있는 정씨와 미주.

정씨	말혔냐?
미주	뭘?
정씨	아침부터 애들 끌고 그 집을 왜 가? 예진이, 서진이 강호 새끼라고 말허러 간 거 아니여?
미주	…맞아…. 적어도 아줌마는 아셔야 된다는 생각이 들었어.
정씨	(암담한 얼굴로) 아이고… 아이고 망했네….
미주	근데… 말 못 했어… 아줌마 쓰러지셔서….
정씨	(놀라더니) 으응? 못 혔어?… 못 혔다고? 아이고 아이고 천지신명님 감사합니다. (하다가) 됐어!… 너 당장 애들 델꼬 큰 언니한티로 가.
미주	갑자기 무슨 소리야?
정씨	갑자기 아니여… 언니랑 다 얘기 끝냈으니께 거 가서 네일샵 허고 살어.
미주	하~~ 진짜 왜 이래?

정씨	그럼 어쩔 거여? 쳐다보고 있으믄 마음 약해지고… 마음 약해지면 같이 산단 소리 나올 텐디…. 봐라… 이제 강호 하나도 아니여… 강호 엄마까지 아프댜… 줄줄이 병 수발만 허다 인생 조질 겨?
미주	엄마!!!
정씨	그래 이년아… 내가 니 엄마다!!… 내 딸 인생 작살날 판인디 나가 뭔 말은 못 혀?…

정씨, 미주에게 다가와 애원하듯…

정씨	미주야… 엄마가 헐게… 엄마가 다 헐게… 강호 엄마도 보살피고… 강호도 잘 챙길게…. 그니께… 넌 아무 생각 말고 니 새끼들만 보면서 행복하게 살어. 제발 미주야… 제발 한 번만 엄마 말 좀 들어… 응?
미주	엄마가 왜 그래야 되는데? 엄마가 왜 아줌마를 보살피고 강호를 챙겨? 왜? 뭔가 오해했나 본데… 잘 들어…. 나 절대 그 사람한테 안 돌아가… 엄마가 생각하는 그런 일 없다구…. 맞아… 나 내 새끼들만 보면서 행복하게 살 거야.
정씨	그치? 그럴 거지? 그래그래… 아이고… 내 새끼… 잘 생각했어, 그래야지, 암….
미주	근데 나… 도망치지도 않을 거야… 내가 왜 그래야 되는데? 우리 예진이 서진이가 왜 그래야 되냐고? 우리가 뭘 잘못해서? 뭐가 무서워서?

그때, 탕탕탕! 문 두드리는 소리가 들린다.

영순   미주야~ 미주 있니?

흠칫 놀라는 미주와 정씨.

23.   정씨네 앞 / D

집 앞 나무 그늘 밑 의자에 영순과 미주가 함께 앉아 있다.

영순   미주야… 아까 같이 병원에 왔었다는 그 아가씨 있지?

미주   후앙 씨요?

영순   그래, 맞아… 후앙… 그 아가씨가 강호랑 곧 결혼할 아가씨야.

미주   네… 알아요.

순간, 싸늘하게 굳어지는 영순의 표정.

영순   알아?… 알고 있었다고?… 근데 왜 그랬어?

미주   네? 제가 뭘….

영순   그러니까 도대체 뭘 어떻게 했길래 그 아가씨 입에서
          미주 너 땜에 결혼 안 한다 소리가 나오냐고?!!

미주   !!!

영순   아줌마가 부탁했잖아… 아줌마 사정 다 얘기하고 제발

도와달라고 했잖아. 그럼 적어도 초는 치지 말아야지…

(버럭) 왜 번번이 우리 강호 앞길을 막냐고!!! 넌!!!

그때, 대문이 벌컥 열리며 나오는 정씨.

정씨   누가 누구 앞길을 막아!!!!!

미주   (놀라) 엄마.

정씨   강호야! 너 해도 해도 너무 허는 거 아니여? 내가 오늘 니 소식
듣고 하늘이 무너지는 것 같아서 그냥 못 들은 척 참고 넘어갈라고
했드만… 어찌 니 새끼 위한다고 남의 새끼 가슴에 대못을 박냐?

미주   (정씨 말리며) 엄마… 이러지 마….

정씨   옛날에 애 사고 났을 때도 그려. 솔직히 따지고 보면 강호 시험
못 본 게 왜 미주 탓이여? 다친 것도 서러운디… 왜 내 새낄
죄인으로 만드냐고…. 나 그래도 다 참았어. 니가 강호를 어떤
마음으로 키우는지 내가 아니께…. 근디 이렇게까지 헌다고?
누가 누구 앞길을 막았는지 너 도대체 알고나 허는 소리여?!!

미주   그만하라고!!!!…. (정씨 밀며) 들어가… 빨리…!

미주, 정씨를 밀고 들어간다. 쾅! 닫히는 문. 미동도 없이 서 있는 영순.

24.   **박씨네, 삼식 방 / D**

루이뷔통 가방을 가만히 보는 강호. 그 앞에 흥분은 했지만 상당히 자제하고

있는 삼식이가 보인다.

삼식   잘 봐봐… 이 가방 기억 안 나?

강호   … 잘 모르겠어.

삼식   에이… 또 성의 없이 대답한다… 이거 니가 니네 엄니 사준
           가방이랴…. 그 왜 결혼헌다고 색시 데려온 날 말이여…
           오태수 의원 딸!

강호   내가 우리 엄마 사준 가방을 왜 니가 가지고 있어?
           이것도 훔친 거야?

삼식   그런 거 아니여… 이거 니네 엄마가 울 엄마 줬댜….

강호   (의심의 눈초리로 삼식을 본다)

삼식   아, 진짜여… (전화기 꺼내며) 못 믿겠음 확인해 주까?

강호   그래서… 할 말이 뭔데?

삼식   아, 그래… 그래서 할 말을 하자면… 너 이거 뭔 줄 알아?

삼식, 유전자 검사 결과지를 쫙 펴서 강호에게 보여준다.

강호   알아.

삼식   (놀라) 알아?!!

강호   (한 글자씩 가리키며) 유전자 검사 결과지.

삼식   (멍하니 보다가) 음… 그래… 아주 잘 읽었어… 그럼 혹시 이게
           누구 껀지는…

강호/삼식	(동시에) 몰라….
삼식	자… 그래서 말인데… (SD카드 보이며) 짠! 지금부터 우리 이걸 같이 볼 거야.
강호	내가 이걸 왜 너랑 같이 봐야 되는데?
삼식	아… 그러니께 이걸 왜 봐야 되냐면… 음… 강호 너 검사 되고 싶다고 혔지? 여기 봐봐… '유전자 검사 결과지'… 즉, 니가 검사가 될 수 있는 유전잔지 아닌지 그 결과가… (SD카드 흔들며) 여기 들어 있는 거여.
강호	나 이제 검사 안 해… 엄마가 싫어하셔.
삼식	으아씨!!!! (화를 꾹 참으며) 그래! 안 할 거잖아… 그러니까 검사를 안 해도 되는 유전잔지 알아보자고!! 제발 좀 쌍!!

삼식, 노트북 옆에 SD카드를 넣고 이것저것 만지더니…

삼식	자… 봐봐… 여기 파일을 클릭하면… 이렇게 비밀번호를 치라고 나오지?
강호	0907!
삼식	0907?… 0907이여? (얼른 번호 넣으며) 이야~! 일이 이렇게 쉽게 풀릴…… 리가 없지… 새꺄, 아니잖아!!!
강호	0512!
삼식	오! 0512!… (얼른 다시 치며) 이번 건 왠지 느낌이 좋… 같네… 진짜… 야!!!! 지금 장난해?

나쁜엄마

그때, 울리는 삼식의 핸드폰. [배 선장]이다. 후~~ 암담한 한숨을 쉬는 삼식.

삼식　　　너… 일단 풀고 있어봐… (전화 받으며) 아이고! 형님~~~ 그러지
　　　　　　않아도 전화를 드리려고 막 휴대폰을 꺼내던 참이었는디…

삼식이 나가고… 혼자 남은 강호. 가만히 노트북 화면을 바라본다.
화면 한가운데 모래시계 그래픽. 모래가 아래로 쏟아지고 있다. 그때 섬광처럼
스쳐 지나가는 이미지.

인서트

사우나 나무 창틀에 모래시계를 올려놓는 누군가의 손, 강호다.
모래시계 속 모래 안에 빨간빛이 반짝반짝한다.

조금씩 흔들리는 강호의 눈빛. 강호, 노트북 자판을 보면, 한 자 한 자 눈에
들어오는 자판 위의 글자들. 강호, 서서히 양손을 키보드에 올리더니…
자연스럽게 비밀번호를 넣는다. 순간! 열리는 파일… 강호, 자신도 놀란 듯
얼른 노트북에서 떨어진다. 그때, 들어오는 삼식.

삼식　　　뭐여!!!! 와!!! 대박!! 열었어!! 이야… (강호 안으며) 우리 강호…
　　　　　　이쁜 강호…똑똑한 내 색시… 자자… 어디 보자….

삼식이 파일 제목을 누르자 녹음파일이 재생되며 목소리가 들려온다.

송 회장　　F 우리 강호 평생 소원이 뭔 줄 압니까?

삼식　　　뭐야~ 동영상이 아니고 녹음파일이잖아?

송 회장　　F 아부지 등 한번 밀어보는 거라 카대요. 봐라… 여 아부지도

있고, 아버님도 있다이가…

삼식   아버지? 아버님?

송 회장   F 니 인자 무서울 게 뭐 있노? 니 맘에 묵은 때 맨치로 응어리져
있는 거 싹 다 배껴뿌고 앞으로는 니 쪼대로 살아삐라. 하하하하.

오태수   F 그 전에… 서로 찜찜한 건 처리하고 가야지 않겠습니까?
유전자 검사 진본, 내 앞에서 없애줄 수 있겠나?

삼식   (흥분해서) 이 사람!!… 이 사람이야!!… 이 사람이 누구냐고?

강호   (심각한 표정으로 귀 기울인다) ….

송 회장   F 에이… 그깟 종이 쪼가리 하나 읎앤다고 읎던 일이
되겠습니까? (강호 보더니) 진짜 읎던 일로 맹글어 드릴 낍니다…
우리 아들래미가…. 안 그렇나?

강호   F 깨끗하게 처리하겠습니다. 그럼 두 분 말씀 나누십시오.

삼식   오!!!… 이건 강호 너다… 그치?… (아무 소리 안 들리자) 뭐야…
끝난 거야?

그때 다시 들려오는 목소리.

오태수   F 황수현을 없애자는 말씀입니까?

송 회장   F 에미만 없애믄 됩니까? 얼라도 같이 보내야지요… 와요?
아들래미라 쪼매 아깝습니까?

오태수   ….

송 회장   F 내도 딸밖에 없으놔가 그 맘 압니다. 그치만 싹을 남겨

놓으면 언젠가는 넝쿨 돼가 발목 잡힙니데이.

오태수　　F 뒤탈은 없겠지요?

송 회장　　F 하하… 천하의 오태수 의원님께서 이 정도 일로 쫄리시는
겝니까? 걱정 마이소… 행여 문제 생김 강호 점마가 다 안고 갈
겝니다. 그러라고 있는 놈 아입니까.

오태수　　F 그럼 전 송 회장님만 믿겠습니다.

눈알이 튀어나올 듯 놀란 얼굴의 삼식.

삼식　　이… 이게 뭔 소리여? (유전자 검사지 흔들며) 그럼 이게
오… 오태수 꺼란 말이여? (가만히 생각하더니) 우으으으아씨!!!
됐어… 이제 다 끝났어…. 아… 하나님 감사합니다…
감사합니다!!!

삼식, 다시 미친놈처럼 여기저기 방 안을 뛰어다니며 흥분을 감추지
못하는데… 강호는 굳은 얼굴로 모니터를 뚫어지게 바라보다가…

강호　　저 사람들 누구야?… 내가 왜 저 사람들하고 저런 얘기를 해?

삼식　　말했잖아… 오태수 딸하고 너가 결혼하려고 했었다고.
송 회장이란 사람은… 니가 아들이 되기로 했었다는
그 대기업 회장 같은데?

강호　　내가… 아들이 된다고?… 왜?

삼식　　글쎄… 그거야 나도 모르지… 부자라서 그랬을까?

강호　　그럼 황수현은 누구야?… 내가… 어떻게 한 거야?

삼식	야! 그걸 나한테 물어보면 어떡해? 너가 깨끗하게 처리하겠대매? 너 어떻게 했어? 설마… 죽이거나 그런 건 아니지?

강호, 멍한 얼굴로 잠시 모니터를 보다가… 갑자기 SD카드를 꺼내더니 유전자 검사 결과지와 함께 들고 일어난다.

삼식	(얼른 강호 잡더니) 야!!!… 지… 지금 뭐 하는 거야?
강호	이거… 내 꺼잖아….
삼식	(당황해서) 어?… 그래, 맞아… 니 꺼야… 근데?… 그래서 뭘 어떻게 할 건데?
강호	…모르겠어… 그치만… 이게 뭔지 알아야 될 것 같아. 혹시 엄마는 알지도 몰라. (일어서려 하자)
삼식	(얼른 강호 잡으며) 바보야!!… 느희 엄마가 이걸 알면!… 이 가방을 요대로 우리 엄마한테 줬겠냐?
강호	….
삼식	물론 니 맘 알어… 당연히 궁금하고 당연히 알고 싶겠지… 음… 그럼 이렇게 하자… 내가 알아봐 줄게.
강호	니가?
삼식	응… 내가 이 사람들을 직접 만나서 물어볼게… 황수현이 어떻게 됐는지도 알아보고… 생각해 봐. 혹시라도 너가 진짜 나쁜 짓을 했을 수도 있잖아. 그걸 엄마가 알면 얼마나 충격을 받었어… 안 그려?

강호, 갑자기 삼식의 멱살을 탁! 잡는다.

삼식   야… 야… 왜 이려?

강호   잘 들어!… 나 이거 꼭 알아야 돼. 그러니까 또 다시 나 속이고
            이상한 짓 하면 진짜 가만 안 둬… 알았어?

삼식   아… 알았어….

강호, SD카드와 결과지를 삼식에게 준다.

강호   비밀번호야….

강호, 자판을 하나씩 누른다… DKQJWL… 삼식, 번쩍 고개를 들어 강호를
본다.

삼식   아버지?

25.   **영순네 앞 / N**

표정 없는 얼굴로 멍하니 걸어오는 강호. 집 앞에서 발걸음을 멈추어 선다.
가만히 집을 쳐다보는 강호… 다시 어딘가로 걸음을 옮긴다.

26.   산소 / N

해식의 무덤 앞으로 서 있는 강호.

강호   엄마가… 아파요….

강호의 눈에 눈물이 고이기 시작하더니… 덜썩 주저앉는 강호.

강호   근데 아빠… 아빠는 누구예요? 그 무서운 얘기들을 듣는데…
            나… 왜… 아빠가 생각이 나요? (해식의 무덤에 얼굴을 묻고) 한 번도
            본 적 없잖아요. 근데 왜 나 아빠가 보고 싶어요? (가슴을 만지며)
            왜 여기가 답답해요? 아빠는 누구예요? 난 누구예요?…
            나 어떡해야 돼요….

강호, 흐흐흑 흐느낀다.

27.   뒷산 / N

숲길을 걸어오던 영순, 문득 걸음을 멈춘다. 해식의 무덤을 안고 울고 있는
강호가 보인다. 그 모습에 가슴이 아픈 영순. 하지만 이내 표정을 다잡고
강호에게 다가간다.

영순   우리 아들 여깄었네~

산소의 잡풀을 뽑는 영순. 아무렇지 않은 듯 밝은 목소리로…

영순   망초, 쇠뜨기, 꽃다지… 그런 잡풀들은 다 뽑아줘야 돼….
일 년에 서너 번 정도는 해야 되는데 이른 봄에 한 번 싹~
뽑아주면 관리하기가 훨씬 쉬워져. 앞으로는 강호 니가 해야
되니까 잘 기억해 둬…

강호   ….

영순   아! 다 뽑았다… (해식 묘를 어루만지며) 어때요? 기분 좋아요?
니네 아빠 말이야… 훗… 엄마 엄청 좋아했다? (해식의 묘를
팔꿈치로 찌르며) 왜? 맞잖아요… 맨날 졸졸 따라다니면서 안아줘…
뽀뽀해 줘… 으휴 지겨워…. 진짜 한시도 안 떨어졌다니까…
강호 너처럼 말이야…. 그러고 보니까 강호 니가 아빠를 참 많이
닮았어. 고집 부리는 거 하며… 뭐 하나 꽂히면 끝장을 보는
거까지. 사실 남자는 또 그런 게 있어야 돼… 신념을 가지고
끝까지 빡! (먼 하늘을 보더니) 근데… 그렇다고 아빠가 늘 강한
것만은 아니었어. 눈물은 또 어찌나 많은지… 맨날 강호 니가 든
동그란 엄마 배를 붙잡고 보고 싶다고 울고, 사랑한다고 울고,
미안하다고 울고… (강호 보며) 그러면 또 우리 아들이 막 발길질을
해… '나 여깄어요… 나 엄마, 아빠 다 지켜보고 있어요…'
대답이라도 하듯이… (빙그레 웃으며 물끄러미 산소를 바라보더니)
오래오래 같이 행복하고 싶었는데… 함께한 시간이 너무 짧았네.
강호야… 나중에 말이야…. 엄마, 아빠랑 같이 묻어줘…. 엄마…
이제 아빠랑 오래오래 같이 살고 싶어.

| 강호 | 엄마….

| 영순 | (말을 막으며) 우리 아들 결혼해서 예쁜 애기 낳으면 엄마, 아빠 보여주러 올 거지? 아! 얼마나 예쁠까? 그 애기가 자라서 학교를 가고, 결혼도 하고… 우리 강호가 아빠가 되고, 할아버지가 되는 모습까지 이번엔 엄마, 아빠가 (산소를 만지며) 이 동그란 배 안에서 다 지켜보고 있을 거야… 아니 지켜줄 거야. 그러니까 아들… 엄마 없어도 외로우면 안 돼… 절대 혼자 아니야… 알았지?

| 강호 | 엄마는 왜 그렇게 나빠요?

| 영순 | ….

| 강호 | 알아요. 나도 다 안다구…. 근데 그렇게 말 안 하면 안 돼요? 괜찮아… 아무것도 아니야, 이겨낼 거야… 나을 수 있어… 이렇게 말해 주면 안 돼요? 왜 맨날 엄마는 (가슴 만지며) 여기가 아픈 말만 해요? 왜 맨날 나한테 힘든 것만 하라고 하냐구… 왜 맨날 다 엄마 맘대로 해요, 왜!!!! 밥하는 법, 빨래하는 법, 농장 일, 은행 일, 망초, 쇠뜨기, 꽃다지… 엄마 돼지처럼 다 가르쳐주고 나면… 혼자서 좋은 데로 갈 거죠? 싫어요… 그럼 나 아무것도 안 할래요… 아무것도 못할래요… 그냥 평생 이렇게 바보로 살래… 그러니까… 엄마… 아무 데도 못 가요!… (잠시 머뭇거리더니)… 제발 가지 마요… (가만히 고개 숙이고 있다가 다시 고개를 들더니) …조금만 천천히 가세요.

강호, 이내 영순에게 안겨 눈물이 터져버린다…. 영순, 그런 강호를 안고 등을 토닥여준다.

나쁜엄마

영순   그래… 천천히 갈게…. 엄마가… 아주아주 천천히 갈게.
       그러니까… 슬퍼하고 울고… 우리 그러지 말자…. 우리 아들하고
       웃고, 행복하기에도 엄마는 일분일초가 아까워요… 응?

강호를 안고 먼 하늘을 보는 영순… 휘영청 달이 밝다.

28.   정씨네, 마당 / N

밝은 달 아래 평상에 혼자 앉아 신김치에 소주를 마시고 있는 정씨.
그때, 쾅쾅쾅 문 두드리는 소리가 난다.

정씨   아니… 이 밤에 누구여?… 누구유?

정씨, 문을 열면… 서 있는 영순. 가만히 정씨를 바라보다가 스르르 무릎을
꿇는다.

영순   형님, 제가 잘못했어요. 아빠 없이 자라는 강호가 불쌍해서
       빈자리 못 느끼게 키우려는 마음에 이기적으로 굴었어요. 강호
       아프고… 그게 얼마나 잘못된 사랑이었는지 알았으면서도
       아직까지 이러고 있네요. 형님 말이 맞아요… 내 새끼 귀한 만큼
       남의 자식도 귀한 건데… 제가 미주한테 큰 상처를 줬어요.
       형님이 저한테 어떤 분인데… 마음 아프게 해서 정말 죄송해요.
       용서해 주세요.

정씨   에휴… (한숨을 쉬더니) 아! 그렇다고 뭔 무릎까지 꿇고 지랄이여…
       몸도 성치 않은 게… 빨리 안 일어나!!

정씨, 영순을 잡아 일으키려는데… 그런 정씨를 와락 안는 영순.

영순   형님… 나… 진짜 죽어요?… 무서워요… 나 어떡해요…

           살려주세요… 나 좀 살려주세요, 형님….

영순, 엉엉 울음을 터뜨린다.

정씨   아휴… 이 불쌍한 것… 불쌍한 것….

정씨도 영순을 안고 같이 엉엉 운다.

29.   정씨네, 안방 / N

방문 옆에 쪼그리고 앉아 뚝뚝 눈물을 흘리는 미주. 쌔근쌔근 잠든 예진과
서진을 바라본다.

30.   양조장, 앞뜰 / D

굳은 얼굴로 앉아 있는 소 실장과 차 대리.

소 실장   넌 언젠가 내 손에 죽을 거다.

차 대리   그 전에 먼저 죽을 거 같아요… 떨려가지구….

화면 커지면 농업진흥청 연구원과 리포터, 카메라 설치 중인 카메라맨 보인다.

이장과 이장 부인, 양씨와 양씨 처가 한쪽에서 구경하고 있다.

이장 지금까지 이런 경사가 읎었지 뭐여… 우리 마을이 티비에 다
나오고….

양씨 그르니까유… 농업티비라구 혔쥬? 제목이?

리포터 아, 네…. 두 분 같은 귀농 성공 사례자분들을 만나 그 노하우를
들어보는 〈나는 이렇게 키웠다〉…라는 프로예요.

소 실장 (차 대리 보며) 하… 일을 이렇게 키우다니… (기자 보며) 저…
죄송하지만 저희가 방송 출연은 좀 어려울 것 같습니다.

이장 부인 (이장에게) 봐요. 내 말이 맞죠? 처음부터 수상하다 싶더니 어디서
나쁜 짓 하고 숨어 들어와 있는 거예요.

이장 엠비럴 놈의 여편네가… 우리 조우리의 명예를 드높여 주신
귀한 분들헌티 그게 뭔 끔찍한 소리여? 저 얼굴을 봐…
어디 나쁜 짓 헐 사람처럼 보이나…. 벌써 이 눈이 소눈이잖어….

양씨 마침 저분 성도 소 씨래유.

이장 봐봐!! 을마나 소여… 언제 봐도 묵묵하고 듬직하니 천상 소 같은
양반이라니께 저 냥반이….

사람들의 시선이 쏠리자 억지로 웃어 보이는 소 실장.

이장 (소 실장 보며) 우리 조우리가 특색도 없고 특산물도 없고 특이한
개새끼 한 마리 읎어서 〈6시 내고장〉이건 〈동물농원〉이건…
한 번도 못 나와봤어요. 마을에 좋은 일 한 번 헌다고 생각하고…
부탁 좀 드릴게유.

차 대리	근데… 저희가 딱히 노하우랄 게 없어서… 진짜 그냥 물만
	줬거든요… 그죠?
소 실장	(천천히 입을 연다) …물만 준 건 아니다.
일동	?

31.   양씨네, 셋방 / D

짐을 챙기고 있는 소 실장과 차 대리.

차 대리	와~~ 상추밭에 막걸리를 갖다 뿌리다니…. (소 실장 목소리 흉내
	내며) 막걸리가 발효가 되면서 호기성 토양이 되면 유익균들이
	많이 자라서 나쁜 병원균을 막아냅니다…. 캬아… 진짜
	멋있었어요. 어떻게 그런 생각을….
소 실장	안 그럼 니가 다 처먹으니까….
차 대리	오오… 그럼 제 지분도 있는 거네요. 상추밭 거름… 특허 낼까요?
소 실장	빨리 짐이나 싸…. 방송 나가기 전에 회장님한테 용서 빌지
	않으면 우리가 그 상추밭 거름 된다….

32.   마을 일각 / D

신난 얼굴로 걸어가는 삼식. 그때, 소 실장과 차 대리가 탄 차가 그 뒤로
다가온다. 삼식이 돌아보더니, 손을 흔든다.

| 소 실장 | 그냥 가… 그냥 가… 그냥 가…. |

하지만 멈춰 서는 차 대리. 후우… 한숨 쉬는 소 실장.

차 대리	그냥 가면 진짜 수상하잖아요… 인사만 살짝하고 가죠.
	(창문 내리고) 안녕하세요?
삼식	어? 우리 소차… 어디 가?
차 대리	아, 잠깐 서울에 볼일이 있어서요….

CUT TO

분위기 싸한 차 안.

| 차 대리 | 음악이라도 틀까요? |

소 실장이 찌릿 째려보자 다시 조용히 운전하는 차 대리. 뒷자리에 삼식이
휴대폰 들고 폭풍검색 중이다.

삼식	와~~ 나도 마침 서울 가는디… 잘됐지 뭐여. 혹시…
	성북동이라고 아나?
차 대리	아, 성북동 잘 알죠. 성북동 가시는 길이세요?
삼식	응, 오태수 후보 집.

순간, 끼익! 멈춰 서는 차 대리. 그 바람에 앞으로 튕기는 삼식과 소 실장.
앞 유리에 머리 박은 소 실장.

삼식	아휴, 놀래라… 운전도 참….
차 대리	오오오오오태수 의원 집은 왜요?
삼식	아~ 내가 그분 왕팬 지지자라서… 파이팅 좀 한번 해드릴라고.

33. 오태수네 앞 / D

경비가 삼엄한 오태수 의원 집 앞. 공용퀵보드를 타고 왔다 갔다 하는 삼식.
그때, 전화기가 울린다.

삼식	응, 친구.
강호	어떻게 됐어?… 만났어?

그때, 문이 열리며 나오는 하영.

| 삼식 | 응… 지금 만났어… 임무 완수허고 전화할게. |

하영, 차에 오르더니 출발한다. 삼식, 전화기 주머니에 넣더니 퀵보드를 타고
따라간다.

34. 에스테틱 / D

피부 관리를 받는 하영.

35.　　　**에스테틱, 주차장 / D**

직원　　　(작은 쇼핑백 건네며) 오늘 밤 주무시기 전에 이 앰플 꼭 바르세요.
　　　　　　내일 결혼식 정말 축하드려요.

표정 없는 얼굴로 꾸뻑 인사하더니 차에 오르는 하영. 서서히 출발해서
주차장을 나오는데… 순간 퀵보드를 타고 튀어나오는 삼식. 하영의 차와
부딪히더니… 아구구구구~~~ 바닥을 구른다.

36.　　　**카페 / D**

까진 팔꿈치를 호호 불며 밴드를 붙이는 삼식.

삼식　　　흐미… 흉지겄네… 울 엄니가 나를 을매나 곱게 키웠는디….

그 앞에 하영이 당혹스런 얼굴로 유전자 검사 결과지를 보고 있다.

하영　　　이게 뭐죠?

삼식　　　거 써 있잖아요… 유.전.자.검.사.결.과.지… 바보도 읽는 걸
　　　　　　못 읽네…

하영　　　(버럭) 그러니까 이게 뭐냐구요?!!

삼식　　　에헤… 화를 내고 그랴… 자자… 그게 뭔지 지금부터
　　　　　　들려드릴게.

삼식, 배낭 안에서 노트북을 꺼내더니 펼치더니, 노트북과 연결된 이어폰을 하영에게 건넨다. 하영이 떨떠름한 얼굴로 귀에 꽂자 바로 플레이 버튼을 누르는 삼식.

송 회장　　**F** 우리 강호 평생 소원이 뭔 줄 압니까?

강호라는 말에 놀라 눈이 커지는 하영. 테이블 위에 놓인 하영의 휴대폰 **C.U.**

37.　　카페 앞 도로 / D

카페 앞 길가에 서 있는 오토바이. 헬멧을 쓴 한 남자가 이어폰을 끼고 카페 안 하영을 도청 중이다. 누군가와 통화하는 남자.

사내　　이어폰으로 듣고 있어 내용 확인은 불가합니다.

38.　　카페 / D

오태수　　**F** 황수현을 없애겠단 말씀입니까?

송 회장　　**F** 에미만 없애믄 됩니까? 얼라도 같이 보내야지요… 와요? 아들래미라 쪼매 아깝습니까?

충격에 온몸이 부들부들 떨리는 하영. 유전자 검사 결과지를 쳐다본다.

송 회장　　**F** 하하… 천하의 오태수 의원님께서 이 정도 일로 쫄리시는

겝니까? 걱정 마이소… 행여 문제 생김 강호 점마가 다 안고 갈
겝니다. 그러라고 있는 놈 아입니까.

오태수　　ｆ 그럼 전 송 회장님만 믿겠습니다.

하얗게 질린 얼굴로 이어폰을 빼내는 하영.

삼식　　이걸 아버님께 직접 드려야 되나, 아님 아버님을 못 잡아먹어
안달 난 바른한국당에 갖다줘야 되나… 고민고민하다가
시집가시는 길… 대차게 효도 한번 하시라고 가져와 봤네유.

가만히 고개를 숙이고 있다가 홱 고개를 드는 하영.

하영　　당신 지금 나랑 뭐 하자는 거야? 허… 어이가 없어서…. 아저씨…
(결과지 흔들며) 이런 거요. 택배로, 퀵으로, DM으로 하루에도 수십
개씩 들어와요. 아주 식상하다구요. 이렇게 겁대가리 없이 직접
찾아온 건 좀 신박했네요… (검사지를 좍좍 찢는다)

삼식　　어어!! 지금 뭐 하는 거여!! (뺏으려고 달려들며) 아, 남의 걸 왜
찢어요?

하영　　(검사지 든 손 피하며) 방금 전엔 우리 아빠 꺼라면서요.

하영, 찢어진 유전자 검사지를 홱 던지고 나가려는데.

삼식　　이거 최강호가 가지고 있던 건디….

하영　　(멈칫) !!!

삼식　　(종이를 주우며 갸웃) 대한민국 검사가 설마 가짜를 가지고

있었을까?

하영, 눈빛이 마구 흔들리더니… 침을 꿀꺽… 다시 돌아선다.

하영   도대체 원하는 게 뭐야?

삼식   홋… 역시 최강호가 나서야 일이 되는구만… 2억….
       아! 맞다 엄마 돈… 2억 2백! 현금으로!

하영   복사본 남겨놓고 장난질 치는 거면… 알지?

삼식   어디 야산 같은 디서 사체로 발견되겄죠.

하영   (노려보다가) 한 시간 후에 여기서 만나요.

하영, 또각또각 걸어 나간다.

39.   **카페 앞 / D**

문을 나오자마자 휘청이며 계단 난간을 붙드는 하영. 심장을 부여잡고 헉헉 숨을 몰아쉬다가 천천히 차로 걸음을 옮긴다. 잠시 후, 전화기 들고 나오는 삼식.

삼식   웅. 방금 만나서 얘기했는데… 니 얘기를 하자마자 기겁을 허는
       게… 확실히 뭔가 있는 것 같혀…. 내가 좀 더 자세히 알아보고
       연락 줄 테니께…

삼식, 담배를 피워 물며 큰 도로로 나오는데… 순간, 삼식 앞에 멈춰 서는 검은

승합차. 문이 열리더니 순식간에 삼식이를 안으로 끌고 들어간다. 으악!!!!!

40.   돼지 농장 / D

뚝 끊기는 전화.

강호   (소곤소곤) 여보세요? 삼식아!… 삼식아?

그러다 뭔가를 보고 눈이 커지는 강호. 삽으로 똥을 퍼내 수레에 싣는 영순을
보고는 후다닥 달려간다.

강호   엄마… 하지 마… 내가 할게… 내가 할게.

영순, 돌아서 사료포대를 들려는데…

강호   (사료포대 뺏으며) 엄마… 내가 할게….

영순, 씩 웃더니 주머니에서 휴대폰을 꺼내 번호를 누르려는데…
강호, 전화기를 홱 뺏더니…

강호   내가 할게… 몇 번 눌러줄까?

영순   (어이없어 웃으며) 칫… 이제 아무것도 안 한다며?

강호   그래도 엄마는 아프니까….

영순   (웃으며 강호 머리를 쓰다듬는다) 걱정 마… 엄마, 괜찮아….

안드리아   싸장님!!

영순	(돌아보더니) 어!··· 그러지 않아도 전화하려고 했는데··· 물어봤어? 원장님이 뭐래?
안드리아	MMA 증상이다. (비닐봉투 내밀며) 이거 소염제 놓으면 2~3일 안에 완쾌될 전망이다.
영순	그래, 고생했어.

영순이 봉투 받으려고 하자 얼른 봉투를 먼저 받는 강호.

강호	엄마··· 내가 할게···.
영순	뭐?··· 너 주사 못 놓잖아···.
강호	할 수 있어요··· 내가 할 거야···.

강호, 봉투 들고 뛰어간다.

영순	강호야··· 잠깐만!!··· 엄마랑 같이 해!!!

영순, 뛰어간다.

41. 카페 / D

종이봉투를 든 하영이 들어온다. 하지만 자리에 없는 삼식. 지나가는 알바를 잡는 하영.

하영	저··· 혹시 여기 계셨던 남자분 못 보셨어요?

퍽! 소리와 함께 나가떨어지는 삼식… 온몸이 만신창이다. 오토바이 사내가
노트북을 들고 있고, 이어폰으로 녹음 내용을 확인하는 오태수 보좌관.
손에는 삼식이 휴대폰이 들려 있다. 통화 목록에 [색시]투성이다. 후~ 한숨을
쉬더니… 삼식의 휴대폰을 휙 모닥불 통 속에 던져버리고 다가온다.

보좌관	이걸 최강호가 가지고 있었다?… 그 바보가 널 여기 보냈을 리는 없고… 누구야… 누가 보낸 거야?… 너 이 새끼 우벽이지?
삼식	아… 아니 삼식인데요.
보좌관	삼식?… (일당들을 돌아보며) 삼식이 어디야?
일당들	(모른다는 제스처… 어떤 사람은 휴대폰 검색도 하고)
삼식	아니… 제가 삼식이라구요… 방삼식.
보좌관	(울그락불그락한 얼굴로 노려보더니) 흥! 죽어도 입은 열지 않겠다? 그래! 무덤까지 가져가라… (일당들 보며) 처리해!
삼식	아니… 방금 입을 열었잖아… 아니… 어쩌라고… 저기요!

오토바이 사내가 별 모양 잭나이프를 꺼내 들고 다가온다. 목젖에 와 닿는
칼끝을 느끼며 바들바들 떠는 삼식. 오토바이 사내 손등에 그려진 별 모양
문신이 눈에 보인다.

삼식	으악!!… 으아!!… 으아아아아아!!!!

그때, 아래층에서 와장창창 무언가 깨지는 소리가 난다. 밖을 내다보는

보좌관. 몇몇 수하들이 바닥에 널브러져 있고… 방금 유리를 깨고 튕겨 나온
듯 괴로워하는 수하가 보인다.

보좌관   (아래를 보며 놀라) 뭐… 뭐야?

하는데 순간, 파박! 소리가 나며 널브러지는 어깨들. 보면, 소 실장과
차 대리다. 어마어마한 싸움 실력으로 날렵하게 어깨들을 제압하는 소 실장과
차 대리. 보좌관, 정신없이 노트북을 챙기더니… 반대쪽 문으로 도망간다.
난데없는 소 실장과 차 대리의 등장에 놀란 삼식. 여러 생각들이 스쳐간다.

- **보좌관**   너 이 새끼 우벽이지?

- **차 대리**   저희가 우벽그룹인 걸 어떻게?

– 강호 집을 몰래 엿보고 있었던 소 실장과 차 대리.

- **강호**   우리 장롱에 숨어 있다가 나와서 어떤 아저씨랑 막 칼싸움
              했잖아요.

눈앞에 싸우고 있는 소 실장과 차 대리. 그때, 오토바이 사내와 붙은 차 대리.
오토바이 사내가 휘두른 칼로 차 대리 다리에 상처를 입고 쓰러진다. 마지막
어깨를 제압하고 돌아선 소 실장이 놀라 뛰어오는데… 순간, 창문으로
뛰어내리는 오토바이 사내. 소 실장, 창문 쪽으로 뛰어가 내려다보면…
보좌관을 태운 오토바이가 사라진다.

43.   폐건물 앞 / D

삼식과 소 실장이 차 대리를 부축하며 내려온다.

삼식   아이고… 시상에 나 땜에 다쳐서 어뜩혀…. 이 쌍놈의 새끼들이
          웬 칼을 들고 설치고 지랄이여. 을매나 무서웠는지… 하마터면
          오줌 쌀 뻔혔네…. (다리 꼬며) 저기 잠깐만… 나… 금방 쉬 좀 놓고
          올게… 쌀 거 같햐….

삼식, 차 대리를 부축하던 손을 놓고는 건물 옆 사이로 슬쩍 들어가더니
반대쪽으로 냅다 달리기 시작한다.

44.   선거사무소 / N

보좌관이 서 있고 그 앞에 앉아 이어폰을 꽂고 녹음 내용을 듣고 있는 오태수.
신경질적으로 이어폰을 빼내더니 노트북과 함께 던져버린다. 박살나는 노트북.

오태수   송우벽?… 확실해?

보좌관   네… 소 실장을 봤습니다.

오태수   하~~~ 이 독사 같은 노인네……. 하영이 지금 어딨어?

힐끔힐끔 보며 테이블을 정리하는 카페 주인. 여전히 같은 자리에 앉아 있는
하영. 테이블에 팔을 대고 엎드려 있다. 그때, 하영 앞자리에 앉는 남자…
하영, 인기척에 놀라 얼른 고개를 들어 보면… 오태수다. 보좌관들이 카페
주인을 데리고 나가는 모습 보인다. 오태수, 하영 옆에 놓여 있는 종이백을
본다.

오태수   저건 뭐냐?

하영   설마 했는데… 역시 절 감시하고 계셨군요… 아빠답네요.

오태수   구차한 변명하지 않으마… 한때의 실수였다.

하영   실수라구요? 실수로 죄 없는 여자와 아이를 죽였어요?

오태수   그건 최강호 짓이야.

하영   아빠가 시킨 거잖아요!… 아빠 정말 무서운 사람이에요.
아빠 목적을 위해서 닥치는 대로 다 죽이고 없애고… 최강호도
결국 아빠한테 이용당하고 저렇게 된 거잖아요. (부들부들 떨며)
언젠가 천벌을 받을 거예요.

오태수   (가만히 보다가 다정하게) 음… 우리 하영이… 지금 많이 무섭구나?
그래… 당연하지 (눈빛 싸늘해지더니) 강호에게 수면제를 먹이고…
죽이려고 했던 게 너니까.

하영   (파랗게 질려) !!!!!!!!!!!!

오태수   왜? 그것도 이 애비가 시켜서 한 일이라고 말하고 싶은 게냐?
아니… 넌 최강호가 나를 잡으려고 너를 이용했다는 그 배신감에

복수를 한 거야. 니가! 직접! 스스로!

하영   ….

오태수   (다시 온화하게) 근데 하영아… 이젠 다 끝난 일이야. 게다가 내
             목을 쥘 증거들까지 이렇게 내 손에 들어왔어. 최강호가 저렇게
             된 이상… 이젠 너만 입 다물면 다 없던 일이 되는 거야…
             무슨 말인지 알겠지? (시계를 보더니) 어이고… 벌써 시간이
             이렇게 됐네…. 내일 결혼식인데 아빠랑 입장 연습도 한번
             해야지. 아!! 그래… 여기서 한번 해볼까?

오태수, 웃으며 손을 내민다. 그 손을 가만히 보는 하영… 바들바들 떨리는
손으로 잡고 일어선다. 자기의 팔에 하영을 손을 끼는 오태수.

오태수   자… 그럼 이제부터 우리 하영이… 이 아빠랑 같이 가는 거다….

걸어가는 부녀의 뒷모습에서.

46.   호텔 웨딩홀 / D

감미로운 현악 4중주가 울려 퍼지는 가운데… 많은 정재계 인사들로 붐비는
로비. 오태수와 그의 부인이 하객들과 인사를 나누는 모습이 보인다.
그러다 표정이 굳어지는 오태수.

송 회장   아이고~ 축하드립니데이.

송 회장이 다가와 악수를 건네자 억지 웃음으로 악수를 받는 오태수.

오태수	오셨네요… 불편하실 것 같아 일부러 연락 안 드렸는데.
송 회장	그러게요. 이 모바일청첩장 같은 거라도 하나 보내주셨음 계좌로 딱! 입금하고 서로 편했을 긴데… 내 부조할 방법이 없어가 이래 직접 들고 왔다 아입니까. 하하하.
오태수	….
송 회장	(신랑을 쓰윽 보더니) 아따~ 신랑이 아주 키도 크고 듬직하니 잘생겼다. (태수 부인에게) 어떻게… 이번 사윗감은 좀 맘에 드십니까?
태수 부인	(떨떠름한 표정으로) 아… 네….
송 회장	하하… 그래야지요. 그래야 오래오래 잘~ 살지 않겠습니까? 급작스레 사고 같은 것도 안 당하고… 그지예? 하하하…. 그라모 뭐 저는 식장에 들어가 있겠습니다. 여 스테이크가 상당히 맛있어요. 그 아시는가 봐… 하하하.

능글능글 웃으며 들어가는 송 회장. 오태수, 서슬 퍼런 눈으로 그런 송 회장을 노려본다.

47.   호텔 웨딩홀, 신부 대기실 / D

굳은 얼굴로 웨딩드레스를 입고 앉아 친구들과 사진 찍는 하영.

사진사	에이~ 신부님, 표정이 너무 얼었다. 긴장 풀고 쪼끔만 웃어주세요.

사진사의 말에 희미하게 억지로 웃어 보이는 하영… 찰칵!

직원   자… 이제 신부님 입장 준비하실게요. 하객분들은 식장으로
         이동해 주세요.

웨딩홀 직원의 말에 친구들이 '쫌 있다 보자', '잘 해~~' 등 인사하며 우루루
나간다. 그때, 친구들과 사이로 쪼르르 들어오는 꼬마 여자아이.
예쁘게 포장된 작은 선물 박스를 하영에게 내민다.

아이   언니~ 이거….

하영   어머, 지우야… 언니 선물이야?… 고마워.

아이   아니… 나 말고 저기 저 아저씨가… (하며 돌아보더니)
         어? 어디 갔지?

그때, 한복 입은 한 여자가 다가와 아이를 부른다.

한복녀   지우야, 언니 준비해야 돼… 빨리 나와…. (손 흔들며) 하영아!
         이따 보자~

아이가 나가자 선물 상자를 바라보는 하영. 조심스레 상자 뚜껑을 열어본다.
그러다 헙! 눈이 커지며 입을 막는 하영.

48.   **호텔 웨딩홀 / D**

박수 소리와 함께 입장하고 있는 신랑. 웃으며 박수를 치는 송 회장의 모습이

보인다.

사회자   다음은 오늘의 주인공 아름다운 신부 입장이 있겠습니다.

모두가 일제히 돌아보면 예식홀 출입문 입구 버진로드 앞에 대기하고 서 있는 오태수.

사회자   신부 입장!

서서히 출입문이 열리고 박수를 치기 시작하는 사람들. 하지만 신부가 보이지 않는다. 그때, 허겁지겁 문으로 나타나는 예식장 직원.

직원   신부가… 신부가 없어졌어요!

놀라는 오태수. 보좌관 몇 명 급하게 뛰어나가고… 웅성대는 하객들 속에 송 회장. 지나가는 서빙 직원을 부르며…

송 회장   어이! 여 스테이크 안 나옵니까?

야릇한 미소를 지으며 와인 한 잔을 쭈욱 들이키는 송 회장.

49.   **영순네, 안방 / D**

양복을 고르고 있는 강호. 말끔하게 세수를 한 영순이 들어온다.

영순   준비 다 했어?

강호	옷만 입으면 돼요…. 근데 엄마… 우리 어디 가는 거예요?
영순	데이트….
강호	데이트?…
영순	응… 그러니까 우리 아들 최고로 멋지게 입어.
강호	멋지게?…

50.　　영순네 앞 / D

양복을 말끔하게 입고 서 있는 강호. 엄마가 나오는지 눈치를 보더니
휴대폰을 들어 삼식에게 전화한다. 하지만 받지 않는 삼식.

51.　　영순네 근처 / D

저 멀리 영순 집이 보이는 곳에 택시 한 대가 서 있다. 그 안에서 놀란 눈으로
강호를 보고 있는 웨딩드레스 차림의 하영. 손에는 송 회장이 가지고 있던,
강호의 일어선 사진이 들려 있다.

기사	손님… 손님?
하영	(그제야 정신차리고) 네?
기사	(휴대폰 내밀며) 결제 다 됐어유….

하영… 휴대폰을 받고 차에서 내린다. 택시가 출발하고 그 자리에 멍하니

서 있는 하영. 넋이 빠진 얼굴로 서서히 강호를 향해 발걸음을 옮긴다.

52.   영순네 앞 / D

여전히 전화기 들고 있는 강호. 계속되는 연결음… 음성사서함으로 넘어간다.

강호   삼식아… 왜 계속 전화를 안 받아… 혹시 무슨 일 있는 거
              아니지?

그때다, '이거 놔!!!' 하는 비명 소리가 들린다. 소리 나는 쪽으로 고개를
돌리는 놀란 얼굴의 강호. 그러다 다시 반대쪽을 본다. 아무도 없다.

53.   영순네 근처 / D

검은 양복들이 하영의 입을 막고 끌고 가 차에 태운다.

54.   영순네 앞 / D

강호, 갸웃하더니… 다시 전화기에 대고…

강호   전화 꼭 해줘… 기다릴게.

전화를 끊고 옷매무새를 고치는 강호. 그러다 문득 가슴팍에 뭔가가 만져지는

걸 느낀다. 강호, 안 주머니에 손을 넣어 뭔가를 꺼낸다. 1화 72씬, 박철수 부인이 줬던 휴대폰이다. 그때, 대문이 열리는 소리. 전화기를 보던 강호가 얼른 전화기를 안주머니에 놓고 엄마 쪽을 보더니 헉! 한다. 영순, 얼굴의 과한 화장. 하얀 얼굴에 빨간 립스틱, 핑크빛 볼터치.

강호	엄마… 얼굴이…
영순	어때? 예쁘지?
강호	(억지 웃음으로) 네… 많이요….
영순	가자….

55.   고급 갈비집 / N

분위기 좋은 갈비집에 강호와 영순이 함께 앉아 있다.

강호	근데… 왜 갑자기 데이트를 해요?
영순	음… 생각해 보니까 우리 아들하고 외식 한 번을 제대로 안 해본 거 있지. 영화관도 못 가봤고, 노래방도 못 가봤고 여행도 못 해봤어. 이제부터 다 할려구… 이것 봐… (수첩 꺼내 보이며) 하고 싶은 거 다 적어놨어.

강호, 수첩을 보여준다. 장 보기, 밥하기, 빨래하기, 은행 일 보기, 농장생산일지 쓰기, 영정 사진 찍기까지 줄이 그어졌고 그 뒤로 외식하기, 영화 보기, 노래방 가기, 소풍 가기.

영순	어때? 엄마랑 같이 해줄 거지?
강호	네… 좋아요… 그럴게요!
영순	오케이~ (손 흔들며 우아하게 콧소리로) 여기요!! 저희 여기서 제일 비싼 꽃등심으로 2인분 주세요.
강호	(손 흔들며) 막걸리도 한 병 주세요.
영순	뭐어?…
강호	(씩 웃으며 귀엽게) 엄마… 나 엄마 보호자… 어른!…
영순	어?… (했다가) 그렇지… 엄마 보호자, 어른 맞지!… 에라 모르겠다… 여기 막걸리 한 댓병 주~쎄요!!!

두 사람 까르르~ 웃는다. 화면이 조금씩 이동해 음식점 티브이 화면으로 향한다. 자막에 [제면도 변사체 여성 신원 밝혀져… 수사 가속화]

앵커	최근 제면도 해안가 인근에서 발견된 시신의 신원이 공개됐습니다. 지난 22일 낚시를 하던 이모 씨에 의해 발견됐던 여성의 시신은 서울 신성동에 거주하는 30대 여성 황모 씨로, 발견 당시 두 개의 위조 여권을 소지했던 것으로 밝혀졌습니다. 이에 경찰은 여성과 함께 있었을 것으로 추정되는 생후 한 살가량의 아이의 행방에 대해서도 수사를 진행 중입니다.

56.   **도로 / N**

뉴스 화면에서 빠져나오면 자동차 안 티브이 모니터. 강호의 사진 몇 장을 손에 들고 있는 오태수의 시선이 화면에 꽂혀 있다. 부들부들 떨리는 손…
조금씩 사진을 구기기 시작한다.

57.   오태수네, 거실~2층 하영 방 / N

쾅! 현관문이 열리며 저벅저벅 걸어 들어오는 오태수.

태수 부인   (다급하게 잡으며) 여보… 잠깐만… 여보…

그런, 부인의 손을 팩 잡아 떼더니 계단을 뛰어 올라가는 오태수.
하영의 방문을 열고 들어간다. 침대 구석에 쭈그리고 앉아 떨고 있는 하영의
멱살을 잡아 끌어내는 오태수. 거세게 뺨을 내리친다. 짝!! 쓰러지는 하영,
그런 하영의 머리채를 잡아채더니 미친 듯이 뺨을 때리는 태수.

태수 부인   그만해!!!

태수 부인, 뛰어 들어와 하영을 안고 감싼다.

태수 부인   당신 미쳤어요?

오태수   미친 건 저년이야!!! 니년이 감히 애비 앞길을 막아?
(보좌관 보며) 이년 당장 병원에 처넣고 선거 끝날 때까지 못
나오게 해!!

58.   오태수네, 거실 / N

오태수, 씩씩대며 거실로 내려가는데 따라 내려오는 보좌관.

보좌관   저…

홱 돌아보는 오태수.

보좌관   확인해 본 결과… 황수현이 맞습니다.

하… 좌절스런 얼굴로 얼굴을 쓸어내리는 오태수. 갑자기 '으아!!!!!' 괴성을
지르더니 손에 잡히는 대로 물건을 던져부수기 시작한다. 안절부절 못하는
비서관. 그때, 홱 비서관을 쳐다보는 오태수.

오태수   (독기 어린 눈빛으로) 일 하나 만들어야겠다.

59.   영순네, 안방 / N

전화기를 들고 있는 강호. 소리샘으로 넘어가자 후우~ 한숨을 내쉬며 전화를
끊더니… 안방 문을 살며시 열고 들어간다. 잠자리에 들려고 이불을 펴고 있는
영순. 베개를 안고 서 있는 강호를 의아하게 쳐다본다.

강호   나 오늘부터 여기서 잘래요. (얼른) 내가 엄마 지켜줘야 되니까.
영순   (빙그레 웃더니) 그럼 엄마는 좋지?… 어서 오세요, 보호자님.

나쁜엄마   282

강호, 이불 속으로 쏙 들어오더니 영순을 끌어안는다. 행복한 미소를 지으며
창밖의 달을 보는 두 사람.

영순   보호자님….

강호   네.

영순   오늘 같이 데이트해 줘서 고마워요. 너무 행복했어요…

강호   앞으로 뭐든지 말만 하세요. 제가 다 해드릴게요.

영순   정말요? 그럼… 음… 노래해 주세요.

강호   노래요? (정색하며) 아아… 노래는 못해요, 못해….

영순   뭐야… 뭐든 다 해준다면서요… 아아… 제발… 우리 아들
           노래 들어보는 게 소원이었어. (어리광부리듯) 노래… 아아…
           노래노래… 제발… 플리즈.

강호   하… 노래… (곤란해서 어쩔 줄 모르다가) 노래… 음….

강호, 가만히 달을 바라보다가… 천천히 노래를 시작한다.

강호   **♪ 지친 하루가 가고… 달빛 아래 두 사람… 하나의 그림자…**
           눈 감으면 잡힐 듯 아련한 행복이 아직 저기 있는데…

60.   **정씨네, 안방 / N**

서진과 정씨는 자고 있고… 머리에 해열시트를 붙인 예진을 안고 멍하니
토닥이며 나직이 흥얼거리는 미주.

미주	♪ 상처 입은 마음은 너의 꿈마저 그늘을 드리워도 기억해 줘 아프도록 사랑하는 사람이 곁에 있다는 걸…
예진	뭔 노래가 그리 처량맞댜….
미주	아직 안 잤어? 어디 보자 열은… (이마 짚으며) 오… 많이 떨어졌네. 미안해, 엄마가 머리도 잘 안 말려주고 찬 바람 쐬게 해서 그랬나 봐.
예진	(빤히 미주를 보더니) 엄마… 나 다 알어….
미주	응?
예진	아빠 말이여….
미주	(당황) 아… 아빠?…
예진	응… 그니께 나헌티는 솔직하게 말혀도 댜….
미주	갑자기 그게 무슨 소리야… 너… 혹시 무슨 얘기 들었어?
예진	들어야 아나?… 딱! 보면 척!이제….
미주	예진아… 그게… 있잖아…
예진	아빠… 바람났제?
미주	뭐?
예진	아침드라마 보믄 바람난 남편 부인들은 다 엄마 같은 얼굴하고 있드라. 에휴… 그래서 부부가 떨어져 살믄 안 된다는 겨.
미주	애가 지금 무슨 말을 하는 거야?… 아니야, 그런 거….
예진	아니긴 뭐가 아니여… 그때, 잠깐 왔다 가고는 전화 한 번을 안 허잖여. 허긴 뭘 바래… 태어나서 지금껏 딱 다섯 번

통화했는디. 이게 말이 되는 겨?… 아빠는 우리가 보고 싶지도 않냐고….

미주 예진아, 그건……

예진 근디… 실은 나도 별로 안 보고 싶어… 하도 떨어져 살아서 그른가… 어색하고 남 같고 영~ 정이 안 가… 그래서 말인디… 우리 땜시 억지로 참고 살지 말고 그냥 이혼혀. 요즘 세상에 이혼은 흠도 아니여… 우리 유치원에도 이혼한 집 세 명이나 있어… 처음엔 지랄허고 울고 밥도 안 먹고 허더니… 지금은 을마나 신나서 뛰댕기는지 그런 개차반이 읎어. 그러니께… 엄마도 아무 걱정 말고… 이제 엄마 인생 살어….

미주 ….

예진 내가 살아보니께… 인생 별거 읎더라고…. 사랑허는 사람하고 행복하게 살면 되는 거 아니여? 엄마는 우리 사랑하잖여… 우리도 엄마 사랑해…. 그니께… 우리끼리 행복하게 살자, 응? 내가 나중에 강호 오빠랑 결혼혀서 엄마 잘 모실게.

미주, 눈에 눈물이 고인다.

미주 너 왜 그래… 왜 그런 생각을 해…. 너 애기잖아… 아무것도 모르고, 말 안 듣고, 땡깡 부리고… 엄마 힘들게 해야 되잖아… 그게 맞는 거잖아… 근데 왜 그래…. 왜 엄마보다 더 어른이 됐냐고… 왜….

미주, 예진을 꼭 끌어안는다.

미주	아… 이렇게 쪼끄만 애기가 얼마나 고민하고 얼마나 힘들었을까. 미안해… 우리 딸…. 엄마가 진짜 나쁜 엄마야… 엄마가 나쁜 엄마야….
예진	또 우네… 엄마 여기 내려와서 한 번도 웃은 적 없는 거 알어? 난… 엄마가… 웃었으면 좋겠어…. 엄마는 나쁜 엄마가 아니고 예쁜 엄마니께.

예진, 미주의 입꼬리를 웃는 모양으로 만들어준다.

61.   영순네, 안방 / N

깊이 잠든 두 사람. 그때, 집 전화가 울린다.

영순	여보세요? 네, 행복한 농장 맞는데요. (놀라 일어나 앉는다) 네?… 연기요? 농장에서 지금 연기가 난다구요?… 아, 네 알겠습니다. 지금 가볼게요… (강호를 흔들며) 강호야… 일어나봐… 농장에서 연기가 난대.

강호가 벌떡 일어난다.

62.   돼지 농장 / N

농장 안으로 허겁지겁 들어오는 영순과 강호. 여기저기 주위를 살핀다.

영순   어디서 연기가 난다는 거야?

강호   누가 전화했어요?

영순   (전화기 한 번 보더니) 모르는 사람… 지나가는 길에 봤다고….
            (킁킁대며) 근데… 이게 무슨 냄새지?

강호, 같이 킁킁대다가 돼지의 머리를 스윽 만지더니 냄새를 맡는다.

강호   (영순에게 손을 내밀며) …엄마.

영순   (강호 손 냄새 맡더니 놀라) 허!! 이제 뭐야… 아… 안 돼….
            나가, 빨리 나가, 강호야!!

영순이 강호의 손을 잡고 문을 향해 뛰기 시작하는데… 그때, 쾅 하며 닫히는
축사 문. 멈춰 서는 영순과 강호. 순간, 출입구 밑 틈에서부터 번져 들어오는
불길.

강호   어… 엄마… 불!!!

영순   (넋 나간 얼굴로 고개를 흔들더니) 아…… 안 돼!!!!!!!!

영순, 불길 쪽으로 다가가려고 하자 얼른, 영순을 손목을 잡아채 뒤쪽으로
뛰는 강호. 농장 창문에 차례차례 빠르게 불이 옮겨붙기 시작한다. 점점
연기가 자욱해지는 농장 안. 강호, 사방을 살피다가 위쪽 작은 창문을
발견한다. 삽을 집어 드는 강호. 창문을 깬다.

강호   엄마… 이쪽으로 ….

보면, 바닥에 넘어져 숨을 힐떡이는 영순. 강호, 달려가 영순을 잡아

일으키더니… 창문을 넘을 수 있게 안는다.

영순   강호야… 너 먼저 나가….

강호   안 돼… 빨리 나가요….

영순   아니야… 엄마가 올려줄게 니가 먼저 나가… 콜록콜록.

강호, 그런 영순을 창문 밖으로 떠민다. 밖으로 떨어지는 영순. 강호도 얼른
창문으로 오르려고 하는데… 뭔가를 딛지 않고는 어렵다. 강호, 사방을
둘러보다 외수레를 발견하고 달려가 수레를 끌고 오는데… 순간 벽 한쪽이
휘어지며… 창문을 막는다. 당황하는 강호… 사방을 둘러보지만 연기로
한치 앞도 보이지 않는다. 점점 숨이 막혀오는 강호. 이쪽, 저쪽 왔다 갔다
하며 더듬더듬 나갈 곳을 찾는데… 순간, 천정에 달려 있는 전등이 떨어지며
강호의 머리에 맞는다. 그 충격에 쓰러지는 강호. 조금씩 눈이 감긴다. 그때…
들려오는 목소리.

해식   V.O 용용아… 우리 용용이 잘 있었어? 아빠야… 치치… 아빠
             목소리 기억하지? 우리 용용이 뭐 해? 아직 자는 거야?…
             에이… 이제 일어나야지… 응? 일어나서 아빠랑 놀자…
             자, 사랑하는 우리 아들… 어서 일어나!

플래시백 2화 59씬, 도로

감겨 있던 강호 눈이 조금씩 떠지면… 강호, 사고 당시 차 안이다. 약 기운에
취해 몽롱한 눈으로 옆자리 보면 하영이 없다. 스르륵 힘겹게 뒤를 돌아보는
강호. 저 멀리 코너 도로에 하영이 빨간 스카프를 손에 들고… 안절부절못하며
서 있다… 시계를 보는 하영… 그러다 어딘가를 향해 '여기요' 하듯 스카프를

나쁜엄마

흔든다. 곧이어 코너를 돌며 나타나는 커다란 트럭. 그대로 강호 차를 덮친다.

쾅!!!!!

다시 현재. 번쩍, 눈을 뜨는 강호.

나쁜엄마

EPISODE
12

돌아왔구나, 우리 아들….
어서 와… 오랜만이야….

1.   야구장 / N

굳은 얼굴로 경기장 내 복도를 걷고 있는 오태수… 운동장으로 들어서자
마운드에 서서 비서와 캐치볼을 하고 있는 송 회장이 보인다. 다급하게
송 회장에게로 다가오는 오태수. 송 회장, 그런 오태수를 보더니 글러브를 벗어
비서에게 던져준다. 글러브를 챙겨 운동장 밖으로 나가는 비서.

송 회장   아이고~ 이게 누구십니까?

오태수   뉴스 보셨습니까?

송 회장   뉴스요? 아, 예… 봤지요… 와~ 강원도에 산불이 크게 났대요….

오태수   (어이없어) 회장님!

송 회장   말고예? 가만있어 보자… 그럼… 혹시 황수현 말씀하시는 건가?
           아… 그래서 이래 오셨구만… 두 번 다시 볼 일 없다카시던
           분이….

오태수   지금 이러고 여유 부릴 때가 아닙니다.

송 회장   유가족분도 이리 여유로우신데, 제가 뭐라고….

오태수   유가족이요?

송 회장   아들내미의 친모면 유가족 아입니까?

오태수   정말 이러실 겁니까?

송 회장   (버럭) 먼저 그러신 분이 누군데…. 그러니까 페어플레이를
           했어야지. 강호 그래 만든 것도 눈감아줬는데… 바로 배신때리고
           도상에 붙습니까? 대통령 되기도 전에 이러시모 대통령 되고

나시면 우짜실까? 마… 내 직일라고 할 게 뻔한 거 아입니까?
어차피 야구 지뿐 거… 몰수게임 만들어뿔라 캅니다. 와요?

오태수   이거 수사 들어가면 회장님이나 저나 그야말로 다 끝나는
         겁니다…. 황수현과 아이… 최강호의 여자와 아이였던 걸로 엮어
         끝냅시다. 물론!… 그 전에 최강호를 먼저 처리해야겠죠.

송 회장, 오태수를 가만히 쳐다보더니…

송 회장   그렇지!… 대통령이 하는 중앙정치라는 게 그런 거예요.
         필요하면 개, 돼지한테 고기도 멕여주고… 대의를 위해서는
         그 개, 돼지를 잡아묵기도 하고… 와~ 이런 사람이 대통령이
         돼야 되는 긴데… 거기서 황수현이가 팍 떠올라뿠네… 햐~너무
         아쉽다… 그지요?

오태수   회장님 지금…

송 회장   (말 끊으며) 그래서 자고로 우리 아부지가 입버릇처럼 얘기했어.
         남자는 술끝, 도박끝, 여자끝 조심해라… 이 명언이야, 명언….

오태수   회장님!

송 회장   그때 로맨스가 그렇게 좋았어요?

오태수   야, 이 개새끼야!!!!!!!!!!!!!!!!!!!!!!!!

오태수, 송 회장의 가슴팍을 발로 걷어찬다. 그 바람에 발라당 넘어져 버리는
송 회장.

오태수   같이 놀아주니까 내가 만만해 보여?!! 너도 결국엔 내가 키우는

그 개, 돼지 중에 하나야!! 알아?!! 로맨스? 니가 증거가 있어?
나한테는 있어!… 니가 최해식을 죽였다는 증거! 용라건설을
우벽그룹으로 만들 때까지 니가 했던 그 모든 짓거리! 결국엔
나를 잡으려고 최강호를 시켜서 황수현을 죽인 증거까지!!!
무슨 말인지 알아?!!! 넌 내가 대통령이 돼도 죽고, 안 돼도
죽는 거야!!!!

격앙되게 쏟아부은 오태수, 진정이 안 되는지 한참을 씩씩대다가 이내 천천히
숨을 고른다. 표정을 풀고는 자신의 옷매무새를 가다듬는 오태수. 송 회장을
향해 다가오더니 일으켜 세운다.

오태수 (송 회장 옷을 털어주며) 오늘부로 도상하고 손 끊겠습니다.
앞으로 우벽은… 대한민국이 책임집니다.

오태수, 송 회장을 향해 척! 손을 내민다. 송 회장, 떨리는 눈으로 오태수의
손을 바라보다… 이내 덥석 두 손으로 잡는다.

2.   **고급 갈비집 앞 / N**

11화 55씬 갈비집에서 나오는 영순과 강호.

영순 맛있었다. 그치? 오랜만에 엄마 진짜 많이 먹었어… 배 나온 것
좀 봐… 훗.

강호 원래도 좀 나와 있었어요….

영순   뭐어?… 너 일루 와~ 어디 공포의 범퍼 맛 좀 봐라…

영순이 강호의 머리를 헤드락 걸어 배에 대고 쿵쿵쿵. '아… 장난이에요,
장난…' 웃는 영순과 강호.

영순   우리 소화도 시킬 겸 바닷가 산책 갈까?

강호   지금요?… 밤인데…

영순   바다는 뭐니 뭐니 해도 밤바다지~ 레츠 고!!

영순, 강호에게 팔짱 끼고 잡아끈다.

3.   **바닷가 / N**

어둠이 내려앉은 밤바다. 영순과 강호가 배들이 정박된 포구를 걷고 있다.

영순   와~ 저기 저 오징어배들 좀 봐… 꼭 바다에 크리스마스트리
          해놓은 거 같아… 그치?

아무 반응이 없자 돌아보는 영순. 강호가 휴대폰을 보고 있다가 영순과
눈 마주치자 얼른 내려놓는다.

영순   아까부터 계속 휴대폰만 보네? 어디 전화 올 데 있어?

강호   아… 아니요… (코트 벗어 영순에게 걸쳐주며) 추워요. 이거 입어요.

영순   (다시 벗으며) 아니야… 너야말로 감기 들어… 얼른 입어.

나쁜엄마

강호	보호자 말 좀 들어요, 쫌!!
영순	아이고 무서라… 알겠습니다 보호자님!… (코트 입다가 눈이 커지더니) 어? 강호야, 저것 좀 봐… 저기 저 배 이름… 보여?

보면, 정박해 있는 낚싯배 이름이 [최강호]다.

| 영순 | 최강호야, 최강호!… 세상에… 서봐, 서봐… 엄마가 사진 찍어줄게. |

강호가 영순 손에 이끌려 배 앞에 어색하게 선다.

영순	자, 하나, 둘, 셋! 하면 돼지~ 하는 거야~!!!… 하나, 둘 셋!
강호	돼지~~!!

찰칵, 사진을 찍는 영순.

| 영순 | 아휴~ 이쁘게 잘 나왔다… 엄마도 찍어줘… 엄마도… |

영순, 휴대폰을 강호에게 주고 배 앞에 가서 포즈를 취한다. 강호, 영순의 사진을 찍으려고 휴대폰을 든다. 검은 바다, 배… 순간 강호의 머리를 팍! 스쳐 가는 이미지.

인서트

멀어지는 배 후미에서 아기를 안고 손을 흔드는 한 여자의 모습.

다시 현실. 강호, 휴대폰을 내리고 멍한 얼굴로 검은 바다를 바라본다.

강호	황… 수현….
영순	응? 뭐라고?
강호	(퍼뜩 정신을 차리더니) 아… 아니… 찍을게요… 하나, 둘, 셋!
영순	돼지~~~~!!

4.   영순네, 안방 / N

11화 59씬, 행복한 미소를 지으며 창밖의 달을 보는 두 사람.

강호	노래요? (정색하며) 아아… 노래는 못해요, 못해….
영순	뭐야… 다 해준다면서요… 아아… 제발… 우리 아들 노래 들어보는 게 소원이었어. (어리광 부리듯) 노래… 아아… 노래노래… 제발… 플리즈.
강호	하… 노래… (곤란해서 어쩔 줄 모르다가) 노래… 음….

강호, 가만히 달을 바라보다가… 천천히 노래를 시작한다.

강호	♪ 지친 하루가 가고… 달빛 아래 두 사람… 하나의 그림자… 눈 감으면 잡힐 듯 아련한 행복이 아직 저기 있는데…

5.   **마을 일각~영순네 앞 / N**

풀숲 사이에서 고개를 빼꼼히 내미는 삼식. 불안한 눈으로 주변을 살피더니
빠르게 걸음을 옮긴다. 이쪽 집, 저쪽 집… 사샤삭 숨어가며 움직이더니
영순네 집 앞 풀숲으로 몸을 숨기는 삼식. 주위를 살펴 아무도 없는 것을
확인하고 영순네 집을 향해 뛰어나가려는데… 그때, 대문이 열리며 다급하게
뛰어나오는 영순과 강호. 반사적으로 몸을 숨기는 삼식.

강호   농장에 불이 났으면 119에 먼저 신고해야 되는 거 아니에요?

영순   장난전화일 수도 있으니까 먼저 확인부터 하고….

강호와 영순, 급히 차에 오르더니 출발한다.

삼식   (몸을 일으키더니) 불? 농장에 불이 났다고?… 잠깐만!! 강호야!!
            강호야!!

삼식, 정신없이 트럭을 쫓아 뛰기 시작한다.

6.   **박씨네, 안방 / N**

박씨   아… 안 댜!! 삼식아!!

박씨가 자고 있다가 벌떡 일어난다. 덩달아 놀라 벌떡 일어나는 청년회장.

청년회장   왜 그랴? 뭐… 뭔 일이여?

박씨	삼식이… 삼식이 들어왔어요?
청년회장	아니… 아직 안 들어왔는디….

박씨, 얼른 휴대폰을 걸어본다. 안 받는다.

박씨	아무래도 안 되겠어요. 꿈자리도 뒤숭숭허고….

박씨 일어서서 나가자 따라 나가는 청년회장.

청년회장	꿈이 왜?… 삼식이 놈이 또 뭘 훔친 겨?

7. 박씨네, 마당 / N

박씨가 나와 대문을 막 열려다가 멈칫!… 대문을 향해 귀를 기울인다.
청년회장이 따라 나오자 쉿!! 하는 포즈를 취하는 박씨. 청년회장도 살금살금
다가와 같이 엿듣는다.

8. 박씨네 앞 / N

대문 앞에 소 실장과 차 대리가 함께 서 있다.

차 대리	혹시 신고하거나 그러진 않았겠죠?
소 실장	증거도 뺏긴 마당에 뭐라고 신고를 해? 잘못했다간 오하영을

나쁜엄마

협박한 죄만 드러날 텐데….

차 대리　저희에 대해 눈치챘을까요?

소 실장　그러니까 도망쳤겠지… 일 더 커지기 전에 빨리 잡아야 돼.

그때, 부앙 저 멀리 지나가는 트럭 한 대… 그리고 잠시 후 그 뒤를 따라
뛰어가는 삼식.

차 대리　잠깐만… 저기… 저거… 방삼식 아니에요?

소 실장　자… 잡아!!

차 대리와 소 실장이 뛰어간다. 순간 대문이 쾅 열리며 나오는 박씨와
청년회장.

청년회장　방금 협박허고 도망쳤다는게… 우리 삼식이 얘기는 아니겄제?

박씨　아닌디 저러고 잡겄다고 뛰어갔겄어?… 아후~ 이 쓰버럴 새끼!!
　　　어디서 또 뭔 짓을 헌 겨!!!

박씨, 문간에 있던 부지깽이를 집어 들고 냅다 뛰어가자, 청년회장이 '같이
가!!!' 하며 뒤쫓아 뛴다.

9.　　　**정씨네 앞 / N**

사뿐사뿐 걸어오는 빨간망토를 입은 이장 부인과 몸을 움츠리고 따라오는
이장.

이장	아니… 이 야밤에 어디서 뭔 기를 받겠다고 이랴….
이장 부인	내가 이 동네 산이며, 들이며, 냇가며… 다 돌아다니면서 기를 받아봤잖아요. 근데 아무리 생각해도 여기만 한 데가 없어. 짜잔~
이장	뭐여… 여는 정씨네잖여.
이장 부인	응… 시어머니가 여섯… 정씨 아줌마가 셋… 미주는 한 번에 쌍둥이를 빡! 분명 다산의 터가 틀림없어요. 자… 이렇게 문 쪽을 바라보고 서서 단전에 힘을 주고 크게 숨을 쉬어봐요… 이렇게… 이렇게….
이장	맘은 알겠지만… 이쟈 그만 포기헐 때도 되지 않았어?… 우리 나이를 생각해야제….
이장 부인	2019년 중국 산둥성 좌오좡시에서는 67세 여성이 애기를 낳았어요. 그것도 자연임신으로… 인도에서는 72세 할머니, 남자는 96세에 애기아빠가 된 사람도 있어요. 그에 비하면 우리는 애기야… 애기가 애기를 낳는 거라니까요. 자자… 시간 없어… 얼른 크게 숨을 들이마셔 봐요….

이장, 하는 수 없이 이장 부인을 따라 숨을 '후우~ 후우~' 들이마시는데… 갑자기 코끝이 간질간질… '에에에에에 에취!!! 에취!!!' 기침을 한다.

이장	아휴… 이게 뭐여? 뭐가 이렇게 매워? 에취!!!! 에취!!!!
이장 부인	그르게 뭐지? 에취!!! 에~~~~~취!!

그때, '누구여?' 하며 대문을 열고 나오는 정씨.

정씨   어? 이장님!!! 여서 뭐 하셔요?

10.   돼지 농장 앞 / N

농장 마당으로 달려 들어오는 삼식. 지칠 대로 지쳐 무릎을 잡고 헉헉대다가
고개를 드는데… 쾅! 하며 농장 문 빗장을 걸어 잠그는 누군가… 그러더니
라이터를 켜 바닥에 가져다 댄다. 순식간에 화라락~ 옮겨붙는 불.

삼식   (놀라) 어어어어… 야!… 너 이 새끼!!… 시방 뭐허는 겨?!!!

삼식을 돌아보고 당황하는 괴한. 순간, 퍽! 삼식의 뒤에서 날아오는 몽둥이.
삼식, 그대로 스르륵 정신을 잃고 바닥에 널브러진다. 괴한들, 빈 휘발유
통들을 챙겨 빠르게 농장 길을 달려 내려가다가 삼식을 뒤따라오던 소 실장,
차 대리와 마주친다. 당황한 얼굴로 잠시 대치하는 두 무리. 그때, 농장에서
치솟는 불길을 발견한 차 대리.

차 대리   어?… 저… 저기… 불!!

순간, 소 실장과 차 대리를 향해 빈 휘발유 통을 휘두르는 괴한들. 방향을
틀더니 빠르게 풀숲으로 도망간다.

소 실장   잡아!!!

소 실장과 차 대리 괴한들을 쫓아 뛰어간다. 잠시 후… 헉헉대며 달려오는
박씨와 청년회장. 농장의 불길을 보고 기겁을 한다.

청년회장	저… 저게 뭐여? 불… 불이여!! 불!!!
박씨	옴마… 빨리 119…119…

그때, 박씨의 눈에 보이는 쓰러진 삼식.

| 박씨 | 잠깐만… 저건… (눈이 점점 커지더니) 사… 삼식아!!! |

박씨, 달려와 삼식을 안는다.

박씨	삼식아!! 아이고… 야가 왜 이랴… 삼식아… 삼식아….
청년회장	여보세요? 거기 119죠?

11.   정씨네, 마루 / N

큰 대야 한가득 마늘을 까고 있는 정씨와 미주… 그리고 같이 마늘 까는
이장과 옆에서 휴대폰을 보는 이장 부인.

정씨	가만 보면 두 분 참 금슬 좋으셔….
미주	그러게… 야간 데이트라니… 너무 낭만적인 거 아니에요?
이장	데이트는 무신… 잠이 안 와서 바람 쐬러 나온 거여.
미주	어머… 이 엄동설한에요? 오늘 영하 10도예요.
이장	큼… 근디… 김장철 다 지나고 뭔 마늘을 이리 많이 깐다?
정씨	흑마늘이 위에 좋대서 좀 맨들어보려구유.

이장	위?… 왜 누가 위장이 안 좋아?

정씨	아… 그게… (잠시 머뭇거리다) 저기… 이장님 실은…

순간, 미주가 정씨를 쿡 찌르더니…

미주	그냥 미리미리 챙기자는 거죠, 뭐… 흑마늘이 워낙 좋으니까!
이장 부인	흑마늘 만들면 저희도 좀 주세요.
정씨	그려… 어째… 그 집도 위가 안 좋아?
이장 부인	아니… 위는 좋은데 아래가… (휴대폰 보이며) 여기 보니까 흑마늘이 남자들한테 좋대서요… 우리 이이가 멀쩡해 보여도…
이장	(말 막으며) 거… 엠비&*@%$!!… 쓸데없는 소릴…

그때, '불이야!! 불이야!!!' 하는 소리가 들린다.

12.   정씨네 앞 / N

뛰어나오는 이장과 이장 부인, 정씨와 미주. '불이야, 불이야' 차창 밖으로
고개 내밀고 소리 지르는 한복 차림의 양씨와 양씨 처 보인다.

양씨	아이고 이장님 여기 계셨네!!!… 큰일 났어유… 불… 불이에유….
이장	아니… 워디서 불이 났다는 겨? (둘러보며) 안 보이는디?
양씨	그게… 산에서 새벽기도 허는디… 저짝 강호네 농장 쪽에서 불길이 막…

이장	뭐여?!!!

13.   돼지 농장 앞 / N

화염에 휩싸인 농장. 양씨의 트럭에서 내린 이장과 양씨를 비롯한 미주와
정씨, 이장 부인, 양씨 처 달려온다.

이장	아이고!! 이게 뭔 일이여!!!

정씨, 얼른 박씨를 보고 달려가더니…

정씨	오매? 삼식이 아니여?… 야는 여서 왜 이러고 있어?
이장 부인	삼식이가 이번엔 불을 지른 거예요?
박씨	(버럭) 아니여!!!!… 아휴… 삼식아… 정신 좀 차려봐, 이 새끼야!!!!!
이장	강호 엄마는? 강호 엄마는 어딨어?
청년회장	모르겠어요… 트럭은 여 있는디… 전화를 안 받아유….
양씨	자자… 일단 물부터 뿌리자구유….

이장과 청년회장, 양씨, 창고 쪽으로 달려간다. 미주, 초조한 얼굴로 강호에게
전화를 건다. 하지만 받지 않고… 그때, 미주의 눈에 창고 옆으로 기어 나오고
있는 누군가의 모습이 보인다… 영순이다!

미주	아… 아줌마!!!!!!!!!

미주, 달려가 영순을 부축한다. 정씨와 양씨 처가 달려와 함께 부축해 영순을
앞마당에 앉힌다.

정씨   세상에… 이게 뭔 일이여? 어디 그쪽에서 나와?

영순   콜록콜록… 강호… 우리 강호 좀… 콜록콜록콜록.

미주   강호라니요?… 강호가 어딨는데요?

영순, 콜록콜록 기침하며 힘겹게 농장을 가리킨다.

미주   (놀라) 뭐라구요?

정씨   아니… 그러니께 시방 강호가 저 안에 있다는 겨?

그때, '자자, 비켜봐유' 호스를 든 청년회장과 양씨, 이장이 달려나온다.

청년회장   (영순 발견하고) 어!! 저… 강호 엄니 아니에요?

양씨 처   큰일 났어요… 강호가 저 안에 있대요….

이장   뭐여?!!

영순   강호야… 아아… 강호야!!!!!

영순, 농장 쪽으로 가려고 하자 얼른 잡는 정씨.

정씨   아이고… 왜 이랴… 안 디야…

영순   놔요… 우리 강호… 콜록콜록… 이것 좀 놔봐요…
               강호야!! 강호, 콜록콜록!

순간, 벌떡 일어나는 미주. 숨을 크게 한 번 쉬더니 농장 쪽을 향해 가려는데…
그런 미주의 발목을 탁! 잡는 손. 보면, 삼식이가 밑에서 미주를 올려다보고
있다.

삼식   가만 있으….

박씨   사… 삼식아… 괜찮아?… 아이고… 아이고… 살았네… 내 새끼!!

삼식, 몸을 일으켜 앉더니 머리가 아픈지 푸르르 머리를 흔든다. 그리고는
벌떡 일어나 농장 입구에 물을 뿌리고 있는 청년회장에게 다가가 호스를
뺏는다… 호스를 자신의 머리 위에 대고 갑자기 샤워하는 삼식.

미주   야! 이 미친놈아!!… 지금 뭐 하는 거야!!!!!

미주가 죽일 듯이 달려들자 손을 척 들어 멈추게 하는 삼식. 호스를 미주에게
건넨다.

삼식   내가 달리는 디로 쏴….

그리고는 바닥에 돌덩어리 하나를 집어 농장을 향해 뛰기 시작한다.

청년회장   뭐… 뭐 허는 거여? 설마…

박씨   안 돼… 안 돼… 삼식아… 야 이 새끼야!!!! 안 댜!!!!!!!!!!!!!

달려가 빗장 부분을 돌로 내리쳐 부수는 삼식. 발로 문을 쾅 열고 안으로
달려 들어간다. '안 돼!!!!! 삼식아!!!!!!!' 박씨와 청년회장이 허겁지겁
달려오는데… 불붙은 축사 문이 대롱대다 마당으로 팍 떨어진다. 뒤로
물러서는 박씨와 청년회장. '강호야!!!!' '삼식아!!!!' 울고 불고… 들어가려

하고 막고… 그야말로 난리가 나는데… 그때… 에엥~~ 달려오는 소방차와
구급차!!!

이장   빨리빨리!!!! 안에 사람이 있어요… 빨리!!!

소방관들 다급하게 움직이는데… 그때…

청년회장   어!! 저기!!! 나온다!!!… 봐요… 우리 삼식이가 강호를 구해
             나오고 있어요!!!

보면 누군가를 업고 불길 속을 뚫고 나오고 있는 한 남자. 사람들 일제히
와!!!!! 박수를 치는데… 점점 뚜렷해지는 형체… 자세히 보면 강호가
삼식이를 업고 나오고 있다.

이장   뭐… 뭐여? 저건 강호 아니여?

비틀비틀 걸어나오는 강호. 가만히 주위를 둘러보다 영순을 본다…
점점점 붉어져 오는 강호의 눈… 하지만 이내 툭 주저앉더니 푹 쓰러지는
강호. 업혀 있던 삼식과 함께 널브러진다…. '강호야!!!!!!', '삼식아!!!!!!!!'
영순과 마을 사람들 달려가 두 사람을 추스르기 시작한다.

14.   병원, 응급실 / N

머리에 붕대 감고 수액을 꽂은 채 누워 있는 강호. 그런 강호 옆에서 먹먹한
눈으로 앉아 있는 영순. 머리를 스쳐 가는 생각들.

– 돈사 입구 문을 탕! 닫던 한 남자의 실루엣. 그리고 곧 번져오던 불길.

– 과거 불타던 해식의 농장, 그 앞에서 몸부림치며 울던 해식.

– 싸늘한 시체가 되어 누워 있던 해식.

다시 현실. 불안한 얼굴의 영순. 고개를 빠르게 젓는다. 그런 영순에게
다가오는 미주.

미주　　몸도 안 좋으신데, 왜 앉아 계세요? 강호, 상처 부위 봉합도
　　　　잘됐고 금방 깨어난다니까 너무 걱정 마세요.

영순　　괜히 우리 땜에 하루 종일 병원만 왔다 갔다 하네… 미안해,
　　　　미주야.

미주　　무슨 그런 말씀을 하세요. 자자… 일단 이쪽으로 좀 누우세요.

미주, 영순을 일으켜 세우는데… 그때, '삼식아!!' 하는 소리가 들린다.
조금 떨어진 침대. 삼식이가 눈을 뜨고는 주변을 살핀다.

삼식　　여가… 어디여?

박씨, 울먹울먹한 눈으로 삼식이를 보더니… 이내 삼식을 퍽퍽 내리친다.

박씨　　이 새끼!!… 나쁜 새끼!!!… 이 개놈의 새끼!!

청년회장　아휴… 아픈 애헌티 왜 이랴… 그만혀.

박씨　　누가 그러라고 혔어? 누가 그 따위 위험헌 짓 허라고 혔어!!!
　　　　도둑질허고 속썩여도 사지육신 멀쩡허고 건강헌 거… 내가 그거

하나 감사허고 살았는디… 감히 어디라고 불길로 뛰어 어? 니가
뭐… 불나방이여?!!!

삼식   풋. (자기도 모르게 웃음 새고) 거서 불나방이 왜 나와… 불나방이…
         크크큭.

박씨를 잡고 말리다가 확 얼굴이 굳는 청년회장. 스르르 삼식을 돌아보더니
냅다 달려와 팔뚝을 패기 시작한다.

청년회장   웃어? 너, 이 새끼… 지금 웃음이 나와?

삼식   아후… 진짜… 아부지까지 왜 그래유.

청년회장   하마터면 죽을 뻔혔어!!! 너 잘못되면… 평생 니놈 하나 보고
         살아온 우린 워쩌라고? 넘이 욕허는 거 듣기 싫어서 내가 먼저
         욕허고… 넘헌티 은어맞는 꼴 보기 싫다고 니 엄니가 먼저
         두들겨 팼어. 내 새끼 내가 등신 만드는… 그게 어떤 맘인지 니가
         알기나 혀? 사고 쳐도 좋고 백수건달이어도 좋으께… 살아만
         있으라고 새끼야!! 흑흑흑.

청년회장, 눈을 가리고 흐느낀다. 그런 청년회장을 보고 마음이 아려오는
박씨. 얼른 치마춤으로 콧물을 훔치더니 청년회장을 안고 삼식 노려보며…

박씨   개놈의 새끼… 왜 남의 남자를 울리고 지랄이여….

그때, 다가오는 영순과 미주. 후다닥 떨어지는 청년회장과 박씨.

영순   아휴… 삼식이 깨어났구나… 다행이다.

미주	몸은 좀 어때? 괜찮아?
삼식	나야 뭐… 아!… 강호는요?
영순	(씁쓸) 몇 가지 검사를 더 해야 돼서 이따가 일반 병실로 옮긴대.

그때, 소방조사관과 경찰이 다가온다.

| 경찰 | 아, 깨어나셨네…. |

15   병원, 응급실 앞 / N

의자에 삼식과 영순이 소방조사관, 경찰과 함께 있다. 영순, 생각이 많은 듯 얼굴이 초조하다.

경찰	화재 원인을 조사 중인디 발화 지점인 농장 입구에서 휘발유 성분이…
삼식	(얼른) 아! 그거… 지가 설명 드릴게요. 그러니께 제가 아까 최강호를 좀 보려고 농장에 갔단 말이여요. 근디 웬 수상한 놈이…

순간, 얼른 삼식의 말을 가로막는 영순.

영순	제가 그랬어요. 제가… 실수로….
경찰	네? 뭘?
영순	그러니까… 저 때문에 불이 난 거라구요. 석유를 넣다가 난로가

넘어지는 바람에…. 원래… 불 피워놓고 석유 넣으면 안 되는
건데… 급한 마음에….

삼식   (황당한 얼굴로 영순 보더니) 아니… 아줌니… 무슨 말씀이세요.
제가 봤다니까요. 어떤 놈이… 아니, 한 놈은 아닌 것 같어.
(머리 들이밀며) 여기 뒤통수에 상처 보이쥬?

경찰   아휴… 상처가 거기만 있는 게 아닌디? 얼굴은 왜 이래요?

영순   (얼른) 아휴… 삼식이 얘가 농장 앞에서 자빠져 한참 정신을
놓았다더니….

삼식   아니, 자빠진 게 아니고…

영순   (경찰 보며) 조사하고 말 것도 없어요. 제가 피해잔데 왜 허튼 소릴
하겠어요. 괜히 바쁘신데 이렇게 고생시켜 정말 죄송합니다.

삼식, 황당한 얼굴로 영순을 바라본다. 응급실 안쪽에서 살짝 얘기를 엿듣고
있는 미주.

16.   **병원, 비상계단 / N**

삼식이를 끌고 비상계단으로 들어오는 미주.

미주   너가 봤다는 그 수상한 사람이 누구야?

삼식   고새 엿들었어?…

미주   누구냐고? 동네 사람은 아니지?

삼식	우리 동네서 그런 짓 헐 사람이 누가 있다고….
미주	아줌마 농장 뺏고 싶어서 환장했던 아저씨 하나가 있었어. 트롯백이라고.
삼식	아저씨 아니여… 키가 이따만 하고 몸도 우락부락 마동석만 한 놈이었어. 내가 도착하자마자 문 잠그고 바로 불을 지르더라고. 너도 봤잖여… 농장 문 빗장 채워 있던 거…. 안에서 문을 어떻게 잠궈… 말도 안 되지.
미주	근데 왜 아주머니는 거짓말을 해?
삼식	그러니께… 내 말이 그거여…. (갸웃) 뭔가 눈치를 챘나?
미주	눈치를 채다니?
삼식	아니… 아니여… 말이 헛나왔어.
미주	삼식이 너… 뭔가 알고 있지?
삼식	알긴 내가 뭘 알어? 난 평생 뭘 알아본 적이 없어.
미주	그래?… 근데 그 시간에 돼지 농장에는 왜 갔어?
삼식	아… 그건… 가… 강호를 좀 만나려고….
미주	장난해?… 그 새벽에? 그 꼴을 하고?
삼식	….
미주	얼굴은 왜 그래? 누구한테 은어맞았어?
삼식	맞은 거 아니여… 아…아… 아까 계단에서 굴렀어.

순간, 홱 삼식의 멱살을 잡고 아래 계단 쪽으로 향하게 하는 미주.

나쁜엄마   314

미주	진짜 계단에서 옴팡지게 한번 굴러볼래?!!… 바른 대로 말 안 해? 안 그럼… 난 니가 불질렀다고 생각헐 수밖에 없어?
삼식	뭐? 야, 이씨!! 그게 말이 돼?
미주	왜 말이 안 돼… 너 강호 질투했잖아… 내가 좋아한다고.
삼식	너 강호 좋아혀?
미주	(당황) 좋… 아하는 게 아니고… 아무튼… 그래서… 왜 불을 질렀냐고!!! 왜!!!

미주가 계단 쪽으로 더 밀어붙여 당장이라도 떨어질 듯한 삼식.

삼식	야야야… 아니라고오!!!!… 내가 아니라… 오… 오태수놈들 짓이라고!!!!
미주	(획 다시 끌어당기더니) 오태수?… 오태수라니? 우리가 아는 그 오태수?
삼식	하아~ (한숨을 내쉬더니 번쩍 고개를 들고) 미주야… 실은 말이여… 강호가 위험햐….

17.   병원, 병실 / N

검은 재가 묻은 강호의 손을 닦아주는 영순. 그때, 문이 열리며 미주가 들어온다.

영순	어? 미주야… 삼식이 퇴원할 때 같이 안 갔어?

미주	당장 경찰에 신고하세요!
영순	응?… 갑자기 무슨 소리야? 뭘 신고해?
미주	강호 죽이려고 하는 사람들이요!

순간, 살풋 눈을 찡그리는 강호. 영순, 당황하더니 달려가 병실 밖을 살피고는 문을 닫는다.

영순	너 어디서 무슨 소릴 들은 거야?
미주	삼식이한테 다 들었어요. 강호가 오태수 의원 비밀을 알고 있어서 그러는 거라면서요.
영순	오태수 의원 비밀?
미주	그 혼외 자식이요… 강호가 그 유전자 검사지 진본을 가지고 있었다는데요.
영순	강호가?
미주	아줌마… 모르셨어요? 그것 때문에 삼식이도 잡혀가 죽을 뻔했고…
영순	아니… 삼식이는 또 왜?
미주	아줌마가 박씨 아줌마한테 준 가방에 그 유전자 검사지 진본이 들어 있었대요.
영순	뭐?!!

강호, 스르르 눈을 뜬다. 떨리는 강호 눈동자 위로 스쳐 가는 이미지들.

- 2화 36씬, 유전자 검사지 보는 송 회장에게 아들로 받아달라고 하는 강호.
- 2화 38씬, 강호에게 유전자 검사지 진본을 없애줄 수 있냐고 묻는 오태수.
- 8화 35씬, 명품관에서 가방 사는 강호.
- 가방 안쪽 칼로 뜯어 유전자 검사지 진본 넣어두는 강호.
- 2화 55씬 사 온 선물 쇼핑백들을 영순 발 앞에 내려놓고 운전석에 오르는 강호.

다시 현실.

영순	그래서 지금 그게 어딨는데?
미주	삼식이가 가지고 있다가 오태수 쪽 사람들한테 뺏겼대요.

영순, 멍한 표정으로 서 있다가… 얼른 정신 차리고…

영순	뭐야… 그럼 된 거잖아? 증거도 다시 가져가고…. 근데 강호한테 왜 이러는 거야?
미주	강호가 알고 있다는 사실이 불안했겠죠.
영순	아니… 머리 다쳐서 아무것도 모르는 어린애가 뭐가 불안해…. 가만… 이러다 삼식이도 위험해지는 거 아니야?
미주	아니요. 아무 증거도 없는 전과자 출신은 그 사람들한테 위협이 안 돼요. 문제는 강호예요…. 만약 강호가 정신이 돌아오기라도 하면 다시 그 증거들을 찾아 내밀 테니까… 그래서 지금 이러는 거예요…. (전화기 꺼내 들며) 빨리 경찰에 신고해야 돼요.

영순	(전화기를 홱 뺏으며) 안 돼!! 하지 마!!
미주	아줌마….
영순	미주야… 일 크게 만들지 말자… 그러니까 내 말은… 우리야말로 아무 증거도 없잖아… 괜히 잘못 건드렸다간 더 위험해질 수도 있어.
미주	그래서 아줌마가 불을 냈다고 거짓말을 하신 거예요? 더 위험해질까 봐? (문득 표정 굳어지더니) 아니, 잠깐만!… 아줌마는 유전자 검사지에 대해 모르셨잖아요. 그러니까 박씨 아줌마한테 가방을 선물하셨을 거고… 그럼 뭐 때문에 경찰에 거짓말을 하신 거예요?
영순	….
미주	아줌마… 또 뭐가 있는 거죠? 그쵸? 말씀해 보세요… 네?
영순	그런 거 없어….
미주	이런 일 당하고도 모르시겠어요? 지금 강호가 위험하다구요!!
영순	알아… 그래서… 그래서… 떠날 거야.
미주	… 네?
영순	어차피 농장도 저렇게 되고… 다 정리해서 오스트리아로 가려구. 예전에 좀 알아봤는데… 에벤스힐페라고 장애인을 돌봐주는 곳이 있대. 적성에 맞는 일자리도 찾아주고 비장애인들과 같이 어울려서 사회생활도 할 수 있게 도와준대. 어차피 나한테 남은 시간도 얼마 없고… 강호 깨어나면 아무도 모르는 데로 이사부터 한 다음… 이민 수속 밟을 거야.

미주	(멍한) ···.
영순	그러니까 미주야··· 이제 강호 신경 쓰지 않아도 돼···. 지금까지 마음 써주고 도와준 것만으로도 충분히 고마워.
미주	잠깐만요··· 이건 말도 안 돼요. 잘못한 사람은 따로 있는데 왜 죄 없는 아줌마랑 강호가 도망을 가요? 우리 그냥··· 신고해요··· 그러면 경찰이 모든 진실을 밝혀줄 거예요. 강호도 보호해 줄 거구요.
영순	···그러다 강호 아빠가 죽었어.
미주	!!!

영순의 눈시울이 붉어진다.

영순	농장에 불이 났었고, 그 진실을 밝히려다 억울하게 죽었다고···. 아무도 그이를 보호해 주지 않았어. 법은 물론이고··· 그 친했던 사람들··· 심지어 가족인 나마저도··· 아무 힘이 없었어.

영순이 강호 쪽으로 돌아서자 눈을 감고 있는 강호.

영순	그래서 우리 강호만큼은 힘 있는 사람이 되라고 그렇게 지독하게 키웠던 거야. 그 외롭고 힘든 시간들을 견디는 동안 얼마나 이 엄마를 원망했을까···.

영순, 표정 야무지게 고치더니···

영순	이젠 우리 강호 내가 지킬 거야. 절대로 아빠처럼 그렇게 만들지

않을 거라고.

미주   강호가 그 외롭고 힘든 시간을 견딜 수 있었던 건 엄마였어요.
            사시를 준비하는 그 긴긴 시간 힘들 때마다 「나는 행복합니다」를
            흥얼거렸거든요. 그거 아줌마가 좋아하시는 노래잖아요.

인서트 과거

-   책상 앞에서 꾸벅꾸벅 졸고 있는 강호. 문득 눈을 뜨더니 나간다.
    건물 옥상에서 잠을 깨우듯 스트레칭 하는 강호. ♪ **나는 행복합니다~**
    흥얼거린다.
-   커다란 대야에 이불 빨래 발로 밟으며 ♪ **나는 행복합니다~**
-   사시 관련 책과 문제집 등을 끈으로 묶어 밖으로 가져 나가며
    ♪ **나는 행복합니다~**
-   알딸딸 취해서 미주와 걸으며 비틀비틀 ♪ **정말정말 행복합니다~**

영순, 동그래진 눈으로 미주를 바라본다.

미주   서울에 전집이 얼마나 많은지 모르시죠? 웬만한 데는 다
            가봤어요. 왜냐면… 녹두전이 먹고 싶은데… 가는 곳마다
            다 맛이 없다고 투덜대는 거예요.

인서트 과거

-   사람 많은 전집에서 녹두전 먹더니 고개를 절레절레 흔드는 강호.
-   사람 바글바글 또 다른 전집. 한 입 먹더니 젓가락으로 엑스자 만드는 강호.
-   부엌에서 휴대폰 보면서 직접 녹두전 부치는 강호. 한 입 먹더니 웩…
    쓰레기통에 녹두전을 접시째 버렸다가 얼른 접시만 집어 드는.

미주	지금 생각해 보니 아줌마가 만드신 녹두전 맛을 찾고 있었나 봐요.
영순	….
미주	자다가 악몽을 꿨는지 엄마! 하고 일어나서 한참을 운 적도 있었고 돼지 구제역 뉴스라도 나온 날이면 하루 종일 불안해 보였어요. 강호는 엄마를 원망한 게 아니라 많이 걱정하고 그리워했던 거예요.

영순, 여전히 멍한 얼굴로 미주를 바라보다가…

영순	너였니?
미주	네?
영순	강호가 일기에 써놨던 그 애가 너였냐구.
미주	…!
영순	사시공부 하는 내내 옆에서 지켜주고 도와주고… 강호가 그렇게나 사랑했다던 그 애가… 미주 너였구나? 그치?

미주, 고개를 푹 숙인다.

영순	그래서… 그래서 그 기억을 잃은 와중에도 무의식적으로 너를 찾고, 좋아하고….

플래시백 5화 8씬, 영순네

영순, 강호의 긁힌 상처에 밴드를 붙여준다.

강호	근데, 엄마…
영순	응?
강호	나… 왜 아픈 거예요?
영순	여기저기 넘어지고 쓸리고 했는데 당연히 아프지.
강호	그게 아니고… (가슴을 만지며) 여기요…
영순	응?… 거기가 아파?… 왜?… 언제부터 아팠는데?
강호	그 예쁜 사람 보고 나서부터요.
영순	예쁜 사람?… 그게 누군데?
강호	(고개 젓는다) 나도 모르는 사람인데요… 근데… 아파요, 여기가….

자신의 가슴을 어루만지는 강호… 눈에서 주르륵 눈물이 흐른다.

다시 현실.

영순	아… 그래 맞아… 이제야 알 것 같아.

영순, 다가와 미주를 확 끌어안는다.

영순	얼마나 힘들고… 얼마나 아팠니? 왜 말하지 않았어? 아! 그치… 말할 수 없었겠구나… (떨어져 미주 손 잡으며) 그래도 좋은 사람 만나서 저렇게 예쁜 아이들 낳고 잘 살고 있어서… 정말 다행이다. 미안해… 너무 늦었지만 강호 대신 아줌마가 사과할게… 정말 미안하다.

미주, 영순을 한동안 바라보다 무언가 결심한 듯 크게 숨을 쉰다.

미주   저도 죄송해요. 진작 말씀드렸어야 됐는데… 저도 너무
         늦었어요.

영순   아니야… 미주 니가 뭘 죄송해… 다 강호랑 내 잘못이고…
         상황도 어쩔 수…

미주   저… 결혼하지 않았어요. 서진이, 예진이……………………
         강호 아이예요.

순간, 너무나도 큰 충격에 비틀하는 영순.

미주   그치만 지금은 제 아이들이에요. 강호와 헤어지고 난 후
         임신 사실을 알았고 온전히 제 선택과 결정만으로 태어난
         아이들이니까요. 아이들을 핑계로 강호의 발목을 잡을 생각도
         없었고, 아이들을 이유로 강호에게 돌아갈 마음도 없어요.
         비록 지금은 기억을 못 하지만… 강호는 그때 분명히 저를
         버렸거든요.

영순, 바들바들 떨리는 손을 내밀며 다가오자 한 발 물러서는 미주.

미주   떠나신다고 하셔서 아이들 얘기가 혹시 부담이 될까 잠시
         고민했어요. 근데… 저도 엄마잖아요… 아줌마가 어떤 심정일지
         누구보다 잘 알아요…. 지금 말하지 않으면 평생 죄책감 속에
         살 거예요.

영순   미주야… 강호는 너를 버린 게 아니야. 강호… 아빠의 복수를

하려고 했어. 그래서 아빠를 죽인 사람의 아들로 들어가
그 공범의 딸과 결혼하려고 했던 거야.

미주 네?!!! 그게 무슨… 그럼… 강호 아버지를 죽인 사람이…

영순 송우벽… 그리고 오태수… 그래서 우벽그룹 비리를 모으고
오태수의 유전자 검사지를 가지고 있었던 거야.

미주 !!!!!

영순 강호는 우리를 버린 게 아니야…. 나중에 일이 잘못됐을 때
강호의 가족이고 연인이라는 이유로 혹시나 위험해질까 봐
스스로 떠난 기야…. 진짜 강호가 버린 건 우리가 아니라…
지 자신이었다구.

미주, 바들바들 떨리는 눈으로 강호를 본다.

플래시백 5화 33씬, 미주 자취방

강호 나… 하고 싶은 일이 생겼어.

미주 그 일… 내가 없어야 할 수 있는 거구나?

강호 뭔지 알고 싶어?

미주 알면… 우리 달라져?

강호 아니….

미주 그럼 나도… 아니….

다시 현실. 순간, 감고 있는 강호의 눈에서 눈물이 주르륵 흘러내린다.

미주   강호… 야….

그러자 입술이 비틀어지더니 이내 으흐흑 울음을 토해내는 강호.

영순   (후다닥 달려오며) 강호야… 강호야… 정신이 들어?
          강호야… 왜 그래… 눈 좀 떠봐….

눈물범벅이 된 눈을 스르르 뜨는 강호. 천천히 영순과 미주를 바라본다.
흑…흐흑… 울음이 복받쳐 한동안 말을 잇지 못하더니… 간신히 입을 여는
강호.

강호   엄마…… 미주야…

그때, 갑자기 쾅! 하고 열리는 문. 그리고 들어오는 신 반장과 조 형사.

신 반장   여기… 최강호 씨 맞으시죠?…

강호   ?

영순   누구…세요?

신 반장   (경찰증 보이며) 경찰입니다.

영순   아… 그건 아까 다 설명드리고 끝난 일인데….

신 반장   네?… 뭐가 끝났다는 거죠?

영순   농장 불난 거 땜에 오신 거 아니세요?… 아님 미주 니가? (미주를
          본다)

미주   (아니라고 고개 젓는)….

신 반장   최강호 씨… 황수현 씨 살해 용의자로 긴급체포하겠습니다.

18.   경찰서 / D

붙잡혀 와 앉아 있는 강호와 그 옆에 넋이 나간 얼굴의 영순.

신 반장   익명의 제보자가 보내 온 사진입니다.

사건 당일, 강호와 황수현이 차 트렁크에 짐을 싣는 사진. 아기를 안고 어르는 강호, 강호와 수현이 함께 차에 오르는 사진 등이 보인다.

신 반장   그리고 네 시간 뒤, 태부도 바닷가에서 이런 사진이 찍혔죠.

강호가 차를 바다로 밀어넣는 사진이다.

신 반장   사진 속 황수현 씨는 얼마 전 태부도와 5키로 떨어진 제면도 바닷가에서 사체로 발견됐습니다. 사망 원인을 규명하기 어려울 정도로 심하게 부패해 있었지만 사진 속에 입고 있던 옷과 가방은 이날과 동일했죠.

강호, 떨리는 눈으로 신 반장이 내미는 황수현 사체 사진, 가방과 옷 사진 등을 본다.

영순   그래서요?… 지금 우리 아들이 여기 이 여자를 죽였다는 거예요?

조 형사   피해자 주변에 물어보니까 그날 최강호 씨가 황수현 씨를 데리고 나간 이후로 아무도 황수현 씨를 본 사람이 없대요. 물론 최강호 씨도 안 나타났구요.

신 반장   (강호에게 황수현 사진 내밀며) 최강호 씨… 여기 이 여자분 아시죠?

강호   (가만히 사진을 쳐다보고 있다가 고개를 젓는다) 몰라요….

신 반장   일주일에 몇 번씩 찾아와 같이 밥도 먹고 했으면서… 모른다? (다른 사진 보여주며) 그럼 이 애기는요?… 애기 태어나고 산후조리원도 자주 갔었잖아요. 다들 최강호 씨를 애기 아빠로 알고 있던데?

영순   무슨 소리예요? 아빠라뇨… 우리 강호는 결혼할 사람이 따로 있었다구요.

신 반장   네… 맞습니다. 바로 그 결혼할 사람 때문에 범죄를 계획한 걸로 추정됩니다. 어마어마한 집안에 사위가 되려는데 황수현 씨와 아이가 걸림돌이 됐을 테니까요.

영순   말도 안 돼… 이봐요!!… (잠시 머뭇거리다가 결심한듯) 사실 그 여자와 아이는 강호가 아니라 오태…

순간, 벌떡 자리에서 일어나는 강호.

강호   엄마… 엄마 나 밥….

영순   응?

강호   배고파… 밥… 나 밥 줘!!!

강호, 주위를 둘러보더니 갑자기 어딘가로 간다. 한쪽 자리에서 컵라면을

먹고 있는 한 형사에게서 컵라면을 뺏더니 손으로 면발을 한움큼 집어 입에
우겨넣는 강호.

영순   (놀라) 어머!!… 강호야!!!… 뭐 하는 거야!

영순, 달려가 컵라면을 뺏으려 하자 '싫어!! 내꺼야!' 하며 컵라면을 잡고
버팅기는 강호. 그러다 그대로 컵라면 용기가 부서지며 라면 국물을
뒤집어쓰는 강호.

영순   아이고… 이걸 어째….

영순, 얼른 조 형사 의자에 걸려 있는 수건을 들고 닦는다.

조 형사   (당황해서) 저… 저기 그게… 걸레가 아니고…

영순   (들은 척도 안하고) 왜 그래, 강호야?… 응? 어디 봐봐…
어디 안 데었어?

강호   엄마 나 배고파… 집에 갈래….

영순   배고파?… 배고프면 엄마가 가서 뭣 좀 사 올게….

강호   싫어… 집에 갈래… 아아아… 여기 싫어… 저 아저씨들 자꾸
화내고… 무서워….

강호가 돌아서 나가려 하자 얼른 잡는 영순.

영순   안 돼… 강호야… 나가면 안 돼….

강호   싫어… 싫다구… 아아, 집에 갈래… 집에 갈 거야!! 저리 가!!!

나쁜엄마   328

강호, 형사 책상에 놓인 사진과 서류들을 마구잡이로 집어 던지며 난동을 부린다. 영순, 충격받은 얼굴로 그런 강호를 가만히 본다. 조 형사가 얼른 강호의 손을 뒤로 꺾더니 책상 위에 머리를 쿵 찍어 제압한다.

영순 지금… 뭐 하는 짓이야!!!… 아픈 애한테!!! 빨리 그 손 안 놔?

영순이 조 형사 등짝을 마구 때린다. 너무 아픈지 조 형사가 손을 놓자 바닥에 아예 드러누워 아이처럼 발버둥을 치는 강호. 라면 면발과 국물이 온몸에 묻어 그야말로 아수라장이다.

강호 집에 갈래!!… 엄마 집에 가자!!!… 아아앙.

영순 (얼른 강호 안으며) 괜찮아… 괜찮아, 강호야… 알았어…
       엄마랑 집에 가자….

표정이 차갑게 굳어지는 영순. 벌떡 일어나더니…

영순 같이 차 타고 나가면 다 살인자야? 우리 애가 그 여자를
       죽였다는 증거가 있냐고? 근데 사고로 머리 다쳐서 사리분별도
       안 되는 애 잡아다 놓고 폭력을 써? 여기 서장 나와!!! 장애인
       인권유린으로 당장 고소해버릴 거야!!!!

19.   경찰서, 서장실 / D

기중기에 거꾸로 매달린 차 사진 한 장과 보고서를 번갈아 보는 서장.

서장	이거… 뭐냐?
조 형사	오늘 태부도 사건 현장 자동차 인양 사진과 보고섭니다.
서장	인양이고 김양이고 어떻게 된 거냐고?!!… 봐… 차 문이랑 차창이고 다 안에서 잠겨 있었대잖아… 근데… 어떻게 시체가 빠져나가서 제면도까지 가?
신 반장	그게… 다른 곳에서 범행를 저지른 후… 차만 버린 걸 수도…
서장	다른 데, 어디서, 어떻게, 왜?
신 반장	그건 지금 조사 중인…
서장	음… 그러니까 아직 아무 증거도 없다는 거네? 심지어 피해자가 차 안에 있었는지조차 파악을 못 했고? 그치?
신 반장	….
서장	멍청한 니들한테 지금 유일한 희망은 최강호의 자백뿐일 텐데… (소견서 보며) 여기 의사 소견서에 의하면 현재 지적 연령이 여덟 살이래 여덟 살….
신 반장	최강호 이놈 범인 맞습니다… 반드시 증거 찾을 겁니다.
서장	그래… 찾아!!… 찾아와서 얘기해, 새끼야!!!… (서류 던지며) 빨리 안 내보내?
신 반장	하지만… 서장님, 지금 풀어주면…
서장	증거인멸이나 도주의 우려가 있다고 개소리 할 참이냐? 아무 증거도 없이 지적장애인 데려다 고문한다고 지금 난리야. 자칫 기사라도 한 줄 잘못 뜨는 날엔… 후우… (버럭) 당장

풀어줘!! 당장!!

20.   영순네 앞 / D

형사들 승용차에서 내리는 강호와 영순. 강호는 조 형사의 키만큼이나 껑충한
추리닝 세트를 입고 있다. 영순이, 운전석으로 다가간다.

영순   추리닝 빌려주셔서 고맙습니다… 어떻게… 택배로
           보내드릴까요?

신 반장 증거 찾아서 다시 잡으러 올 거니까 잘 가지고 계세요.
            행여 도주시킬 생각 마시구요. 형량 엄청 늘어납니다!

영순   저… 시장하실 텐데… 식사라도… 국수 금방 끓이면 되는데….

조 형사, 그 말에 신 반장을 봤다가 분위기 파악하고 얼른 기어를 넣는다.
형사들 차가 부앙~ 사라진다. 영순, 형사들 차가 멀어지는 걸 한참 바라보다
돌아서는데 강호가 없다.

21.   영순네, 안방 / D

강호, 비어 있는 돌 사진 액자 안을 망연자실한 얼굴로 보고 있다.

영순   V.O 강호야.

영순의 소리에 놀라 얼른 액자를 다시 맞춰 걸어놓는 강호. 방 안으로
들어서는 영순… 엉성하게 맞춰 걸은 액자가 달랑거리다 이내 분해되며
바닥으로 퍽 떨어진다. 강호, 얼른 액자를 제대로 다시 맞춰 벽에 건다.
그 모습을 그저 물끄러미 보는 영순. 강호, 영순이 계속해서 쳐다보자 눈을
피하더니 벌떡 일어난다.

강호   (몸 냄새 맡으며) 으~~ 냄새 냄새… 엄마… 나 목욕할래.

강호, 영순을 비껴가려는데 그런 강호의 팔을 탁 잡는 영순.

영순   엄마, 엄청 오래 기다렸어… 근데… 인사도 안 해줄거야?

강호   (스르르 영순을 쳐다본다) ….

영순의 붉어진 눈에서 눈물이 뚝뚝 떨어진다.

영순   돌아왔구나, 우리 아들…. 어서 와… 오랜만이야…. 엄마 너무
            무서웠어… 다시는 너를 못 만날까 봐. 너한테 엄마가 정말
            잘못했다고 용서를 빌어야 되는데… 그러지 못하고 떠날까 봐….
            미안해… 강호야… 엄마가 잘못했어….

영순, 왈칵 눈물을 터뜨린다. 강호의 눈도 점점점 붉어진다. 강호, 천천히
영순에게 다가가더니 이내 꼭 끌어안는다.

강호   다녀왔습니다… 어머니….

아아… 강호를 부여잡고 목 놓아 우는 영순.

나쁜엄마

22. 영순네, 마루 / D

마루에 앉아 해식의 영정 사진을 가만히 닦는 영순, 그 옆에 강호.

강호　　어떻게 아셨어요?

영순　　어떻게 몰라… 엄만데… 흣… 배우 해도 되겠어… 연기가…
　　　　　연기가….

강호, 겸연쩍게 웃더니…

강호　　어떻게든 거길 나와야 했어요. 그래야 뭐라도 할 수 있으니까….

영순　　그게 무슨… 너… 설마… (단호하게) 안 돼! 강호야… 위험해!!!!
　　　　　절대 안 돼!

강호　　아버지, 황수현… 그리고 농장에 불까지… 아직 모르시겠어요?
　　　　　가만히 있으면 더 위험해져요.

영순　　증거도 다 없어진 마당에 뭘 어쩌려고?… 하… 엄마가 미안해…
　　　　　일이 이렇게 될 줄도 모르고 바보같이…. 나가자… 응?… 엄마랑
　　　　　멀리멀리 도망가서 살자.

강호　　수현 씨도 그러려다 저렇게 된 거예요. 그 사람들은 무슨 짓을
　　　　　해서라도 우릴 찾아낼 거예요… 그 전에 우리가 먼저 그놈들을
　　　　　잡을 증거를 찾아야 돼요.

영순　　그걸 어디서 어떻게 찾는다는 거야.

강호　　한 개의 거짓말을 덮으려면 일곱 개의 거짓말이 필요하댔어요.

죄도 마찬가지예요. 완벽하게 덮으려면 또 다른 죄를 지을
수밖에 없어요. 증거는 반드시 어떤 형태로든 남아 있어요.
제가… 찾아올게요.

23.   마을 일각 / D

배낭을 메고 모자와 마스크로 얼굴을 가린 강호가 빠른 걸음으로 걷고 있다.

강호   [V.O] 단, 이 모든 게 끝날 때까지 제 기억이 돌아온 걸 누구도
            알면 안 돼요. 그리고 절대로 어머니 혼자 계시지 마세요…
            아셨죠?

그러다 문득 느려지는 발걸음. 저 멀리 예진과 서진이 앉아 있다.
강호, 귓가에 들려오는 재즈의 선율…

24.   재즈바 (과거) / N

재즈음악이 이어지는 가운데 강호가 술집에 앉아 혼자 술을 마시고 있다.
유리로 된 테이블 위에 '10√2'를 쓴다.

25.   네일샵 (과거) / N

비틀대며 서 있는 강호. 저 멀리 미주가 일하는 네일샵이 보인다. 그때,
쌍둥이를 실은 유모차를 끌고 오는 미주… 옆에는 남자가 있다. (선영
남친) 다정하게 장난을 치며 걷는 두 사람. 충격에 휩싸인 강호의 얼굴…
그때 미주가 이쪽을 보자 확 돌아서 가는 강호. 그때, 네일샵 문이 열리며
뛰어나오는 선영… 남친에게… '어? 자기… 어떻게 미주랑 같이 와?'…
'오다가 요 앞에서 만났어'

26.   도로 (과거) / N

비가 오는 거리. 우산도 없이 비를 맞으며 힘없이 걷는 강호. 눈물이 흐른다.

27.   마을 일각 / D

다시 현실. 저 멀리 천진난만하게 놀고 있는 서진과 예진. 강호, 그런 아이들을
말없이 바라보는데… 그때, 예진이 강호를 본다.

예진   어? 강호 오빠다!. 오빠!!!!!!!!!

서진   모자에 마스크밖에 안 보이는디 강호 형인지 어떻게 알아?

예진   사랑으로?… 오빠!!!!!!!!!!!!!!!!!!!

예진과 서진이 강호를 향해 달려온다. 그런 아이들을 바라보는 강호.
서서히 한쪽 무릎을 굽히고 앉아 양팔을 벌린다. 달려와 안기는 서진과 예진.
강호, 말없이 서진과 예진을 꼭 끌어안고 있다가… 이내 천천히 입을 뗀다.

강호   미안해… 못 알아봐서….

웃으며 강호를 바라보는 서진과 예진.

서진   실은… 나도 못 알아봤어… 모자 새로 산 겨?

예진   으이그… 오빠 이거 열 번도 넘게 썼거든? (수줍게) 오빠 못
            알아봐도 돼요… 내가 한눈에 알아볼 테니께….

강호, 빙그레 웃더니 예진과 서진을 다시 한번 꼭 안아준다.

28.   웅렬농약사 앞/ D

네일아트를 해주는 미주가 유리창 너머로 보인다. 그런 미주를 유리창 너머
가만히 보는 강호. 미주가 일하던 네일샵에서 유리창에 합격증을 붙이던 자신.
유리창을 사이에 두고 뽀뽀하던 모습이 스쳐 간다. 그때, 농약 가게 안에서
사장이 강호를 본다.

농약방 사장   어? 저 사람은 그때 그 검사님 아니여?

미주, 그 말에 밖을 바라보면 강호가 서 있다.

29.   읍내 일각 / D

말없이 걷는 두 사람. 그러다 우뚝 걸음을 멈추는 미주… 홱 강호를 본다.

미주   …너… 방금… 뭐라고 했어?…

강호   쁘띠네일, 사시세끼, 유부초밥, 10√2… 나… 이제 다
생각났다고.

강호를 노려보는 미주의 눈에 빠르게 눈물이 고이기 시작한다.

미주   그럼… 이제 안 아픈 거야?

강호   (끄덕)

미주   그렇구나…….

미주, 잠시 고개를 끄덕끄덕 하더니… 갑자기 표정 바뀌며…

미주   그럼… 이제 좀 맞자, 나쁜 새끼!!

미주, 정신없이 핸드백을 휘둘러 강호를 때리기 시작한다.

미주   왜 말 안 했어? … 왜왜왜?!! 니 옆에 있으면 내가 위험할까 봐
그랬다고? 정말 위험한 게 뭔지 알아? 하루에도 몇 번이나 죽고
싶었어… 매일 울고, 매일 욕하고, 매일 널 미워하고 저주했다고!
왜 임산부가 태교를 그 따위로 하게 만들어… 예진이, 서진이
성질 지랄 같은 거 다 니 탓이야, 이 새끼야… 다시 만나면
죽여버리려고 했어… 근데 아프대….

다 낫기만 해라… 진짜 죽인다… 근데… 근데… 니가 더 아팠대.
버려지고 비참하고 억울한 건 난데… 왜 난 원망할 데도 없어?
왜… 니가 나보다 더 아프냐고… 왜!!!!!! 엉엉엉.

강호, 어린아이처럼 울음이 터진 미주를 안아준다.

강호   미안해… 근데 미주야… 나 용서하지 마….

미주   뭐라고?

강호   나… 니가 없어야 할 수 있는 그 일… 아직 안 끝났어….
그러니끼… 절대로… 절대로 용서하지 말고 매일 욕하고
미워하고 저주하고… 그러고 있어…. 무사히 다 마치고
돌아오면… 그때 무릎 꿇고 정식으로 빌게. 그땐 내가
너 기다릴게. 니가 날 용서해 줄 때까지….

강호, 핵 돌아 뛰어간다.

미주   야! 야! 최강호!!…

아앙… 어린애처럼 엉엉 우는 미주.

30.   트롯백네, 거실 / N

이삿짐을 싸고 있는 트롯백. 이것저것 싸다가 피아노 의자 안에서 악보들을
발견한다. 「주거침입죄」, 「배추꽃과 청벌레」… ♪ **언제 들어왔어, 이 내 가슴에**
꽉 잠긴 내 마음속에~ 노래를 흥얼거리다가 갑자기 한숨을 푸욱~ 쉬는 트롯백.

31.   영순네, 부엌~마당 / N

녹두전이 부쳐지고 있고… 그 앞에서 전화기를 들고 있는 영순.

영순   네… 제가 만둣국하고 녹두전 좀 부쳤거든요… 여섯 시까지
         이장님하고 마을회관으로 오세요. 네….

영순, 전화를 끊고 다시 전화를 건다.

영순   응, 형님 전데요… 이따 여섯 시에 청년회장님 모시고
         마을회관으로 오세요. 저녁 드시지 마시구….

냄비를 열자 모락모락 김치 만둣국이 맛있게 익었다. 그때 탕탕탕!
문 두드리는 소리. 흠칫 놀라는 영순.

영순   네… 그럼 이따 뵐게요.

전화를 끊는 영순. 긴장감으로 문을 살짝 열고 보자 트롯백이 보인다.
휴우~ 안도하고 문을 여는 영순.

영순   어쩐 일이세요?

트롯백   농장에 불났다면서요?… 아니, 어째 터가 안 좋나 왜 자꾸
           재수 없는 일이….

영순   그러게요… 재수 옴 붙은 농장… 그때 그냥 꼴보기 싫은 놈한테
         확 팔아버렸어야 되는 건데… 아깝네….

트롯백, 영순 말에 어이없어 보다가 이내 풋 웃음이 터지는 두 사람.

트롯백 그 꼴배기 싫은 놈 이사 갑니다… 그래서 가기 전에 용기 좀 주러
왔어요.

영순 (쓸쓸히 웃더니) 고맙습니다. 덕분에 용기 내서 잘 살아보겠습니다.

트롯백 아니… 이거… 이 용기 주러 왔다고… 반찬 용기….

트롯백, 영순이 지난번 주었던 반찬 용기들을 내민다. 영순, 어이없어 보다가
이내 또 다시 푸하하하 웃음이 터진다. 그러다 점점 표정이 진지해지는
트롯백.

트롯백 그동안 죄송했습니다. 부디 몸조리 잘하세요. (영순과 눈 마주치자
어색해져 얼른) 그럼 조우리의 국민 밉상 아니… 마을 밉상은 이제
이쯤에서 조용히 꺼지겠습니다!

트롯백, 반찬 통을 영순 손에 쥐여주고 돌아서 간다. 영순, 그 모습을 가만히
보고 있다가…

영순 저기… 잠깐만요!

32. **마을회관 / N**

___

이장을 비롯한 마을 사람들이 멍한 얼굴로 트롯백을 쳐다보고 있다.

이장 송별회?

나쁜엄마

양씨	갑자기 무슨…
영순	여기 작곡가님이 내일 서울로 이사를 가신대요.
청년회장	시상에 그래서 이렇게 강호 엄니가 음식까지 준비한 거예유?
박씨	그니께… 저이가 강호 엄마를 을매나 괴롭혔는디….
이장 부인	혹시 음식에 쥐약 같은 거 넣은 거 아닐까요?
이장	거놈의 예편네가 진짜….
정씨	아이고… 미안혀… 늦었제?

그때, 문이 열리며 들어서는 정씨… 그리고 서진과 예진. 영순, 기다렸다는 듯
후다닥 달려가 서진과 예진을 꼭 안는다.

영순	아이고 우리 새끼들… 어서와… 예진이 전 좋아하지? 서진이 좋아하는 만둣국하고 싱건지도 가져왔어.

갑작스런 영순의 다정한 행동과 말투에 약간 얼떨떨한 서진과 예진.

정씨	아니 몸도 다 못 추스렸을 텐디… 뭔 음식을 허고 그랴… 강호는?
영순	아… 강호는 검사를 좀 받아야 돼서 아직 병원에 있어요. 걱정 마세요. 많이 좋아졌어요… 저희 농장 땜에 고생하신 것도 너무 감사하고 그동안 제가 너무 일에 치여 제 주변 소중한 사람들을 못 둘러본 것 같아서… 이제부터라도 근심걱정 다 잊고 다함께 즐겁게 지내고 싶어요. 왜 그런 노래도 있잖아요… (갑자기 춤추며) ♪ **근심을 묻어놓고 다 함께 차차차~**

트롯백	(영순에게 정색하며 버럭) 저기요… 지금 사람 불러다 놓고
	뭐 하자는 겁니까?!!
일동	!!!!
트롯백	박자가 안 맞잖아, 박자가… ♪ 근심을 묻어놓고 다 함께 차차차~

더 신나게 춤을 추며 노래하는 트롯백.

영순	(멍하니 보다가 다시 춤추며) ♪ 잊자 잊자 오늘만은 미련을 버리자~!
	♪ 울지 말고 그래 그렇게~ 갑자기 사람들 다 함께 일어나 춤을
	추고 노래한다. 까르르르 재밌어하며 그 모습을 동영상으로 찍고
	있는 서진과 예진. 제일 신나서 뛰어다니던 트롯백, 전화가 오자
	한쪽에서 조용히 전화 받는다.
트롯백	여보세요?… 응… 터지다니… 뭐가 터져? (놀라) 뭐!!!!!!!!

33.   송 회장네, 정원 / N

의기양양한 얼굴로 서 있는 소 실장과 차 대리. 그 앞에 괴한 두 명이 온몸이
만신창이가 된 채 끌려와 앉혀 있다. 송 회장, 가만히 보다가 야구방망이를
들고 스르르 일어난다. 그리고는 서서히 소 실장과 차 대리를 향해 다가온다.

송 회장	내가 느그들한테 그 중요한 일을 맡겼을 땐 을매나 기대가 컸겠노?
	우리 우벽과… 내 목줄… 그리고 느그들 모가지가 달린 일이라고
	분명히 말했제?

나쁜엄마

소 실장	죄송합니다. 저희도 일이 이렇게 늦어질 줄은… 그렇지만 다행히 이놈들을…

순간, 송 회장 야구방망이를 번쩍 치켜들더니, 괴한들을 마구 두들겨 패기 시작한다.

송 회장	그딴 바보 새끼 하나 죽이는 게!! 뭐이 그리 힘들다고!!! 으이?!!!! 으이?!!!!

눈앞에서 피죽이 되어 쓰러지는 괴한들을 보며 눈이 휘둥그레지는 소 실장과 차 대리. 송 회장, 야구방망이를 팩 던져버리자 수건을 들고 달려오는 비서.

소 실장	그… 그럼… 이놈들을 보내신 게…
송 회장	(안 듣고) 강호 금마는 어찌 됐노?
비서	오늘 오전 황수현 사건으로 연행되었다가 조금 전 풀려난 것으로 확인됐습니다.
송 회장	풀려났다고?
비서	증거불충분에 현재 심신미약 상태로 인정되는 바람에…
송 회장	아니 증거불충분이라니… 강호 금마가 황수현을 차에 태우는 CCTV에… 또 그 차를 바다로 밀어넣는 영상까지… 다 제보했다이가?
비서	그게… 오늘 태부도 사고 현장에서 차가 인양됐는데… 차문과 창문이 모두 안에서 잠겨 있었다고 합니다.
송 회장	뭐라꼬?… 이기 또 뭔 소리고?

송 회장 잠시 생각하더니…

송 회장　　그러니까… 애초에 황수현은 그 차 안에 읎었다? 하~ 강호
　　　　　　인마가 내 뒤통수를 때렸다는 기네? 근데… 황수현 시체가
　　　　　　떠올랐다? 그라모… 황수현을 누가 직인 기고?

그때, 울리는 송 회장의 휴대폰. [오태수]의 이름이 떠 있다.

34.　　　대검찰청 앞 / N

택시에서 내리는 강호. 천천히 대검찰청 안으로 걸어 들어간다. 검찰청 건물을
회한에 찬 눈으로 찬찬히 바라보는 강호.

35.　　　대검찰청, 로비 / N

출입대 앞으로 다가오는 강호. 주머니에 손을 넣더니 검사증을 꺼내
들여다본다. 출입대에 대자 삑~ 소리와 함께 열리는 문.

36.　　　대검찰청, 직원 주차장 / N

직원용 주차장을 이리저리 둘러보다가 빙그레 웃는 강호. 저 멀리 세워져 있는
2화 3씬의 작은 경차. 강호, 다가가더니 머플러 안쪽에 손을 넣어 차 키를 꺼내

든다. 차에 오르는 강호, 부릉 경쾌하게 시동을 건다.

37.   정씨네, 마루 / N

영순을 부축해서 데리고 들어오는 정씨. 영순, 술에 취해 비틀비틀 신이 났다.

영순   미주야… 아휴… 우리 이쁜 미주… 뽀뽀… (얼굴에 뽀뽀한다)

미주   뭐야… 아픈 사람한테 술을 먹인 거야?

영순   딱 한 잔 먹었어… 딱 한 잔… 나 오늘 기분이 너무 좋아서…
          흐흣….

정씨   그니께… 생전 마시지도 않던 술을 다 마시질 않나…
          무조건 우리 집에서 자겠다고 우기질 않나….

영순   나… 서진이 예진이랑 같이 잘래… 서진아, 예진아 일루 와…
          내 새끼….

영순, 서진이, 예진에게 가려다 꽈당 넘어진다.

정씨   아이고… 진짜… 알았어… 알았어… 일단 들어가서 쫌 누워….

정씨, 영순을 데리고 방으로 가서 눕힌다.

서진   오늘 사람들 막 신나서 춤추고 노래하고 그랬어….

미주	그랬어? 뭐가 그렇게 신났을까?
서진	글쎄… 트롯백 아저씨 없어진다고 신난 거 같기도 하고….

예진, 미주에게 정씨 폰을 보여주다가…

예진	흐잉… 이게 뭐여… 엄마 보여줄려고 찍었는디… 저장이 하나도 안 됐어….
미주	줘봐… (폰을 보더니) 에이… 용량이 꽉 차서 그러잖아. 그러니까 쓸데없는 건 미리미리 지워놨어야지….
예진	쓸데없는 게 어딨어… 다 내 작품인디….
미주	이것 봐… 이거… 할머니 쉬하는 건 왜 찍니?… 이건 뭘 찍은 거야? 개똥이야?
서진	예진이가 개똥을 진짜 약에 써도 되나 실험한다고….

미주, 휴대폰 속 동영상을 하나씩 넘겨 본다. 그렇게 잠깐씩 보는 미주.
그러다 동영상 하나에 멈춘다.

미주	이건 뭐야?
예진	(슬쩍 보더니) 아! 그건… 예전에 강호 오빠 결혼한다고 데리고 온 언니… 아! 그거 지워, 지워… 세상 개똥보다 쓸데없어… 짜증 나…
미주	(달려드는 예진을 저지하며) 잠깐만!

미주, 화면을 자세히 본다. 화면 속 예진이가 마치 유투버처럼 방송하고 있다.

예진   자, 여기 벤츠가 보이시죠? 저희 할머니가 그러시는데 돈이
      아주아주 많은 사람만 탈 수 있는 차래요. 자, 그럼… 안을 한번
      볼까요? 어?… 저기 안에 강호 오빠랑 같이 온 언니가 보이네요.
      지금 가방에서 뭔가를 꺼냈어요. 무슨 약 같아 보이는데요.
      오~ 립스틱으로 열심히 빻고 있어요. 언니도 저처럼 알약을
      못 먹나 봐요. 네~ 가루를 물에 넣지요?… 어? 저렇게 먹으면
      덜 쓸까요? 그래도 양이 너무 많아지는 것 같은데… 뭐…
      어른이니까요.

정씨   이것들이 또 폰 가지고 장난질이네!!!

예진   으악! 할머니예요… 광고 대신 할머니가 나타나는 예진티비
      다음에 만나요~

명한 얼굴의 미주. 다시 화면을 돌려본다. 하영이, 약을 탄 생수병 뚜껑을
잠그더니 운전석 옆 컵홀더에 생수병과 바꿔 놓는 모습이 보인다.

38.   **박씨네, 삼식 방 / D**

미주와 함께 휴대폰에 담긴 동영상을 보고 있는 삼식.

삼식   말도 안 돼… 꺼떡허면 같이 죽을지도 모르는디 운전헐 사람한테
      약을 먹인다고?

미주   그날 운전을 여자가 했대.

삼식   에이… 뭐야… 그럼 더더욱이나 말이 안 되지… 지가 먹을 물에

왜 이상한 약을 탔겠어. 영양제나 뭐 그런 거겠제….

미주   중요한 건 출발할 때는 강호가 운전을 했다는 거야. 그러니까 중간에 두 사람이 자리를 바꿨다는 거지….

삼식   운전이야 뭐 바꿀 수도 있지… 피곤허면….

미주   맞아… 그럴 수 있어… 근데 그 이유가 이상해…. 강호가 잠이 들었었대… 게다가 사고 순간… 여자는 차 밖에 나와 있었고.

삼식   (가만 생각하다가) 그치… 그랬으니까 멀쩡히 날 만났겠지.

미주   출발하기 전에 이상한 약을 타고… 강호가 차 안에서 잠이 들어서 여자가 운전을 하고… 게다가 사고는 강호만 당하고…. 뭔가… 좀 이상하지 않아?

삼식   글씨… 뭐 우연이라고 하기엔 쫌 께름직허긴 헌디….

미주   아무래도 안 되겠어… 나 이 여자 좀 만나봐야겠어.

삼식   뭐?… 야… 안 댜, 안 댜… 지금 나 이러고 있는 거 안 보여?

화면 커지면 장롱 속에 앉아 있는 삼식.

삼식   그놈들 찾아올까 봐 밥도 이 안에서 먹어. 위험하게 여자 혼자 어딜….

미주   걱정 마… 나 혼자 가진 않을 거니까….

39.　　　오태수네 앞 / D

모자에 마스크에 선글라스 낀 삼식과 미주가 함께 서 있다. 미주가 벨을
누르려고 하자 얼른 미주의 손을 막는 삼식.

삼식　　미주야… 니가 날 선택해 준 건 참으로 영광이고 설레는
　　　　일이지만서도… 이건 좀 아닌 것 같햐… 너무 위험햐….

미주　　그럼… 평생 장롱 속에 숨어서 살 거야?

삼식　　그래도 장롱이 관짝보다는 낫지 않겠냐? 너 그놈들 못 봤지?…
　　　　나 이번에 걸리면 진짜 죽을 수도 있어.

미주, 들은 척도 안 하고 벨을 눌러버린다. 아아~~ 고개를 숙이는 삼식.

인터폰　　[F] 누구세요?

미주　　아, 안녕하세요. 여기 하영이네 집이죠? 저… 하영이랑 친한
　　　　친군데요. 하영이랑 전화통화가 안돼서… 혹시 집에 있으면
　　　　만날 수 있을까요.

인터폰　　[F] 죄송한데… 지금 하영 아가씨 집에 없습니다.

강호　　[V.O] 없다구요?

40.　　　신림싱싱횟집 / D

예전 그대로인 신림싱싱횟집 간판과 가게 외관. 수족관에서 생선을 잡아 올리는

한 남자 옆에 강호가 서 있다.

주인   네… 일 년 전에 가게 넘기고 이사가셨어요.

강호   어디로 가셨는데요?

주인   어디로 가셨는지까지는 모르죠…. 처음에는 이것저것
우편물이랑 물건 납품 관련해서 잠깐 연락하고 지냈는데…
어느 날 갑자기 연락이 끊겼어요….

강호, 암담한 얼굴이 된다. 그때, 전화가 울린다.

강호   여보세요?

상대   ….

강호   (얼른 목소리 어눌하게 고쳐) 저는 최강호입니다… 누구세요?

주인   (놀라) ?!

상대   흑흑흑… 검사님… 아흐흑흑흑.

강호   (목소리 다시 바꿔) 수사관님?

41.   **길가 / D**

한적한 길가. 차 안에 수사관(8화 31씬의 '수사관'과 동일 인물)과 나란히 앉아
있는 강호.

수사관   갑자기 차가 없어져서 정말 혹시나 하는 마음에 어머님께 전화

드렸거든요. 차 키 숨겨둔 곳… 검사님하고 저밖에 모르니까….
처음엔 계속 모른다고 하시더니 도난신고를 해야겠다니까
놀라셨는지 그제서야 말씀해 주시더라구요…. 아… 검사님…
정말 다행입니다… 언젠가 꼭 다시 돌아오실 줄 알았어요….

강호   수사관님… 아직 제가 할 일이 좀 남았습니다. 그때까지만
         비밀유지 부탁드릴게요.

수사관   당연하죠… 검사님이 저한테 어떤 분이신데요.

42.   **검사실 (과거) / N**

수사관, 통화를 하고 있다.

수사관   형님, 저 아시잖아요. 제가 언제 돈 가지고 이러는 놈입니까?
         근데 당장 내일이 어머니 수술이에요. 제발 한 번만 도와주십쇼.
         어떻게든 갚겠습니다… 네? 형님… 여보세요? 여보세요?

그때, 방에서 나오는 강호. 놀라 얼른 전화를 끊고 아무 일 없다는 듯 일하는
척 하는 수사관.

강호   우벽제지 삼사분기 법인통장 계좌 내역하고 회계장부…
         누락됐어요.

수사관   아!… 죄송합니다. 제가 바로 채워서…

강호가 내민 서류철을 받아 열어보는 수사관. 안에 하얀 봉투가 들어 있다.

수사관	(놀라) 이… 이게…

강호	회사 일에 지장 생기니까 개인적인 일 빨리 해결하세요.

강호, 나가다가 다시 돌아보더니

강호	주말까지 출근 안 해도 됩니다. 어머니 간호 잘 해드리세요.

다시 나가는 강호.

수사관	(울먹) 감사합니다… 감사합니다… 검사님!!

43.   길가 / D

수사관	그때 검사님이 안 도와주셨으면 저희 어머니 진짜 수술 한 번 못 받으시고 돌아가실 뻔했어요… 그래서 그런지 저도 검사님 어머님 부탁은 절대 거절 못 하겠더라구요. 걱정 마십쇼… 무조건 돕겠습니다…. 근데 혹시… (눈치 보더니) 우벽 관련 일은 아니시죠?

강호	(눈이 번쩍하더니) 우벽 관련 자료들 아직 가지고 계세요?

수사관	그게… 검사님 그렇게 되시고 얼마 후 우벽 쪽에서 무슨 짓을 했는지 우벽 관련 수사 자료들은 물론이고 컴퓨터건 휴대폰이건 다 뺏어 갔어요.

강호	흠… (잠시 생각하다가) 저기 수사관님… 그럼 저 다른 부탁 하나만 드려도 될까요?

44.　　정씨네, 욕실 / D

욱욱욱… 변기를 잡고 토하고 있는 영순. 영순의 등을 두들겨주는 정씨.

정씨　　아휴… 하루 종일 이걸 으쩌…. 그렇게 몸도 성치 않은 사람이
　　　　술을 왜 마신 겨… 병원에 안 가봐도 되겠어?

영순, 변기 앞에 주저앉아 입을 닦더니… 힘겨운 듯 한숨을 푹 쉰다.

영순　　아는 병인데요, 뭘…. 에휴… 이젠 막걸리 한 잔도 못 이기는 몸이
　　　　됐네요…

하며 쓸쓸하게 웃다가… 갑자기 다시 변기 잡고 욱욱 하는 영순.

45.　　오태수네 앞 / D

쭈그리고 앉아 있는 미주와 삼식.

미주　　사람 인연 참 희한하지….

삼식　　갑자기?

미주　　나… 오하영 만난 적 있어.

삼식　　뭐? 언제?

하영　　　　아야!!!!

하영의 발가락에서 피가 난다. 놀라 번쩍 고개를 드는 미주.

미주　　　　(얼른 물수건으로 발가락 지혈하며) 어… 어떡해… 죄… 죄송합…

순간, 퍽!! 발로 미주를 차버리는 하영. 미주, 뒤로 자빠지며 놀라서 하영을
보는데… 매니저가 뛰어나온다…

매니저　　　이머… 이게 무슨 일이야!!!… 세상에… 죄송합니다…
　　　　　　죄송합니다…. (미주에게) 뭐 해!! 얼른 사과드리지 않고!!!

미주　　　　(일어서더니 공손히 고개 숙여) 죄송합니다.

하영　　　　너 나 뭐 하는 사람인지 몰라? 발레리나라고, 발레리나….
　　　　　　하마터면 발가락이 날아갈 뻔했는데 지금 그걸 사과라고 하는
　　　　　　거야?!!

미주, 잠시 주저하다가 이내 무릎을 꿇고 고개를 숙인다.

미주　　　　정말… 죄송합니다.

하영, 미주가 무릎을 꿇자 조금 당황했지만 이내 표정 다잡으며…

하영　　　　짜증 나… 가자! (가려는데)

미주　　　　저기… (일어선다) …이젠 그쪽 차례예요….

하영　　　　뭐?

나쁜엄마

미주	방금… 저 때린 거 사과하세요.
매니저	(놀라) 미주 씨, 왜 이래?
하영	(기가 막혀서) 허… 니가 아주 돌았구나?
미주	아직 돈 건 아니구요… 사과 안 하시면 그땐 진짜 돌아보려구요.

순간, 급격하게 싸늘해지는 하영… 후~~ 가볍게 한숨을 내뱉더니…
미주에게로 다가와 선다.

하영	사과 못 하겠다. 자… 이제 어쩔 건데? (미주 어깨를 밀며) 어? 어?
미주	그래?… 그럼.

하더니 냅다 돌려차기로 하영을 차버리는 미주. 저만치 나가자빠지는 하영.

다시 현실. 오태수 집 대문이 열리며 나오는 가정부.
쓰레기봉투를 버리고 돌아서다가 미주를 마주치고 깜짝 놀란다.

가정부	아직 안 갔어요?
미주	하영이 전화기가 계속 꺼져 있어서요… 아줌마… 저… 하영이
	꼭 만나야 돼요. 유학 갔다가 5년 만에 잠깐 들어온 거란
	말이에요… 이제 들어가면 또 언제 나올지 몰라요…
	좀 도와주시면 안 돼요? 제발요… 흑흑흑.

미주, 눈물까지 흘리며 열연한다. 그 모습을 멀리서 지켜보며 입이 딱
벌어지는 삼식.

가정부	그게… 지금 하영 아가씨가 몸이 좀 아파서 병원에 있어요.
미주	병원이요? 어느 병원인데요? 제가 가서 만날게요.
가정부	안 돼요!!

얼떨결에 소리 질렀다가 자기도 놀라 당황하더니 얼른 주위를 둘러보는
가정부.

가정부	아무튼 당분간은 만나시기가 힘들 거예요… 그러니까 다음에… 다음에 와요….
미주	다음에 언제요?
가정부	대통령 선거 끝나고… 그럼 아마 만날 수 있을 거예요.

가정부 아줌마, 다시 주위를 살피더니 얼른 들어가버린다. 숨어 있던 삼식이가
다가온다.

삼식	거 아줌마… 참… 되게 불안해 보이네….
미주	너도 느꼈어?
삼식	병원에 있는데… 어느 병원인지는 사색이 돼서 말해 줄 수 없고 … 만나고 싶음 선거 끝나고 와라…. 선거 끝나려면 4개월은 기다려야 허는디 말이여….
미주	도대체 어디가 아프길래… 4개월씩이나 입원을 하지?
삼식	내가 보기엔 4개월이 아니고 선거 끝나고란 말이 중요헌 거 같어… 혹시… 이거랑 관련이 있는 게 아닐까?

삼식, 휴대폰을 내민다. 보면, 결혼식장에서 도망가버린 하영 관련 기사다.

미주   설마….

삼식   잘 생각해 봐… 곧 선거 치룰 집안에서 딸내미가 이렇게
          초를 친다면? 아! 맞다… 게다가 아부지의 혼외 자식에 대한
          비밀까정 알고 있다면? 나 같아도 다리 몽둥이라도 분질러서
          어따 가둬놓고 싶을 거 같은디…. 진짜 병원에 있는 게 맞긴
          헌 겨? 의사고 간호사고… 자칫 잘못허면 이상한 소문만 날
          텐디…. 것도 4개월씩이나 받아주는 그런 병원이 있긴 허냐고?

그 말에 갑자기 번쩍 고개를 드는 미주.

미주   삼식아!!!!!!

삼식   아이고 깜짝이야…

미주   나… 알았어… 나 알았다고!!

삼식   뭘 알어? 난데없이…

미주   병원 말이야… 거기야… 거기… 우성의료원!

삼식   우성의료원?

46.   **에스테틱 네일샵 (과거) / D**

2화 13씬 네일샵에서 일하고 있는 미주. 그때, 문이 콰 열리며 들어오는 하영.
미주에게 종이 하나를 내민다. [우성의료원] 직인이 찍힌 진단서다.

미주	이게… 뭐예요?
하영	글씨 안 보여? 진단서잖아! 진단서!
미주	그러니까요… 전치 12주라뇨?
하영	왜? 그 정도 각오도 없이 감히 날 때린 거야?
미주	하지만 먼저 때린 건…

순간, 미주의 뺨을 짝 내리치는 하영. 미주, 놀라서 하영을 보는데…

하영   그래… 먼저 때렸다… 억울하면 너도 또 때려… 이번엔 아예
구속시켜 줄 테니까… 너 사람 잘못 건드렸어. 우리 아빠 어떤
사람인지 알지? 말만 하면 12주 진단서가 아니라 너 같은 거
미친년 만들어서 평생 병원 밖에 못 나오게 만들 수도 있어.

미주, 가만히 하영을 바라보더니 또박또박 침착하게 말한다.

미주   차기 대선에 나오실 국회의원 따님이라는 말씀은 들었어요….
(진단서 보더니) 근데… 그 의원님이 오씨인 건 오늘 처음
알았네요. 우성의료원?… 네… 언제든 맘만 먹으면 가짜 진단서
끊어서 죄 없는 사람 협박하고 감금할 수 있는 오씨 성을 가진
대통령 후보님… 꼭 기억하겠습니다.

미주의 말에 손님들이 수군댄다. 하영, 그 말에 당황한 듯… 잠시 표정
얼더니… 이내, 진단서를 탁! 뺏어서 나가버린다. '아하하하하…브라보!!!'
박수 치며 좋아하는 선영.

47. 우성의료원 앞 / D

우성의료원을 바라보고 서 있는 미주와 삼식.

삼식   정말 여기 있을까?

미주   있어야 돼… 강호를 위해서….

삼식   (미주를 본다) 에이… 또 강호….

미주   그리고 삼식이 너를 위해서….

미주, 들어간다. 삼식, 씨익 웃더니 따라 들어가며…

삼식   원래 이름이 뒤에 나오는 사람이 중요헌 거제? 응? 그치?

48. 바닷가 몽타주 / D

– 여기저기 배들이 정박해 있는 항구들을 돌아다니는 강호. 이 사람,
   저 사람에게 수사관이 보내준 사진 보여주며 물어보지만 다들 고개를
   젓는다.

– '광명호'라는 이름의 배를 발견하고 뛰어가는 강호. 내리는 사람들을
   유심히 본다. 신림싱싱횟집 사장은 보이지 않는다.

– 또 다른 '광명호'에 올라가 선장실을 기웃대는 강호. 하지만 선장이 다른
   사람이다.

– 또 다른 바닷가, 먼 바다를 바라보고 서 있는 강호.

수사관	[V.O] 이름 조영재… 나이 55… 신림동에서 횟집을 한 이후
	주소지는 고향 본적지로 옮겨져 있었는데요. 현재 그 집은
	비워져 있더라구요. 대신 말씀하셨던 '광명호'라는 배 이름
	조사해 본 결과 당진, 포항, 해남에서 같은 이름의 배가 등록돼
	있는 걸 발견했습니다.

저 멀리 배 한 척이 들어오고 있다. [광명호]. 배가 항구에 닿고… 배에서
내리는 한 남자… 신림싱싱횟집의 사장이다. 얼굴에 미소가 번지는 강호.
사장을 향해 손을 들며 '사장님!!!!' 소리 지른다. 사장, 웃으며 소리가
들려오는 쪽으로 고개를 돌린다. 사장과 눈이 마주치자 반가워서 달려가는
강호. 순간, 표정이 얼어붙더니… 뒷걸음질 치다가… 순간 홱 돌더니 정신없이
도망가는 사장.
그 모습에 놀라 우뚝 걸음을 멈추는 강호. 멍한 표정으로 바라보다가 뭔가
불길한 느낌에 표정이 굳는 데서…

나쁜엄마

EPISODE
13

내가 그랬지? 한 번만 더 나 살려주면 너랑 결혼해 준다고.
마지막으로 날 살린 게 뭔지 알아?… 우리 애들.
넌 우리 곁에 없었지만… 단 한순간도 너랑 함께가 아닌 적이 없었어.
그러니까 반드시 돌아와…
돌아와서 이제 평생 우리 옆에 살아… 알았지?

1.   항구 / D

저 멀리 배 한 척이 들어오고 있다. [광명호]. 배가 항구에 닿고… 배에서
내리는 한 남자… 싱싱횟집 사장이다. 얼굴에 미소가 번지는 강호. 사장을
향해 손을 들며 '사장님!!!!' 소리 지른다. 사장, 웃으며 소리가 들려오는
쪽으로 고개를 돌린다. 사장과 눈이 마주치자 반가워서 달려가는 강호. 순간,
표정이 얼어붙더니… 뒷걸음질 치다가… 순간 왁 돌더니 정신없이 도망가는
사장. 그 모습에 놀라 우뚝 걸음을 멈추는 강호. 멍하니 사장을 보다가 이내,
쫓아 뛰기 시작한다.

강호   사장님!! 저 강호예요, 최강호!!… 사장님… 잠깐만요!!

하지만 겁에 질린 얼굴로 계속해서 도망가는 사장. 그렇게 한참을 쫓고
쫓기다가 이내 서서히 걸음이 느려지는 사장. 아랫배를 움켜잡더니…
벽을 잡고 멈춰 서서 고통스러워 한다. 달려와 사장 앞에 서는 강호.

강호   사장님… 왜 그러세요? 괜찮으세요?

2.   횟집 사장네, 마루 / D

저 멀리 바다가 보이는 마루에 다과상 하나 사이에 두고 앉아 있는 사장과
강호. 강호, 놀라 사장을 본다.

강호   자살이요?… 수현 씨가 자살을 했다구요?

사장, 말없이 씁쓸한 얼굴로 먼 바다를 보고 있다가 이내 끄덕끄덕.

사장　　　그치… 엄밀히 말하자면… 자살이었지….

3.　　　**부둣가 (과거) / N**

사장이 강호에게 황수현의 짐을 받아 배 안쪽으로 놓는다. 강호, 수현에게 작은 가방을 내민다.

강호　　　이건 수현 씨랑 아기가 살 필리핀 집 주소와 여권, 그리고 이건 생활비예요. 혹시라도 오태수가 눈치채면 위험하니까 조용히 숨어계셔야 돼요, 아셨죠?

수현　　　(울먹) 정말 감사합니다.

강호　　　아무 걱정 말아요. 모든 것이 계획대로 끝나고 나면 그때 다시 돌아와서 아기랑 행복하게 살 수 있어요. (사장 보며) 그럼 잘 부탁드려요.

사장　　　걱정 마… 잘 태워다 드리고 연락할게.

배가 서서히 움직인다. 손 흔드는 강호. 배 후미에 서서 아기를 안고 손 흔드는 수현.

나쁜엄마

4.   바다 (과거) / N

어두운 바다 한가운데로 나아가고 있는 사장의 고깃배… 광명호.
그때, 작은 모터보트 한 대가 빠르게 다가와 광명호 후미에 붙는다.

5.   조타실 (과거) / N

커다란 스패너로 조타키 아래 헐거워진 나사 부분을 조이고 있는 사장.

사장   어떻게… 매번 말썽이냐… (힘껏 마지막 힘주더니) 흐하~ 다 됐다….

몸을 일으켜 끄응~~ 허리를 쭉 펴는 사장. 저 멀리 커다란 배 한 척이 희미하게
보인다.

사장   아… 강호가 말한 배가 저건가 보네….

그때, 조타실 문이 벌컥 열리며 들어오는 검은 괴한.

사장   (놀라) 뭐… 뭐야!! 당신?!!!

순간, 사장을 향해 달려드는 괴한.

6.   선실 (과거) / N

아기에게 우유를 먹이고 있는 수현. 슬그머니 우유병을 빼자 잠이 든 아기.
그런 아기를 사랑스럽게 바라보는 수현. 그때, 우당탕… 아악! 하는 소리가
들린다. 놀라 창밖을 살그머니 내다보는 수현.

7.   조타실 (과거) / N

바닥에 사장을 쓰러뜨리고 목을 조르고 있는 괴한. 사장, 벌게진 얼굴로
괴로워하다가 바닥을 뒹굴고 있는 스패너를 발견한다. 힘겹게 손을 뻗어
스패너를 잡더니 괴한의 머리를 후려치는 사장. 아악! 옆으로 쓰러지는 괴한.
벌떡 일어나 조타실 문 쪽으로 나가는 사장… 순간 흡!!! 눈이 커진다.
또 다른 괴한이 문 앞에서 기다리고 있다가 사장의 아랫배를 칼로 찔렀다.
괴한의 팔목을 쥐는 사장. 괴한 팔목에 별 모양 문신이 보인다. 이내, 사장의
배에서 칼을 빼는 괴한. 스르르 주저앉더니 쿵 쓰러지는 사장. 괴한들 빠르게
조타실을 빠져 나간다.

8.   선상 (과거) / N

괴한들 선실을 향해 빠르게 달려간다. 그때, 선실에서 겉싸개에 싼 아기를
안고 뛰어나오는 수현. 괴한들을 보고 소스라치게 놀라더니 홱 돌아서 뛰기
시작한다. 하지만 배 후미에 다다르자 더 이상 도망 갈 곳이 없다. 괴한들이

점점 더 가까워오자 체념한 듯 겉싸개 쪽을 바라보는 수현.

수현　　　미안해… 아가….

눈에서 눈물이 주르륵 흐르는 수현. 이내, 겉싸개를 꼭 끌어안더니 바다로 뛰어든다. 달려와 바다를 살피는 괴한들. 플래시를 비춰본다. 겉싸개 뭉치가 둥둥 떠 있다가 이내 서서히 물속으로 사라진다. 그 모습을 조타실 창으로 힘겹게 보다 스르르 무너지는 사장… 붉은 눈에서 눈물이 흐른다.

9.　　　　**횟집 사장네, 마루 / D**

사장의 붉은 눈이 현실과 디졸브된다.

사장　　　이후 몇 번이고 자네한테 전화를 했지만 연락이 안 됐어.
　　　　　　결국 검찰청을 찾아갔지. 그랬더니 자네가 갑작스런 뺑소니
　　　　　　사고로 식물인간이 됐다는 거야. 대번에 그놈들 짓일 거라는
　　　　　　불길한 느낌이 들었지. 그러다 보니 경찰에 신고할 엄두조차
　　　　　　나질 않았어. 밀항을 도운 것 자체도 불법인 데다… 행여 내가
　　　　　　살아 있는 걸 알면 그놈들이 날 가만두겠어? 당장 가게부터
　　　　　　정리하고 이렇게 숨어 살고 있었네….

충격받은 얼굴의 강호…

사장　　　아까는 미안했어… 식물인간이 됐다는 사람이 멀쩡히 눈앞에
　　　　　　서 있는데 덜컥 겁이 나더라고…. 맞아… 솔직히 이젠 아무도

못 믿겠어… 자네조차도….

강호, 후우~ 무거운 한숨을 내쉰다.

10.   우성의료원, 로비~엘리베이터 / D

로비에 서서 병원 층별 안내도를 유심히 살펴보는 삼식. 그때, 원무과에 갔던
미주가 다가온다.

미주   역시 예상대로야. 입원 환자 중에 그런 이름 없다고 딱 잡아떼는
            거 있지.

삼식   혹시 예상 외로… 진짜 없는 거 아닐까?

미주   (암담한 눈으로 주위를 둘러보더니) 흠… 일단 한번 둘러보자.

미주와 삼식, 몸을 돌리는데… 그때 지나가던 한 사내와 몸을 부딪히는 삼식.
그 바람에 사내가 들고 있던 헬멧이 데굴데굴 굴러간다.

삼식   아이고!!… 대가리… 어째!!

삼식, 얼른 달려가 헬멧을 주우려다 멈칫. 11화 37씬 오토바이 사내가 쓰고
있던 헬멧이다. 순간, 떨어져 있는 헬멧을 확 집어 올리는 손… 그 손등에
선명한 별 모양 문신.

11화 42씬에서 삼식에게 칼을 겨누던 오토바이 사내의 손에 있던 별 모양 문신.

삼식, 얼른 얼굴이 안 보이게 고개를 푹 숙이더니… 연신 '죄송합니다, 죄송합니다…' 말한다. 말없이 홱 돌아서 가버리는 오토바이 사내.

미주	으휴… 하여간… 왜 이렇게 조심성이 없냐…
삼식	(멍하니) 왜 이렇게 조심성이 없어서…… 찾았다!
미주	뭐?

삼식이 얼른 오토바이 사내를 쫓아간다. 미주가 따라간다. 오토바이 사내가 탄 엘리베이터에 같이 타는 삼식과 미주. 남자가 층수가 적혀 있지 않은 맨 위 버튼을 누른다.

미주	찾았다니… 뭘 찾아?

미주의 말에 슬쩍 돌아보는 오토바이 사내.

삼식	(얼른) 산부인과 찾았다고… 9층이었네.
미주	뭐? (했다가 삼식이 눈짓을 하자) 으… 응… 그러네….

삼식, 얼른 맨 위 바로 밑 버튼을 누른다. 선글라스에 모자, 마스크까지 한 삼식의 모습에 갸웃… 사내, 슥 다시 한번 삼식을 돌아보자… 흠칫! 얼른 미주 배를 쓰다듬는 삼식.

삼식   아이고 우리 애기~ 을마나 컸을까?

미주   <u>흐흐흐.</u>

미주, 어색한 웃음 지으며 삼식이 발을 꽈악~ 밟는다. 흡! 하며… 고통을
참는 삼식. 땡! 엘리베이터 문이 열리자 얼른 미주 손을 잡고 내리는 삼식.
엘리베이터 문이 닫히자 홱 삼식을 노려보는 미주.

미주   디질래?

삼식   디지는 건 쫌 있다… 바뻐!

삼식, 얼른 미주 손을 홱 잡아끈다.

11.   **우성의료원, 탑층 복도 / D**

비상계단 문이 살짝 열리며 빼꼼히 고개를 내미는 삼식과 미주. 살금살금
나와 이리저리 살피며 복도를 걷다가 갑자기 미주를 잡고 코너를 돌아 숨는
삼식. 살짝 코너 밖으로 눈을 빼고 보면… 저 멀리 오토바이 사내가 보인다.
커다란 병실 문 앞을 지키고 있는 덩치들과 뭔가 얘기를 나누는 오토바이
사내.

삼식   빙고!… 저기다… 오하영 있는 데….

미주   뭐?… 오하영?… 그걸 어떻게 알아?

삼식   저기 아까 헬멧 그놈 보이지? 저놈이 있으면 오하영이 있는 거야.

미주	저놈이 누군데?
삼식	오하영 만났던 날… 나 죽으려고 했던 놈.

12. 우성의료원, 세탁실 복도 / D

걸어오는 미주와 삼식.

삼식	나름 목숨 걸고 엘리베이터 탄 건디… 그렇게 씨게 밟아뿌냐.
미주	몰랐지… 미안해….
삼식	쉿! 사랑하는 사람끼린 미안허단 말 하지 않는 거야.
미주	(가만 보다) 미안해! 미안해! 대따 미안해!! 방삼식 내 친구 증말 미안하다!!!
삼식	큼… (하다 뭔가 발견하고) 아! 저깄다!

달려가는 삼식과 미주. 세탁실 앞이다. 하지만 잠겨 있는 세탁실.

삼식	뭐여… 잠긴 겨?… 아니, 병원 세탁실에 뭐 훔쳐갈 게 있다고 잠구고 난리여?
미주	우리… 뭐 훔치러 왔잖아….
삼식	아… 맞다… 그렇지….

삼식, 주위를 둘러보다가 미주 머리에 꽂힌 삔을 틱 빼더니… 열쇠구멍에 넣고 휙휙. 딸깍 문이 열린다.

미주	우와~~!! 방삼식!!! 대박!! (엉덩이 두들겨주며) 으유~~ 이뻐라…
	잘했어!!!
삼식	절도 경력 30년 만에 문 잘 땄다고 칭찬 받은 건 첨이네… 흐흣.

얼른 안으로 들어가는 미주와 삼식.

13.   영순네, 마당~안방 / D

쾅쾅쾅쾅, 영순네 대문을 두드리는 소리.

영순	네~ 나가요, 나가~ (웃으며 뛰어나와 대문 열며) …어서 와~
	내 새끼들!

신 반장과 조 형사가 서 있다. 웃고 있던 영순의 얼굴이 순간 확 얼어버린다.

영순	아니… 두 분이 어… 어쩐 일로….
신 반장	잠깐 몇 가지 확인할 게 있어서 왔습니다… 최강호 씨 안에
	계시죠?
영순	저기… 그게… 지금 막 잠들었는데….
신 반장	급한 일입니다.

신 반장, 영순을 밀고 안으로 들어간다. 영순, 급하게 따라 들어와 막으며…

영순	저기… 저한테 물어보세요, 저한테… 우리 애 상황 아시잖아요.

뭘 기억해 내고 답하고 그럴 상태가 아니라니까요. 게다가 어제
경찰서 다녀오고 얼마나 충격이 컸는지 계속 경기하고 소리
지르고…

하지만 무시하고 마루로 올라서는 신 반장과 조 형사. 영순, 얼른 달려와
신 반장의 팔을 잡는다.

영순   저기… 형사님… 잠깐만… 제 말 좀…

신 반장   최강호 씨… 도망갔어요?

영순   !!

신 반장   아님… 놓으세요.

신 반장, 영순의 손을 뿌리치고 안방으로 들어서다가 멈칫! 이불을 덮고
웅크리고 있는 누군가…

신 반장   경찰입니다… 잠깐 얘기 좀….

신 반장 다가와 이불을 들어 올리려는데… 순간, '으…으악!!! 으악!! 으악!!'
하며 이불을 꼭 잡고 발광하며 소리소리 지르는 누군가. 놀라 물러서는 신
반장. 영순, 얼른 달려와 이불째 꼭 안으며…

영순   제발 그만 좀 하라고!!!… 왜 자꾸 아픈 애를 괴롭히고
             지랄이야… 지랄이…. 이러다 애 충격받아서 더 나빠지기라도
             하면 당신들이 책임질 거야?!!! 잠깐!… 그러고 보니 당신들
             영장 있어? 근데 왜 남의 집에 함부로 들어와서 행패야… 이거
             주거침입죄 아니야?!! (전화기 꺼내 들며) 오호라! 니들 딱 거있어…

경찰 부를 테니까.

당황하는 신 반장과 조 형사.

14.   영순네 앞 / D

차에 타 있는 신 반장과 조 형사. 운전석의 조 형사 얼굴에 추리닝이 팍
던져진다.

영순   분명히 경고했어요… 영장 없이 두 번 다시 찾아 오지 말아요.
안 그럼… (주위를 둘러보더니 오함마 번쩍 집어 들고는) 형사건 뭐건
확 다 조사불라니까!!!

히익~ 놀라더니 횡~하니 달려 사라지는 자동차. 씩씩거리며 서 있다가 후우~
안도의 한숨을 쉬는 영순.

15.   영순네, 안방 / D

들어오는 영순.

영순   이제 나와도 돼.

웅크리고 있다가 이불이 열리며 모습을 드러내는 누군가… 안드리아다.

영순   뭐? 비자가 만료돼?

안드리아   경찰… 나 잡으러 왔는 줄 알았다.

영순   그랬구나… 어쩐지 벌벌 떠는게 너무 자연스럽더라… 흣.

안드리아   갑자기 이딸리아 돌아가서 미안했는데… 때마침 농장에 불나서 다행이다.

영순   뭐?

안드리아   아니아니… (얼른 휴대폰 검색하며) …유감이다.

영순   (피식 웃더니) 다행 맞아… 그러지 않아도 우리 안드리아 하루 아침에 실직자 돼서 어쩌나 걱정했는데 마침 돌아간다니 그나마 마음이 가볍네… (가만히 안드리아 보더니) 어딜 가든 건강하고… 나중에 좋은 사람 만나 예쁜 아이도 낳고… 그렇게 행복하게 잘 살아. 알았지?

안드리아   결혼하면 한국 신혼여행 올 것이다. 그때 꼭 다시 만나자.

영순   (씁쓸히 웃으며)그래… 아! (화장대에서 봉투 꺼내 주며) 그동안 너무 고생많았어. 이거… 얼마 안 되지만 돌아갈 때 비행깃값 보태. 퇴직금이야.

안드리아   (울먹한 눈으로 봉투 만지작) 싸장님 좋아요!… 덕분에 농장 일 많이 배우고 막걸리도 중독됐다. 아직 한국말은 개어렵지만… 아! 맞다… 아까 새로운 말 배웠다… 뭐더라… 주… 주… 아! 주거찜입쬐?!!

♪ 죄를 지었으니 벌을 받아라 내 사랑을 받아라~ 노래 선행되며…

16. 대형 음반기획사 / D

유튜브 영상을 보는 음반기획사 사장. 여러 연령, 다양한 사람들이 마치
챌린지 하듯 춤을 추며 ♪ **사랑의 주거침입죄**를 부르는 모습이 보인다.

♪ **당신이 침입하면 난 좋아 죽어 / 당신이 침입하면 난 미쳐 죽어~ / 들어올 땐**
니 맘이냐! / 나갈 때는 내 맘이다! / 당신은 주거침입죄! / 사랑의 주서침입죄!

노래 끝나자 짝짝짝 박수 치는 사장. 그 앞에 트롯백이 얼떨떨한 얼굴로
멍하니 앉아 있다.

사장   와~ 완전 대박! 여기저기 아주 난리예요, 난리… 흐흐흣

트롯백   말도 안 돼… 어떻게 이런 일이….

사장   내 말이… 어떻게 이런 가사를 쓸 생각을 했어요…
          주거침입죄라니… 캬!! 천재야 천재… 저희가 아이돌 음반
          제작하는 거 아시죠? 우리 이 노래로 빌보드 탑 한번 찍어봅시다!
          제발 저희 회사랑 계약해 주십쇼!

얼떨떨한 표정으로 있다가 이내 울먹울먹 '가…가…강호야~ 흐앙' 울음이
터지는 트롯백.

나쁜엄마

17. 양장점 / D

이장이 옷 가봉을 하느라 허수아비처럼 서 있다. 그런 이장의 옷에 핀을 꽂고 있는 양장점 주인.

주인 정말 축하드려요!! 우리 시에서 최초로 범죄 없는 마을 상 받는 거라면서요. 조우리란 이름 들었을 때부터 딱 알아봤어. 그래, 얼마나 조우리?~

이장 그게 다 이장 잘 뽑아놔서 그런 거… 내가 말을 안 혀서 그렇제… 이날까지 을매나 마음고생 했는 줄 알아? 마을에 사람 없다고 길도 안 깔아주지… 길 안 좋다고 새벽배송도 안 해주지… 새벽배송도 안 된다고 또 마을에 사람 안 들어오지…. 에유… 이제야 겨우 빛을 보네… 이제야…. 어이~ (부인 쪽 보며) 이거 양복 어뗘… 색깔 괜찮어? 거… 나 좀 보라니께… 아까부터 뭐 허는 겨?

이장 부인 우리 애기도 양복 한 벌 맞춰주려구요… 아빠가 큰 상 받는데…

화초에 교묘히 가려져 얼굴이 안 보이는 이장 부인. 줄자를 들고 강아지 치수를 재고 있다. 씁쓸한 얼굴로 고개 절레절레 흔드는 이장.

이장 하여간 반려견보다 못한 반려자 신세란께… 에혀~

주인 (이장 부인 쪽 대고) 제가 동물 전문가니까 알아서 잘 맞춰드릴게.

이장 동물 전문가였어?

주인 네… 예전에 치킨집 했거든요….

이장, 황당한 얼굴로 주인을 보는데… 그때, 울리는 이장의 휴대폰.

이장   아이고 이런… 전화가 오네… 나 못 움직이는디… (주인에게) 대신
            좀 받아봐….

흠흠 목소리 가다듬더니 전화 받는 양장점 주인.

주인   지금까지 이런 마을은 없었다. 이곳은 조우린가? 천국인가?
            네~ 범죄 없는 마을 조우리 이장님 핸드폰입니다.
            (가만히 듣고 있다가 확 표정 굳으며) 어디라고요?… 경찰… 왓!!!!

18.   이장네, 거실 / D

얼빠진 얼굴의 이장.

이장   사… 살인사건이요?

와장창창 바닥에 떨어져 구르는 접시. 이장 부인이 놀라 떨어뜨린 수제 간식이
사방으로 흩어진다.

조 형사   아이고… 뭐 이런 걸….

조 형사, 얼른 달려가 간식들을 집어 주더니 하나를 아그작 베어먹는다.

조 형사   와… 이거 진짜 맛있…

그때, 간식 접시를 강아지 앞에 놓는 이장 부인. 조 형사, 먹던 과자를 얼른

강아지 앞접시에 올려놓으며…

조 형사   …게 먹어.

이장 부인   어머나… 더럽게… 사람 먹던 걸 개한테….

이장 부인, 과자를 벌레처럼 집어 들고 부엌으로 들어간다.

신 반장   이장님께 확인하고 싶은 게 몇 가지 있어서 왔습니다.
            최강호 씨 잘 아시죠?…

이장   강호요?… 아휴~ 당연히 잘 알다마다요… 자슥 같은 놈인디….

신 반장에게 아이패드를 켜 건네주는 조 형사.

신 반장   이건 어제 저희 경찰서에서 조사를 받던 최강호 씨 모습입니다.

화면에 경찰서에서 라면을 빼앗아 먹으며 난동을 부리는 강호의 모습이
보인다. 눈이 동그래져 보고 있는 이장.

신 반장   그리고 이건… 얼마 전 병원에서 어머니 진영순 씨의 퇴원
            수속을 진행하던 모습이구요….

병원 원무과에서 이런 저런 서류 작성하는 강호. 카드를 내밀고 계산하는
강호. 원무과 직원과 이런저런 대화를 나누는 자연스러운 모습.

신 반장   병원 측에 확인해 본 결과 어머니 상태에 대해서도 최강호 씨가
            직접 보호자 자격으로 의사를 만나 설명을 들었고, 이 서류들도
            최강호 씨 본인이 작성했다고 합니다.

신 반장이 내민 서류 사본들을 멍하니 보는 이장.

신 반장   어떻습니까?… 같은 사람이라고 보기엔 확연히 차이가 있죠?…
자식 같으셨다니 잘 아시겠죠. 평소 이장님께서 보시던
최강호 씨 상태는 어땠습니까?

이장   아휴, 자식이라뇨… 내가 은제 자식이라고 했어…. 자슥…
자석 같다고, 자석… 아무튼 지 엄니한테 딱 붙어서 떨어지질
않으니께 우리가 자석 같다… 자석 같다… 했어요. 게다가…
요즘 도통 강호 본 지가 오래 돼놔서… (슬쩍 신 형사 눈치 보며)
이것도 맞는 깃 같고… 지것도 맞는 거 같고… (얼른) 아니,
그보다… 강호 엄마는 지난번에도 쓰러졌었는디… 이번에 또
그랬대요? 아니 어디가 얼마나 아프길래 입원까지 했대요?

19.   영순네, 안방 / N

10원짜리 고스톱 치고 있는 박씨와 정씨, 영순. 캔맥주를 홀짝이며 앉아 있는
박씨와 정씨. 잘 모르겠다는 얼굴로 화투패와 화투판을 번갈아 보며 갸웃하는
영순. 그때, 방문 열리며 청년회장이 들어온다.

청년회장   아니… 왜 우리 봉고차가 안 보여?

박씨   삼식이요? 삼식이는 보여요?

청년회장   아니… (했다가) 아~

정씨   큭큭 삼식이가 또 삼식이 했구먼~

박씨	너… 씨….
영순	(청년회장에게) 저녁 안 드셨죠?… 식사하세요.

청년회장, 보면 서진이와 예진이가 입 안에 잔뜩 음식을 물고 있다.

청년회장	시상에 이게 다 뭐예요?… 갈비찜에 탕수육, 잡채, 홍어… 어제, 오늘 뭔 날이에요?
영순	뭔 날은요… 우리 애기들 좋아하니까… 많이 먹어….
서진/예진	(음식 한가득 물고 끄덕끄덕) 우웅~
정씨	갸들 신경 쓰지 말고 자기나 빨리 먹어….
영순	아… 내 차례예요?

영순이 화투 4번 패로 7번을 먹으려고 하자…

박씨	또… 또… 야들은 짝이 아니라니께… 여기 고춧가루 뿌려진 거 안 보여?
영순	아… 맞다… 그럼… (화투 패 보여주며) 뭘 먹어야 돼요?
박씨	아이고… 패 다 까고 자빠졌네….
정씨	잠깐! 근디 어째… 화투장이 세 장밖에 읎어? 내가 선이니께 네 장 있어야 되는디….
영순	어? 그래요? (여기저기 찾으며) …어디 갔지?
박씨	엠비럴… 또 바닥에 깔아놓은 패 가져갔나 보네….
정씨	오호호호호… 파토여, 파토… 나 광박에 피박인데 잘됐다…

　　　　　호호호.

박씨　　　　아후씨… 쓰리고에 고도리 날 참인디….

박씨, 속상해서 화투장 던지자, 웃으며 다시 화투를 섞는 정씨.

영순　　　　(박씨에게) 걱정 마요… 오늘 밤새 치면서 이 돈 다 잃어줄게….

청년회장　　밤새요? 아니, 생전 화투라고는 안 치던 분이 웬일이래유?

박씨　　　　그니께… 어제부터 요상허네… 노래에 춤에 술까지 마시질 않나.
　　　　　사람이 갑자기 안 허던 짓 허면 죽는다든디… 큭큭

순간, 정씨와 영순의 눈이 슬핏 마주친다.

정씨　　　　(박씨 보며 버럭) 성님!!!

박씨　　　　오메… 깜짝이야… 아, 왜 소리를 지르고 그랴….

정씨　　　　제발… 그놈의 주둥아리 좀 함부로 씨부리지 마.

영순　　　　(정씨에게) 아이 왜 그래요… 하지 마….

박씨　　　　아니… 쓰벌… 내가 뭘 어쨌다고 지랄이여? 웃자고 헌 말 아니여.
　　　　　웃자고!

정씨　　　　웃자고? 사람이 죽고 사는 게 웃겨? 웃기냐고!! 헐 말이 있고 못
　　　　　할 말이 따로 있제… 어따 대고 감히 그딴 말을….

박씨　　　　어따 대고 감히?… 아~ 그니께 도둑놈 새끼 에미가 어따 대고
　　　　　감히 검사님 어머니한티 까부냐 지금 이 말 허는 거여?
　　　　　말해 봐!… 엉?!! 너 말해 보라고!!

영순   (박씨 잡고 말리며) 아휴… 취했나 봐… 그만 해요….

박씨   (뿌리치며) 내가 취해서 이랴?!!… 허긴 니깐 게 뭘 알어?… 잘난 아들 둔 니가 뭘 알겠냐고…. 공부 잘하고 똑똑하다고 강호강호… 바보 돼서 불쌍하다고 강호강호…. 내가 아주 너 땜에 평생을 애새끼들 비교당하면서 을마나 개무시당허고 살았는지 알어?!!

청년회장   이눔의 여편네가 미쳤나? 나와… 빨랑 나와!!!

청년회장이 박씨를 거칠게 잡아끈다.

박씨   이거 놔!! 드러워서 내 발로 나갈 테니께 놓으라고!!

박씨가 소리소리 지르며 끌려 나간다. 분노에 찬 얼굴로 씩씩거리며 앉아 있는 정씨… 갑자기 손에 들고 있던 화투 뭉치를 팍 집어 던지더니 달려 나간다.

영순   아휴!!… 형님… 어디 가!!!

쫓아 나가려는데 갑자기 아앙~~ 울음을 터뜨리는 서진이와 예진.

영순   아이고… 우리 새끼들 놀랬지… (안아주며) 괜찮아, 괜찮아… 울지 마….

20.   영순네 앞 / N

청년회장과 박씨가 서로 툭탁이며 저만치 가고 있다. 저벅저벅 따라가며
소리치는 정씨.

정씨   성님!! 나 좀 봐… 잠깐 거 서보라니께….

핵 돌아보는 박씨.

박씨   됐어, 이년아! 너랑 두 번 다시 볼일 없응께… 가서 강호 엄마
         비위나 살살 맞추면서 살어!

돌아서 핵핵 걸어가는 박씨. 청년회장, 어쩔 줄 모르다가 정씨를 향해 그냥
들어가라는 듯 손짓하고 박씨를 쫓아가는데…

정씨   강호 엄마 죽는댜!!!!

그 말에 우뚝 멈춰 서는 박씨.

정씨   위암 말기랴… 수술도 약도 다 소용없댜….

박씨   (돌아보더니) 저년이 미쳤나? 뭔 헛소리여?

정씨   그저께 내가 병원서 직접 퇴원시켰어.

박씨   !!!

정씨   나도 내가 미친 거면 좋겄다!!… 다 헛소리면 좋겄다고!!!

정씨, 울음을 터뜨리자 당황하는 청년회장.

나쁜엄마   384

청년회장   아니… 이게 뭔 소리여? 암?… 시방 강호 엄마가 암이라고?
          어치키 이런 일이… 아이고 아이고 시상에… 이 일을 어쩌…

순간, 싸늘해지는 얼굴의 박씨. 멍하니 서 있다 갑자기 미친 듯이 영순네를
향해 뛰기 시작한다.

21.   **영순네, 마당 / N**

들어서는 박씨… 버럭 소리 지른다.

박씨   야!! 진영순 나와!!!!

그 말에 안방 문을 열고 나오는 영순. 박씨의 얼굴을 보더니 왜 왔는지
짐작한다는 듯… 천천히 다가온다.

영순   형님…

박씨   너 어떻게 나한테 이려? 어떻게 끝까지 이려!!!!! 나 이렇게
          미친년 만들어놓고 뭐 어딜 간다고? 웃기지 마… 난 절대 인정
          못 혀… 요즘 세상에 죽을병이 어딨어?!! (영순 잡고 늘어지며) 당장
          고쳐 와, 이년아!… 너 아무 데도 못 가… 내 옆에서 나랑 평생
          싸워야 다!!!… 얼릉 고쳐 오라고!!!!

영순, 그런 박씨를 가만히 안더니 토닥여준다.

박씨   나쁜 년… 이 나쁜 년… 우리 삼식이 잘되는 것도 봐줘야지…

너도 나 부러워하고… 너도 배 아파서 심통 부리고 지랄해
봐야지… 흑흑.

영순　　나 형님 많이 부러웠어요. 늘 형님 곁에서 형님만 사랑해 주는
자상한 남편에 몸 건강하고 싹싹한 우리 삼식이… 나… 진짜
얼마나 배 아팠다구…

박씨, 으흑흑흑 영순의 품에 무너진다. 그 모습을 보는 붉은 눈의 정씨와
청년회장. 그리고… 조금 더 뒤에 서서 눈물을 훔치는 이장과 손으로 얼굴을
가리고 우는 이장 부인.

22.　　**수사관네 앞 / N**

차 키를 수사관에게 건네는 강호.

강호　　덕분에 잘 다녀왔어요. (봉지 내밀며) 이거… 전복인데… 엄청
싱싱해요. 어머님 갖다 드리세요.

수사관　　아이고… 전복… 어머니가 제일 좋아하는 건데… 고맙습니다…

강호　　이렇게 도와주셔서 제가 감사하죠… 그럼… 곧 다시 뵙겠습니다.

수사관　　네… 검사님… 뭐든 필요하시면 언제든 연락 주십시오.

강호, 웃으며 돌아서다가 문득 멈춰 서더니… 안주머니에 손을 넣는다.
박철수 부인이 줬던 휴대폰을 꺼내 드는 강호. 가만히 폰을 쳐다보다가…
이내 결심한 듯.

강호	저기… 수사관님… 이거 2년 전 '우벽건설 현장 정민호 군 추락사건' 피고였던 박철수 씨 폰인데 포렌식 한번 부탁드려도 될까요?
수사관	그 사건은 항소도 포기해서 이미 판결이 끝난 걸로….
강호	네… 하지만 새 증거물이 나타났으니 이제라도 진실을 밝혀야죠. 보시고 우벽그룹을 잡을 만한 어떤 내용이라도 좋으니 찾아봐 주세요.
수사관	(강호를 뚫어져라 쳐다보니) …우벽 …진짜 잡으실 겁니까?
강호	뭐… 윗선끼리 결탁해 증거자료까지 다 없앤 마당에 쉽지는 않겠죠.
수사관	그게 아니고… (머뭇거리다) 솔직히 저는 검사님이 우벽의 적인지 아님… 우벽과 한 팬지… 조금 헷갈려서요.
강호	….
수사관	박철수 씨 부인이 찾아와 이 핸드폰 얘기를 했었어요. 하나뿐인 증거를 검사님이 없애버리셨다고 난동을 부리다 결국 끌려 나갔죠. 윤재민 성폭력사건 피해자도 그렇고, 우벽제지 난소암 사건도 그렇고… (가만히 강호 보더니) 지난번 검사님 어머님께서 오셔서 피켓시위하던 정종구 어머님과 대판 싸우신 적이 있었어요…. 그날… 처음으로 이 일을 때려치고 싶다는 생각을 했어요. 어머님께서 내 아들은 절대 나쁜 짓을 했을 리 없다고 소리소리 지르시는데… 저… 어머님 편을 들어 드릴 수가 없었거든요.

수사관, 고개를 푹 숙이고 있다가 고개를 든다.

수사관 가장 오랫동안 가장 가까이에서 검사님을 도왔지만…
솔직히… 검사님이 어떤 분인지 잘 모르겠습니다.

그런 수사관을 가만히 바라보는 강호.

강호 고맙습니다… 이 일… 때려치지 않고 계셔주셔서….

수사관 네?

강호 제가 어떤 사람인지 보여드릴 수 있게 됐잖아요. 성공은
약속드릴 수 없습니다. 하지만 가장 오랫동안 가장 가까이에서
저를 도왔던 모든 시간과 노력만은 절대 부끄럽지 않게
해드리겠습니다.

강호, 꾸벅 인사를 하고 돌아서려는데…

수사관 지금 그 약속… 진짜 지키실 수 있습니까?… 그렇다면…
드리구요….

강호 ?

수사관 예전에 저한테 따로 시키셨던 일… 기억하시죠? 우미정 살인
사건 현장에 있었던 차량 블랙박스… 그거… 제가 가지고
있습니다.

강호 !!!!

23.   송 회장네, 거실 / N

'네?!!'… 놀란 얼굴로 송 회장을 보는 소 실장과 차 대리.

소 실장   저… 저희가 최강호를 말입니까?

송 회장   오태수 점마가 와 그리 강호를 몬 죽여서 안달인가 했드만
          황수현이를 죽인 기 최강호가 아닌 기라.

소 실장   !!!

송 회장   그라믄 그렇지… 강호 금마가 한번 손에 쥔 걸 호락호락 내줄
          놈이 아이지. 황수현 가방에서 위조 여권이 나온 걸 보믄
          외국으로 빼돌릴라고 한 기다. 근데… 오태수가 그걸 눈치채고
          미리 수를 쓴 기라… 황수현이랑 아를 직이뻬고 최강호를
          아이의 생부이자 유력한 용의자로 만들어버린 거지. 그라이…
          만에 하나 아이의 시체가 발견되거나 최강호가 정신이라도
          돌아오는 날엔 우째 되겠노? 자… 그 전에 어떻게든 최강호를
          읎애야겠제. 하~ 근데 농장에 불 논 것도 파이되뿔고 거기다
          황수현 땜에 형사까지 딱 붙어뻔 기라… 해서 느그를 불렀다…
          지금 금마한테 접근할 수 있는 사람은… 그나마 마을에 적을 둔
          느그삐 없다이가.

차 대리   그치만 저희도 정체가 들통나서…

소 실장, 얼른 차 대리를 탁 친다.

송 회장   그기 뭔소리고?

소 실장	아… 아닙니다.
송 회장	(버럭) 뭔 소리냐고?!!!
소 실장	시… 실은 오태수 유전자 검사지 진본과 황수현 살해를 모의했던 사우나 녹음파일을 최강호 친구인 방삼식이란 자가 가지고 있었습니다.
송 회장	뭐라꼬?… 그래서?
소 실장	방삼식이 그걸 가지고 오하영을 협박하다 오태수 측에 납치를 당하는 바람에 저희가 쫓아갔는데… 그 과정에서…
송 회장	느그들 정체가 뽀록났다?… 진본하고 녹음파일은 오태수한테 뺏기고?
소 실장	죄송합니다.
송 회장	하~

송 회장, 울그락불그락한 얼굴을 감싸 쥐며 잠시 화를 가라앉히더니…

송 회장	죄송할 기 뭐 있노? 봐라이~ 느그가 에라를 했으몬… 다음 이닝에 만회를 해야 안 되긋나?

살벌한 눈빛으로 소 실장을 바라보는 송 회장.

송 회장	내 이번에 미국 갔다 오기 전까지 깔끔하게 마무리 짓고 온나… 가는 길 외롭지 않고로 그 친구놈도 같이…. 명심하그레이… 이기 느그들한테 주는 마지막 타석이데이~

나쁜엄마

모퉁이에 숨어 병실 쪽을 보고 있는 삼식. 그 옆에서 의사 가운 입고 덴탈
마스크 쓴 채 바들바들 떨고 있는 미주.

미주   도대체 언제까지 이러고 있어야 되는 거야?

삼식   하… 저 오토바이 새끼는 왜 안 가고 저러고 있댜…. 안 되겠다…
저놈 가기 기다렸다간 병원 문 닫겠어… 시작허자….

미주   저기… 잠깐만… 삼식아… 니가 하면 안 돼?… 나 진짜 떨려
죽을 것 같아….

삼식   내 얼굴 보는 순간 오하영이 어떡헐 거 같햐… 넌 떨려서 죽지만
난 걸리면 죽어….

삼식, 자신의 선글라스를 벗더니 알을 빼내고 안경테만 미주에게 씌워준다.

삼식   어우… 똑똑해 보여…. 자자… 할 수 있어… 이미주!! 파이팅!!

미주   아니… 아니야… 나 못하겠어… 삼식아, 제발….

삼식   흠… 그럼 어쩔 수 없네… 내가 좀 도와줘야제.

삼식, 갑자기 미주를 확 떠민다. 우당탕탕 복도로 나와 서는 미주.
하영 병실 앞을 지키던 오토바이 사내와 덩치들이 일제히 미주를 본다.
어색한 포즈로 서 있다가 얼른 자세를 가다듬더니 억지로 웃는 미주.
자연스럽게 걸어가 하영의 병실 앞에 가 선다.

덩치1	(막아서며) 뭡니까?
미주	환자분 진료 왔습니다.
덩치1	방금 왔다 갔는데….
미주	(당황했다가 이내 정신 차리고) 네… 그 방금 왔다 간 선생님께서 연락하셨더라구요. 환자분 심리 상태가 매우 불안정해서 상담치료를 요한다고. 뭐… 필요 없으심 돌아가구요.

덩치1, 매우 의심스러운 눈으로 미주보다가… 오토바이 사내가 고개짓하자 문을 열어준다. 미주, 미소를 지으며 까딱 목례하고 들어가려는데…

사내	어이… 잠깐…
미주	!!!
사내	(미주 쪽으로 다가오더니) 주광철?

미주, 사내가 가리키는 쪽을 보면 의사 가운에 새겨진 [전문의 주광철]이라는 이름. 당황했지만 이내 웃으며…

| 미주 | 호호호 주광철… 남자 이름 같죠?… 딸만 셋이라 동생은 아들 보라고… 하여간 지긋지긋한 남아선호사상… 짜증 나…. |

미주, 사내를 홱 밀고 들어간다.

25.　　우성의료원, 하영 병실 / N

쾅! 문을 닫고 들어오더니 마스크 벗고 휴우~~ 한숨 쉬는 미주.
이불 뒤집어쓰고 누워 있는 하영.

미주　　(다가가며) 오하영 씨?

하영　　나가….

미주　　잠깐 얘기 좀…

하영　　나가라고!!

미주　　그래… 그러니까… 같이 나가자고!

하영, 그 말에 이불 걷고 미주를 올려다본다.

미주　　최강호 알죠?

미주의 말에 싸늘하게 얼어버리는 하영의 얼굴. 하영, 소리를 지르려고 하자…
얼른 입을 막는 미주… 읍읍!! 미주의 손을 거칠게 긁어대는 하영.

미주　　지금 소리 지르면… 당신 영원히 여기서 못 나가는 거야….

CUT TO

예진이 찍은 동영상을 보고 있는 하영. 바들바들 떨고 있다. 미주, 하영이
손톱으로 긁어버린 손등을 호호 불고 있다.

미주　　나가면 손톱부터 정리해야겠다….

순간, 미주의 휴대폰을 팩 던져버리는 하영.

미주   (달려가 휴대폰 집어 들며) 어머!!! 야!!… 바꾼 지 한 달도 안 된
       건데….

하영   너 뭐야… 나한테 왜 이래….

그 말에 하영을 물끄러미 쳐다보는 미주.

미주   …그러는 넌 최강호한테 왜 그랬는데?

하영   내가 뭘!!!!

미주   (가만히 하영을 보더니) 넌… 그 사람에게 미안하지도 않니?
       그래도 한때는 좋아했던 사람 아니었어?

하영, 붉어진 눈으로 미주를 노려보더니…

하영   그 사람이 먼저 날 배신했어….

미주   너보다 먼저 배신당한 건 나야!!… 그렇다고 사람을 죽이진
       않아!!

하영   ….

미주   나가자… 나가서 니 입으로 모든 걸 밝혀… (하영의 팔목을 잡는다)

하영   (뿌리치며) 싫어!!!

미주   왜?… 아빠 때문에?

하영   자식이건 뭐건… 죽일 거야….

나쁜엄마

미주	무슨 소릴 하는 거야… 죽일 거라니… 이미 죽였어!!… 갓 태어난 어린 자식… 니 동생이 죽었다고… 거기다 넌?… 넌 어떤데? 지금 니 꼴을 봐… 넌… 니가 살아 있다고 생각하니? 자기 자식한테 사람을 죽이라고 시키고, 미친년을 만들어서 병원에 감금시켰어… 짐승도 지 새끼한테 그렇게는 못 해… 근데… 그런 인간이 한 나라를 이끄는 대통령이 되겠다고?… 안 돼!… 나도 싫어… 너가 안 하면 나라도 막을 거야!
하영	그럼 너도 죽어….
미주	(피식 웃더니) 그러겠지… 자기 앞에 방해가 되는 건 모조리 없앨 사람이니까… 얼마 전에 또 강호를 죽이려고 했어. 강호 아버지를 죽인 것도 모자라 이번엔 어머니까지 같이 농장에 가두고 불을 질렀다고!
하영	!!!!!!
미주	니가 용서받을 수 있는 마지막 기회야. 강호… 이대로 두면 진짜 죽을지도 몰라. 그럼 이 순간을 외면한 넌 또 다시 공범이 되는 거야. 물론… 그렇다고 감옥에 가진 않겠지…. 왜냐면… 최강호가 잘못되는 순간… 넌 내 손에 아작 날 테니까.

미주의 붉은 눈과 하영의 붉은 눈이 무섭게 맞부딪힌다.

하영	여길 나간다고 쳐… 그다음엔 어떻게 할 건데? 신고라도 할거야? 지금 아빠 손이 안 닿는 데는 어디도 없어… 경찰도, 검찰도….
미주	있어… 딱 한 사람!… 최강호.

하영	너… 지금 장난해?… 그 사람이 무슨 수로?… 몸만 돌아왔지 정신이 돌아온 게 아니라며!
미주	니가 직접 확인해!

26. 고속버스터미널, 대기실 / N

차량 블랙박스 화면이 보인다. 어두운 골목길에 윤재민이 우미정을 끌고
들어오는 것이 보인다. 뭔가를 내놓으라는 듯 하다가 급기야 우미정의
몸을 뒤지는 윤재민. 그런 윤재민과 실랑이하며 뿌리치는 우미정. 윤재민이
돌을 집어 들더니 우미정을 내리친다. 몇 번이나 돌로 내리치더니 일어나
도망간다. 그리고 잠시 후, 다가오는 정종구… 놀라 달려와 우미정을 잡고
흔든다.

휴대폰으로 재생되는 블랙박스 화면을 보고 있는 강호. 그때, 울리는 전화.
미주에게서 온 영상통화다. 강호, 주변을 살펴보더니… 전화를 받는다.

강호   미주야… 나 지금 터미널이라 영상통화…

눈이 커지는 강호. 영상 속 입을 가리고 바들바들 떨고 있는 하영이의 모습이
보인다.

복도 창가에 기대 시계를 보는 오토바이 사내.

사내   한 시간이 넘도록 뭐 하는 거야?

사내, 병실 문 쪽으로 다가간다. 그때다. 갑자기 쾅! 열리는 문. 사내와 덩치들
놀라 보면 바퀴 달린 침대를 밀고 다급하게 뛰어나오는 미주. 침대에 기절한
듯 누워 있는 하영.

미주   비켜요, 비켜!

사내   (당황해 막아서며) 뭐… 뭐야?

미주   하이포볼레믹 쇼크예요!…

사내   하이포… 뭐?

미주   응급 상황이라구!!!!

사내   (당황했다가 휴대폰 꺼내 어딘가 전화하며) 기다려… 아, 여보세요…
            김 원장님…

순간, 그대로 침대로 밀고 달려가는 미주.

사내   자… 잠깐!! 잠깐만… 야!!… 거기 서!!!

사내, 얼른 전화를 끊더니 달린다. 덩치들 따라온다. 복도 끝 엘리베이터를
향해 달리는 미주. 그때, 땡! 엘리베이터가 열리며 그 안에서 뛰어나오는
사내… 강호다.

강호	내려!!!

강호의 말에 기다렸다는 듯 침대에서 뛰어내리는 하영. 강호 그대로 달려가
침대를 잡더니 달려오는 사내와 덩치들을 향해 확 돌려 민다. 뱅그르르
맴돌며 사내들에게 밀려가는 침대. 달려오다가 침대에 밀려 넘어지는
사내와 덩치들. 강호, 얼른 하영과 미주의 손을 잡고 엘리베이터 안으로 뛰어
들어간다. 뒤늦게 뛰어왔지만 간발의 차로 엘리베이터를 놓친 사내와 덩치들.
사내가 얼른 그 옆에 엘리베이터 버튼을 마구 누르지만 1층에 멈춰 서서
꿈쩍도 안 한다.

사내	계단!!… 계단으로!!

사내와 덩치들이 비상계단으로 달려간다. 하지만 잠겨 있는 비상문.

사내	이거 왜 이래!!!…(팔꿈치로 쿵 부딪쳐보더니) 뭐야! 이게 왜 잠긴
	거야?!!!

28. 우성의료원, 1층 엘리베이터 앞 / N

마치 애가 잠궜어 하듯… 삼식이 얼굴 c.u. . 삼식, 지루한 듯 하품을 하며
계속해서 엘리베이터 열림 버튼을 한 번씩 누르고 있다. 닫히려다 다시 열리고
닫히려다 다시 열리는 문. 누군가가 타려고 하자…

삼식	점검 중입니다….

29.   우성의료원, 엘리베이터 / N

헉헉 숨을 몰아쉬며 나란히 서 있는 미주, 강호, 하영. 여전히 양쪽으로
두 사람의 손을 잡고 있는 강호.

강호   (홱 미주 보더니) 이미주!! 누가 이렇게 위험한 짓 하래? 혼날래?

미주   너도 혼날래?

하더니, 하영의 손을 잡고 있는 강호의 손을 탁친다. 얼른 하영의 손을 놓는
강호. 흠흠 어색한 세 사람. 땡! 문이 열리자 손을 흔들고 서 있는 삼식.

삼식   왓썹?!!··· 튀어!!!!

네 사람, 후다닥 뛰기 시작한다.

30.   도로 / N

봉고차를 운전하고 있는 삼식. 조수석에 강호, 그리고 뒷자리에 하영과 미주가
앉아 있다.

삼식   펄펙!!! 하~ 맥아더 장군의 인천상륙작전이 이보다 더
완벽했을까?

미주   근데··· 얼굴은 가렸다고 쳐도··· 차 번호판은 찍히지 않았을까?

삼식   에헤··· 나가 누구여?··· 그럴 줄 알고 미리 싹~ 튜닝해놨제.

우리가 누군지는 귀신도 몰러… 흐흐흐

쌩~ 달리는 차… [1332]라고 쓰인 번호판에 매직으로 조잡하게 덧칠해 [7882]가 되어 있는 게 보인다. 하지만… 카메라 번호판 위로 올라가면 봉고차 뒷 유리창에 떡허니 쓰인 [삼식이 방앗간].

31.   휴게소 / N

망연자실한 얼굴로 [삼식이 방앗간]이라고 쓰인 차를 보고 있는 강호, 미주, 삼식. 미주, 홱 돌아 삼식이 목에 헤드락 걸며…

미주   으휴… 우리가 누군지 귀신도 몰라?… 등신도 알겠다!!!

휴게소 옷 가게에서 일반복으로 갈아입고 나오던 하영이 그 광경을 의아하게 본다.

하영   왜?… 무슨 일인데?

강호   아무래도 마을로 들어가는 건 위험할 것 같아… 다른 장소를 찾아야겠어.

삼식   아니 그냥 경찰에 신고허면 안 되는 거?

강호, 미주, 하영 동시에 '안 돼!!!' 한다.

미주   납치한 건 우리야… 누가 누굴 신고해?

삼식   납치라니… 우리가 무슨 납치를 혀? 구출을 헌 거제….

미주	그 말을 누가 믿냐? 너라면 믿겠어?

삼식	뭐여… 그럼 나 이제 납치범 된 겨? 도둑놈에 협박범도 모질라 납치범?!! 하… 씨… 친구놈 하나 살릴래다 이게 웬…

삼식, 머리 잡고 괴로워하다가 멈칫!

삼식	잠깐!!… 친구?… 누가 친구여?… 오매… 그러고 보니께 황당허네… 내가 시방 최강호 너를 왜 돕고 있는 겨? 넌 내가 그렇게 도와달래도 눈 하나 깜짝 안 허고 감옥에 처넣었잖여…. 언제 어떻게 잡아 죽여도 딱히 이상헐 거 없는 그런 사이 아니여, 우리?

미주	와~ 이제 와서 그걸 따진다고?

삼식	그동안은 따질 수가 없었제… 이제 와서 야가 정신이 돌아왔으니께…

강호	하영이가 우릴 도와 도망친 이상 납치죄는 성립되지 않아. 영상에 다 찍혔을 테니 경찰에 신고도 할 수 없을거고. 하지만 신고할 수 없는 건 우리도 마찬가지야. 완벽하게 모든 준비가 끝날 때까진 절대 누구에게도 들켜선 안 돼.

삼식	흠… 절대 누구에게도 들키지 않을 곳이라… 진짜 비밀스러운 장소가 한 군데 있긴 헌디….

미주	그게 어딘데?

삼식	그 전에 최강호 너 나헌티 먼저 정식으로 사과를 하…. 그럼 내가 넓은 아량으로다 한 번 더 도와주고.

강호	고맙다… 삼식아… 덕분에 미주도 하영이도 무사히 구할 수 있었어.
삼식	아니… 고마워 하지 말고 사과를 하라고… 지난번에…
강호	지난번에 나 구하려고 불길 속에 뛰어든 건 더 감동이었어. 고맙다, 친구야.

강호, 삼식을 팍 안는다. 삼식, 짜증 난 얼굴로 후~ 한숨 쉬더니…

삼식	에흐씨… 빨리 타!!!!

32.   관광호텔 앞 / N

차 안에서 앞 창문을 통해 밖을 보고 있는 삼식과 강호.

강호	여기가 어디야?
삼식	아무나 들어갈 수 없는 곳!… 그치만 아무나 나올 수도 없는 곳. 우리도 지금 들어가면 살아 나온다고 장담 못 혀… 앗!! 저기 온다!!!

보면, 수하들의 호위를 받으며 관광호텔로 들어서고 있는 배 선장 보인다.

미주	뭐야… 저 사람들 왜 저렇게 살벌해?
삼식	강호야… 잘 들어… 나 여기 너 땜에 목숨 걸고 온 거여…. 왜냐면… 우린… 친구니께… 반드시 잊지 마… 우린 친구여!

33.   관광호텔, 배 선장 사무실 / N

멍한 얼굴로 쳐다보고 있는 배 선장…

배 선장   ♪ 엄마엄마 이리 와 요것 보셔요~ 와… 요것 봐라… 그렇게
전화를 해도 쌩까던 놈이 지발로 쫑쫑쫑 찾아올 줄이야…
그래… 약속한 건 준비해 왔구?

삼식   그건… 아직 준비가 안 돼서… 대신… 제 가장 소중한 친구를
준비해 왔어요.

배 선장   친구?

강호   (검사증 보이며) 서울중앙지검 최강호 검삽니다.

배 선장   (멍하니 보더니) !!!

강호   불법 선박 매입해서 불법 개조, 불법 운항, 불법 도박장을
운영하셨네요. 게다가 종업원 임금체불, 협박, 감금, 폭행에
불법장기담보계약까지… 누가 봐도 검사인 저랑 볼 일이 많으실
것 같은 우리 사장님이 제 친구에게 볼 일이 있으시다구요?

배 선장   아뇨… 아뇨… 아뇨… 도통 무슨 말씀이신지… 삼식아 내가 너
볼일 있니?

삼식   저한테 1억 달라고 하셨잖아요.

배 선장   어머나… 세상에… 너 그거 진짜 그렇게 생각한 거야?
미치겠다… 얌마… 일하다 맥주병 몇 개 깨뜨린 게 뭐라고….
하하하… 쟤가 저렇게 순진하다니까요. 뭔가 오해하신 거
같은데… 저희 학교 때부터 엄청 친한 선후배 사이예요.

강호	삼식이는 저랑 같은 초중고 나왔는데….
배 선장	아니… 그 학교 말고… 에이… 다 아시면서… 하하하하…. 도박장은 애지녁에 접었구요… 여기 저희 종업원들 보세요… 어디 가서 협박, 감금, 폭행당할 몽타주인가… 절대로… 그런 일 없습니다.
강호	그래요?… 이 호텔도 도박꾼들만 회원제로 관리되는 하우스라고 들었는데….
배 선장	(펄쩍 뛰며) 아휴… 무슨 말씀이세요… 그냥 제 하우스예요. 즐거운 나의 집! 스위트 홈!

강호, 잠시 생각하는 듯 하더니…

강호	그럼 저희 수사관들이 여기서 며칠 머물면서 조사를 해봐도 될까요?
배 선장	예?… 아… 아, 그럼요… 당연하죠, 제 하우슨데…. 아예 쭉 사셔도 됩니다.
강호	만에 하나 제 소중한 친구 삼식이나 수사관들 신변에 문제가 생기면…
배 선장	(얼른) 제 짓이죠!… 영락없는 제 짓이죠!! 털끝 하나 상하지 않도록 잘 모시겠습니다. (수하들에게) 뭐 해!! 얼른 스위트룸으로 모시지 않고.

34.　　　관광호텔, 옥상 / N

옥상에서 호텔 뒤쪽 공터를 내려다보는 삼식.

삼식　　　아이고, 난리 났네… 난리 났어….

보면, 수하들이 장부며 서류 뭉치들을 정신없이 드럼통에 넣고 태우고 있다.

삼식　　　구린 장부들 싹 다 태우고 나면 밤에 오줌 좀 싸겠는디?…흐흣

삼식, 담배를 불을 붙이려는데 바람 때문에 잘 붙지 않는다.

삼식　　　와~ 씨~ 바람이….

미주　　　그러게… 바닷바람이라 춥긴 하네….

삼식　　　안에 있으라니까… 담배 피러 나오는디 뭣 허러 쫓아 나와….

미주, 가만히 하늘을 보더니…

미주　　　시간이 필요할 거 같아서… 두 사람….

35.　　　관광호텔, 스위트룸 / N

커다란 거실에 어색하게 마주 앉아 있는 강호와 하영.

강호　　　쉽지 않은 결정이었을 텐데… 고맙다….

하영	오빠 위해서 아니고… 날 위해서 한 거야… 안 그러면 평생 지옥 속에 살 것 같아서….
강호	그 지옥… 내가 만든 거야… 내 일에 아무 죄없는 너를 끌어들였고… 너무 큰 상처를 줬어… 미안하다.

하영, 가만히 강호를 본다.

하영	한순간도 나 사랑한 적 없어?
강호	… 사랑하는 사람이 있었어.
하영	그래… 그럴 줄 알았어. 오빠의 표정, 눈빛, 숨소리… 내 옆에 있었지만 한순간도 나와 함께 있던 적이 없었어. 늘 누군가를 그리워하는 것 같았거든… 불안했고… 싫었고… 질투 났어…. 그래서 황수현이 오빠의 여자라는 아빠의 거짓말에 속을 수밖에 없었나 봐. 물론 이런 말로 용서받을 수 없다는 거 알지만….
강호	….
하영	사랑하는 사람… 이미주 맞지?
강호	맞아… 이미주… 그리고 우리 엄마… 그리고… 우리 아버지.

하영과 강호의 눈이 마주친다. 그때, 쾅 문 닫히는 소리 나며 들어오는 삼식.

삼식	잠바 가지러 들어가서 왜 여적 안 나오는 겨?

삼식의 목소리에 강호, 하영 돌아보자 눈물이 가득 고인 미주가 잠바를 들고 서 있다.

나쁜엄마

문 앞에 서 있는 강호.

강호   분명 우릴 쫓고 있을 거야… 그러니까 절대 호텔 밖으로 나가면
        안 돼… 알았지?

미주   (걱정스럽게) 어디로 갈 건데?

강호   너희들 덕분에 하영이를 찾았잖아… 이제 송우벽에 대한 증거를
        찾아야지.

미주   송우벽? 그걸 어디서 찾아?… 어머님도 수사관도 이미 다
        없앴다며…

강호   딱 한 군데 남아 있는 곳이 있어… 걱정 마… 금방 가지고 올게.

미주   위험한 일 아니지?

강호   더 이상 위험한 일 없으려고 가는 거야… 삼식아… 두 사람
        잘 부탁해!

강호, 문을 나간다. 말없이 서 있는 세 사람. 그때, 미주가 쾌 문을 열고
뛰어나간다.

삼식   야!… 이미주!!…

삼식, 따라 나가려는데… 뭔가에 잡힌다. 돌아보면 삼식이 옷을 잡고 있는
하영… 가만 있으라는 듯 고개를 젓는다.

강호, 호텔 복도를 걷는데 달려오는 미주. 강호를 뒤에서 팍 안는다.

미주　　내가 그랬지? 한 번만 더 나 살려주면 너랑 결혼해 준다고.
목에 사탕 걸렸을 때 한 번, 오토바이 사고 났을 때 한 번…
그리고 마지막으로 날 살린 게 뭔지 알아?… 우리 애들.
넌 우리 곁에 없었지만… 단 한순간도 너랑 함께가 아닌 적이
없었어. 그러니까 반드시 돌아와… 돌아와서 이제 평생 우리
옆에 살아… 일있지?

강호, 그 말에 천천히 돌더니 미주의 얼굴을 잡고 이마에 쪽 뽀뽀한다.

강호　　고마워, 미주야… 꼭 그렇게… .

강호, 엘리베이터에 오른다. 서서히 닫히는 문. 미주, 엘리베이터 문을
양손으로 탁! 잡는다.

미주　　야!! (이마 가리키며) 여기서 쫌만 더 내려오면 입술인데…
이게 머냐?… 어? 멀어?… 멀어서 못 오는 거야?

순간, 미주를 확 끌어당기는 강호. 엘리베이터 안에서 키스하는 두 사람.

도리깨를 꺼내어 이장에게 내미는 영순.

영순   아니, 한겨울에 도리깨는 어따 쓰시게요?

이장   (도리깨 받아 다시 제자리에 놓으며) 한겨울에 도리깨를 어따
             쓰겠어….

이장, 한쪽에 있는 플라스틱 의자에 앉더니 또 하나를 영순 쪽으로 밀며…

이장   여 앉어봐.

영순, 의자에 앉는다.

이장   그렇게 배 아프다고 찾아오는디도 병원 한 번 데려갈 생각을 못
             허고… 맨 소화제에 침만 찔러댔으니… 으휴… 나 같은 놈이
             무슨 이장이라고….

영순   아휴, 그게 왜 이장님 탓이에요. 병원 가라고 몇 번이나
             말씀하셨는데 제가 말을 안 들은 거죠.

이장   그니께 왜 그렇게 말을 안 들어, 말을!! 에휴… 온몸이 마비돼
             누워 있는 자식 일으켜 세우겠다고 그렇게 독허게 굴고
             난데없이 장개 보낸다고 생난리를 부린 것도 다 그래서였지
             뭐여…. 그래, 그동안 혼자서 을매나 끙끙 앓았어… 평생 한
             동리서 가족맨치 지냈는디 귀띔이라도 해주지… 어째 이런 애길
             생판 처음 보는 형사헌티 듣게 혀.

영순	(놀라) 혀… 형사요?
이장	아까 낮에 형사들이 찾아와서 강호에 대해 묻더라고… 살인사건 때문이라든디….
영순	(펄쩍 뛰며) 아니에요, 이장님! 우리 강호 절대 아니에요!
이장	아휴… 그럼… 당연히 아니제… 우리 강호가 검산디 그럴 리가 있어? 근디… 그 경찰서에서 찍힌 CCTV 말이여… 강호가 쫌 이상하긴 허더라고… 솔직히 많이 아플 때도 그 정도까지는 아니였잖여….
영순	….
이장	강호 엄마… 힘든 거 알어… 그래도 내가 뭘 알아야 도울 거 아니여? 그러니께 말 좀 혀봐… 도대체 강호헌티 무슨 일이 생긴 거?

38.   영순네, 안방 / N

눈이 퉁퉁 부은 박씨가 훌쩍이고, 정씨도 눈물을 훔치고 있다.

청년회장	아이고… 그만들 울어요… 아픈 사람 보믄 더 속상혀요… 아니… 거 숟가락은 또 왜 그러고 있어요?

보면, 이장 부인이 숟가락 두 개로 양쪽 눈을 가리고 훌쩍이고 있다.

이장 부인	너무 울어서 눈이 안 떠져요… 흑흑. 강호 엄마가 암이래서

난 우리 방탄이들 그 아미라는 줄 알고… 좋아서 박수까지 쳤단 말이에요… 누가 나 죽방 좀 날려주세요… 허엉….

예진   왜 자꾸 울어요? 다들 우니께 나도 눈물 날라 그러잖아요…
          아앙.

서진   아앙~

정씨   아휴… 니들까지 왜 이랴… 이리 와… 울지 마… 울지 마….

정씨, 서진이와 예진을 안아주며 휴대폰을 꺼내 건다.

정씨   응… 미주야, 난디… 너 들어올 때 강호네 좀 들려서
          애들 좀 델꼬 가.

미주   아… 엄마… 그러지 않아도 전화하려고 했는데… 나 오늘 못
          들어가… 아니, 당분간 며칠 못 들어갈 것 같애….

정씨   뭐?

39.   **영순네 앞~관광호텔 스위트룸 (교차) / N**

대문을 열고 나오는 정씨.

정씨   그게 뭔 소리여? 어딘디 며칠씩이나 못 들어와?

미주   아… 그게… 상갓집이야. 친구 아버지 돌아가셔서….

그때, 미주가 통화하고 있는 침실 문이 벌컥 열리며 고개를 내미는 삼식이.

EPISODE 13   411

삼식	야! 이미주… 밥 왔어… 언능 나와!
정씨	잉?… 잠깐!… 지금 이 목소리… 삼식이 아니여?… 너 시방 삼식이랑 있는 겨?
미주	(당황) 어?… 어… 삼식이도 아는 친구라서. (삼식에게 나가라고 손짓)
삼식	짜장면 부니께 빨리 나와~ (문 닫는다)
정씨	짜장면?… 넌 상갓집에서 짜장면 먹냐?… 너 이년 시방 어디여?
미주	엄마… 그게….
정씨	삼식이랑 뭘 허길래 집엘 못 들어와?… 너 설마… 강호헌티서 기껏 갈아탄 게 삼식이여?
미주	하~ 그런 거 아니야… 아무튼 지금은 말 못해… 나중에 집에 가서 얘기해.
정씨	그게 뭔 소리여? 왜 말을 못 혀?!… (하다가 멈칫) 잠깐!… 미주야… 너 시방 무슨 일 있는 거지? 그치?… 삼식이가 차 훔쳐서 나갔다든디… 설마 너 어디서 나쁜 일 당허고 있는 겨?… 맞으면 맞다고 혀… 당장 경찰 부를 테니께….
미주	(다급하게) 안 돼, 엄마!!… 경찰 안 돼….
정씨	경찰 안 돼?!! 아이고… 우리 딸 이거 진짜 뭔 일 났네! 뭔 일 났어!! 삼식이 이 새끼!!… 이 개놈의 새끼!

놀라 난리법석 떠는 정씨… 미주 다급하게…

| 미주 | 엄마엄마… 진정해… 제발 진정하고 내 말 들어. |

정씨	내가 지금 진정하게 생겼어?!!! 일단 끊어… 경찰에 신고부터.
미주	엄마 쫌!!!! (하~ 한숨 쉬더니) 실은 내가 아니고… 강호한테 일이 좀 생겼어…
정씨	(멈칫) 뭐?… 누구?… 강호?
미주	응… 그래서 내가 며칠 도와줘야 돼….
정씨	아니, 강호는 시방 병원에 있잖여? 너 설마 그놈 간호헌다고 집에 안 들어온다는 겨? 잠깐만… 그러고 보니께 너 오늘 가게는 나갔어? 안 나갔어?
미주	엄마… 미안해… 나중에 다 설명할게!
정씨	시끄러워 이년아! 이 엠병할 년이 아직도 정신 못 차렸네… 너 이년, 농장 불 났을 때도 강호 구하러 뛰어들려던 거 내가 다 알어. 그렇게 고생고생하며 뒷바라지 혔는디도 너 버리고 간 놈이여. 근디 그런 놈헌테 뭔 미련이 남아서 이 지랄을 혀? 왜 자꾸 등신 짓을 하냐고!!! 왜!!!!!!!!
미주	…엄마 닮아서.
정씨	뭐?…
미주	엄마가 그렇게 살았잖아… 평생 그렇게 속을 썩였는데도 아빠만 사랑하고 아빠만 기다리면서…. 그게, 얼마나 속상하고 아픈 건지 엄마가 제일 잘 아니까 지금 이렇게 나한테 화를 내는 거야. 맞지? 근데… 엄마… 지금 내 심정을 누구보다 잘 아는 사람도 엄마잖아. 내가 강호 잊을 수 없다는 거… 절대 버릴 수 없다는 거… 그리고 결국엔 돌아갈 거라는 거… 알지?…

엄마는… 엄마니까 다 알지?

정씨, 어이없어 말문이 막힌다.

미주   고마워요. 언젠가는 꼭 한 번 말하고 싶었어. 엄마가 그렇게
힘들었는데도 아빠를 버리지 않아 준 거… 내 삶에 아빠라는
존재를 지켜준 거…. 나도 우리 서진이 예진이한테 그런 엄마가
되고 싶어… 도와줘, 엄마.

멍한 얼굴로 있다가 이내 후우~ 한숨을 내쉬는 정씨.

정씨   아후, 징한 년… 끝까지 드런 놈의 에미팔자를 닮겠다고
지랄이네. 그래, 이년아 니 인생이니께 니 맘대로 지지던지 볶든지
허고 살어. 근디 나중에 내 앞에서 눈물 짜고 후회허면 알어서
햐. 후회헐 거면 가지 말고… 갔으면 절대 후회하지 말라고,
이년아!

미주   엄마…

정씨   끊어!!!

정씨, 전화를 끊더니…

정씨   나쁜 년… 약점 잡을 게 없어서 그걸 약점 잡어?
(하늘에 삿대질하며) 이게 다 이춘길 너 때문이여… 너!!
하여간 우리 미주 불행해지면… 넌 진짜 디진다… 아! 맞다…
디졌지….

나쁜엄마   414

정씨, 피식 웃더니 안으로 들어가려다 조금 떨어진 곳에서 인기척을 느낀다.

정씨   거기… 누구 있어요?

하지만 아무 소리도 들리지 않는다. 정씨, 갸웃하더니 이내 영순네 집으로
들어간다.

40.   영순네 근방 / N

소 실장과 차 대리가 영순 집이 보이는 코너 벽에 바짝 붙어 있다.

차 대리   최강호, 지금 이미주, 방삼식이랑 병원에 있다는 말 같은데요.

소 실장   ….

차 대리   어떡할까요?

소 실장   (손가락을 입에 대더니 나지막히) 한 시 방향… 번호판 찍어봐.

차 대리, 빼꼼히 고개를 내밀어보면 저 멀리 봉고차 한 대가 정차해 있다.
사진을 찍어 내밀자 크게 확대해 보는 소 실장.

소 실장   3835… 흠… 서울서부터 쫓아왔어.

차 대리   누굴?… 저희를요?… 왜요?

소 실장   … 확인해 봐야지.

소 실장과 차 대리 차에 오른다. 차가 출발하자 잠시 후 헤드라이트가 켜지며

따라오는 봉고차. 백미러로 뒷차를 살피던 소 실장.

소 실장   지금이야… 밟아!!

차 대리, 전속력으로 밟자 역시나 전속력으로 따라오는 차.

41.   양조장 일각 / N

추격전을 벌이다 차 대리와 소 실장이 탄 차가 오른쪽 코너를 돌아 양조장
쪽으로 들어간다. 잠시 후 역시 코너를 돌아 따라 들어오는 봉고차.
막다른 길… 소 실장과 차 대리 차가 저 앞에 덩그러니 서 있다. 차에서 쏟아져
나오는 여섯 명의 사내들. 차에 다가와서 보면 아무도 없다. 그때 양씨네 창고
건물의 문이 쾅 떨어져 나가며 나타나는 농업용 트랙터와 굴삭기. 그 위에
각각 앉아 있는 소 실장과 차 대리. 각종 무기를 든 괴한들과 대치한다. 무리
중에 강호네 불을 질렀던 남자들도 보인다.

소 실장   낯익은 놈들이 있는 거 보니 송 회장님이 보내셨네… 왜?…
          강호 죽이고 나면 우리도 처리하래? 하긴… 회장님에 대해
          우리가 알아도 너무 많이 알긴 하지!

차 대리   전 아직 대리라 그렇게까지 많이 알지는…

소 실장   그래도 상추밭 하면서 땅 파고 묻는 기술 하나는 확실히
          알았잖아.

차 대리   (빙그레 웃더니) 어떤 놈부터 묻을까요?

순간, 이야!!! 하고 달려드는 괴한들. 트랙터와 굴삭기를 끌고 돌진하는
소 실장과 차 대리. 그러나 약삭빠르게 타고 올라 소 실장과 차 대리를 향해
주먹과 발길을 날리는 괴한들. 결국 트랙터와 굴삭기에서 굴러떨어지는
소 실장과 차 대리. 그때, '야! 이 도둑놈의 새끼들아!!!!' 낫을 들고 달려오는
양씨와 양씨 처… 그 뒤로 에에엥~ 싸이렌이 울리며 착착착! 서는 경찰차
몇 대.

소 실장　　　또 하나 우리가 아는 거!

차 대리　　　양씨 아저씨가 꽃선녀님보다 더 믿는 캅스 도난방지 시스템!

체포되는 괴한들 보며 빙그레 웃는 소 실장과 차 대리.

42.　　　영순네, 안방 / D

♪ **나는 행복합니다~** 울리는 휴대폰 소리에 살풋 눈을 뜨는 영순. 영순의 손을
꼭 잡고 자는 박씨가 보인다. 살그머니 손을 풀고 일어나려다 흠칫! 정씨가
영순의 허리를 안고 다리를 올리고 자고 있다. 그리고 좁은 방 안에 이리저리
엉켜 자고 있는 서진과 예진, 엎어져 자고 있는 이장 부인.

43.　　　영순네, 마루 / D

전화 받으면서 나오는 영순.

| 영순 | 응… 아들…. |
| 강호 | 별일 없으시죠? |

전화기 들고 나오면 마루에 이불을 펴고 자고 있는 청년회장과 이장.
그런 사람들을 보며 저절로 눈시울이 붉어지는 영순.

| 영순 | 별일이 있기에는 지켜주는 사람이 너무 많네… 거의 |
| | 어벤져스급이야. 훗. 넌 어때?… 일은 잘되고 있는 거야? |

44.   거리 / D

그 옛날 검사 시절의 어느 때처럼 깔끔하게 양복을 쫙 빼입은 강호가 거리를
걷고 있다. 냉철하면서도 다부진 표정, 예리한 눈빛… 그때 그대로다.

| 강호 | (전화기에 대고) 이제부터 시작이죠! |

강호, 웃으며 힘차게 걷는다.

45.   자동차 / D

하영이 병원에서 탈출하는 CCTV를 보고 있던 오태수. 휙 고개를 돌려
보좌관을 본다.

| 오태수 | 지금 뭐라고 했어? 우벽? |

보좌관	네. 여기 이 봉고차에 써 있는 상호를 조사해 본 결과 최강호가
	사는 조우리에 소재하는 것으로 확인됐습니다. 당시 차를 몬
	사람은 방삼식이란 인물로 추정되는데 정황상 송 회장이 마을에
	잠복시킨 소 실장, 차 대리와 함께 우벽의 일을 도왔던 것으로
	보입니다.

오태수	확실해?

보좌관	지난번에는 방삼식을 통해 유전자 검사지와 녹음파일을 하영
	아가씨에게 공개했습니다. 최강호 사진을 보내 아가씨의
	결혼식을 망치고, 이번엔 아가씨를 납치했습니다. 송 회장이
	오래전부터 하영 아가씨를 노린 게 분명합니다.

오태수	아니, 도대체 왜!!!!

보좌관	최강호 살해 시도를 실패한 데다 황수현 사건 수사에서 최강호가
	풀려나자 의원님과의 관계에 대한 불안감을 느낀 것 같습니다.
	하영 아가씨는 어떤 상황에서도 의원님의 발목을 잡을 수 있는
	유일한 사람이니까요.

오태수	이 미친 노인네가!!

오태수, 급하게 폰을 켜는데… 그때! 차 밖에서 쏟아지는 플래시 세례.
기자들이 오태수의 차를 에워싸고 사진을 찍는다. 오태수, 인상을 구기더니
어쩔 수 없이 휴대폰을 주머니에 넣고 차 문을 연다.

46.   코엑스 앞 / D

오태수가 나오자 일제히 쏟아지는 카메라. 환호하며 반기는 시민들.
환하게 웃으며 사람들을 향해 손을 흔들어주는 오태수. 한 기자가 카메라
앞에서 보도 중이다.

기자   오태수 제일미래당 대선후보가 제2회 바다생물의 날을 맞아
서울 삼성동에 위치한 수족관을 방문, 본격적인 민생행보에
나섰습니다.

47.   아쿠아리움 / D

잔잔한 클래식이 흐르는 가운데 유유히 헤엄치는 물고기들. 그 앞에 앉아
『춤추는 아빠 물고기』라는 동화책을 읽어주는 오태수. 어린이들이 모여
앉아 똘망똘망한 눈으로 오태수를 보고 있고 그 주위로는 아이들의 부모들을
비롯한 시민들과 관계자들이 서 있다.

오태수   ⋯ 아빠 물고기는 외롭지 않아요. 동글동글 예쁜 알 속에
아기들이 잠을 자고 있거든요. '아기들아⋯ 너희들을 만나
아빠가 얼마나 기쁜 줄 아니? 알에서 깨어날 때까지 매일매일
아빠가 춤을 춰줄게~' 아빠 물고기는 가슴 지느러미를 살랑살랑
흔들며 춤을 추기 시작했어요. 아빠의 춤이 만들어낸 뽀글뽀글
공기방울이 바닷물을 깨끗하게 바꾸어주었어요. 하루, 이틀
그리고 열흘. 잠시도 쉬지 않고 춤을 춘 아빠 물고기는 조금씩

몸이 피곤하고 졸립기 시작했어요. 그때였어요. 톡! 토도독 톡톡!! 아… 드디어 아기들이 알에서 깨어나기 시작했어요. '안녕! 아가들아… 반가워… 이리 와서… 아빠한테 뽀뽀해 줄래?' 아기 물고기들이 아빠 물고기에게 뽀뽀를 해주기 시작해요. '사랑해' 행복한 아빠 물고기는 마지막 춤을 추며 서서히 눈을 감았어요.

오태수, 차분히 동화책을 덮더니 인자한 얼굴로 어린이들을 본다.

오태수   자, 어린이 여러분 재밌게 들으셨어요? 가시고기는 이렇게 자신의 생명을 바쳐 아기 물고기들을 지켜요. 우리 엄마, 아빠도 마찬가지예요. 그 어떤 이유나 목적도 없이 우리를 사랑하시고, 희생하시는 훌륭하신 분들이죠. 우리 친구들은 그런 엄마, 아빠 사랑을 가슴에 잘 새기고 감사한 마음 잊지 말아야 해요. 약속!!!

어린이들   약속!!

오태수   자, 그럼 우리도 엄마 아빠한테 뽀뽀 한번 해드릴까요?

아이들, 오태수의 말에 우루루 일어나더니 저마다 부모님을 꺼안고 뽀뽀한다. 그 모습을 흐뭇하게 보는 오태수.

48.   **아쿠아리움 일각 / D**

연설을 마친 오태수가 걸어 나오자 양편으로 길을 만들어 환호하는 시민들.

저마다 손을 내밀며 악수를 해달라고 아우성이다. 사람들의 손을 하나하나 잡고 인사하며 빠르게 지나가는 오태수. 누군가가 '오태수 대통령! 오태수 대통령!' 소리치자 따라서 연호하는 사람들.

오태수　　(시민들 향해) 아이고 큰일 날 소리… 저 아직 대통령 아닙니다….
　　　　　　근데 이렇게 환대해 주시니… 쫌 욕심이 나는데요. 하하하하.

시민1　　읽어주신 동화책 너무 감동적이었어요.

오태수　　(악수하며) 저 또한 느낀 점이 많습니다. 국민을 사랑하고
　　　　　　국민을 위해 제 한 몸 희생할 수 있는 가시고기 같은 정치인이
　　　　　　되겠습니다.

시민2　　(아기 손을 잡고 내밀며) 저희 아들 손 좀 잡아주세요!!

오태수　　(아기 안으며) 아이고… 이뻐라!… 제가 아들이 없어놔서…
　　　　　　부럽네요. 하하하.

그 이후로도 '감사합니다. 반갑습니다' 등등 시민들과 인사를 나누며 지나가는 오태수. 그러다 한 남자의 손을 잡고 '잘 부탁드립니다' 꾸벅 인사를 하고는 다음 사람으로 옮기려는데… 오태수의 손을 꽉 잡고 놓아주지 않는 남자. 웃는 얼굴로 남자를 쳐다보는 오태수… 점점점 표정이 굳어진다. 강호다.

강호　　저도 잘 부탁드립니다.

충격받은 오태수와 여유로운 미소의 강호가 커다란 수족관 앞에 마주 보는 데서…

나쁜엄마　　　　　　　　　　　　　　　　　　　　　　　　　　422

나쁜엄마

EPISODE
14

세상에 태어나 한평생을 살면서…
이 모든 소중함을 다 알고 가는 사람이 몇이나 될까요?…
이렇게 귀한 인생을 살 수 있어서 저는 참 행복한 사람입니다.

1.   **아쿠아리움 일각 / D**

오태수가 걸어 나오자 양편으로 길을 만들어 환호하는 시민들. 사람들의 손을
하나하나 잡고 인사하며 빠르게 지나가는 오태수. 누군가가 '오태수 대통령!
오태수 대통령!' 소리치자 따라서 연호하는 사람들. '감사합니다. 반갑습니다'
등 시민들과 인사를 나누며 지나가는 오태수. 그러다 한 남자의 손을 잡고
'잘 부탁드립니다' 꾸벅 인사를 하고는 다음 사람으로 옮기려는데… 오태수의
손을 꽉 잡고 놓아주지 않는 남자. 웃는 얼굴로 남자를 쳐다보는 오태수…
점점점 표정이 굳어진다.

강호   저도 잘 부탁드립니다.

하얗게 얼어버리는 오태수. 강호, 여유로운 표정으로 오태수를 보며…

강호   여기서 말씀드리면… 응원해 주시는 많은 분들이 놀라실 것
            같은데… 조용한 곳으로 가실까요?

의미심장하게 웃는 강호.

2.   **선거사무소, 오태수 방 / D**

방 안을 둘러보는 강호. 소크라테스 캐치프레이즈로 만든 포스터.
[배부른 돼지보다 배고픈 오크라태수가 되겠습니다] 구절이 적혀 있다.

오태수   솔직히 좀 놀랬네… 갑작스런 사고로 많이 다쳤다고 들었는데….

가만히 오태수를 바라보는 강호… 천천히 입을 연다.

강호 네… 저도 놀랐습니다… 진짜… 갑작스런 사고인 줄 알았거든요.

오태수 ….

강호 사고가 아니라 사건이었습니다. 의원님의 내연녀, 황수현의
시체가 갑작스럽게 떠오른 것처럼요.

오태수, 강호의 말에 흠칫!

오태수 자… 자네… 지금 나한테…

강호 아니요. 의원님한테 목적이 있었다면 굳이 이렇게 찾아오지도
않았을 겁니다. 현직 검사에게서 흘러나온 찌라시 한 장이면
의원님의 상대 후보당… 아니 대한민국 전체가 혈안이 돼
의원님을 끌어내려 줄 테니까요.

오태수 최강호!!!

강호 단도직입적으로 말씀드리겠습니다. 제 목표는 오직 하나!
35년 전 저희 아버지를 살해하고 또 저와 제 어머니를 죽이려 한
송우벽 회장을 잡는 겁니다.

오태수 !!!

강호 지금까지 의원님이 덮어주고 무마시킨 송우벽의 모든 범죄와
비리… 그 재판의 증인으로 서십시오. 그럼 저도 의원님의 모든
죄를 덮겠습니다.

오태수 (버럭) 지금 무슨 소릴 하는 거야!!!!!

나쁜엄마

강호	(동시에 버럭) 오하영!!!

오태수	?

강호	… 제가 데리고 있습니다.

오태수	뭐?!!

강호	아버지에 대한 원망과 증오가 매우 크더군요. 의원님께서 증언을 거부하시면… 그 자리에… 하영이가 서 있을 겁니다.

오태수	!!!

강호	부탁을 드리러 온 게 아니라 기회를 드리러 온 겁니다. 자, 선택하시죠. 저와 함께 송우벽을 잡고 예정대로 대통령이 되시거나… 아니면 송우벽과 함께 지옥으로 가시거나….

오태수, 부들부들 떨리는 눈으로 강호를 노려본다.

오태수	내가 자네를 믿을 거라고 생각하나?

강호	네… 달리 방법이 없으실 테니까요.

강호, 빙그레 웃는다.

3.　　　　**관광호텔, 로비~관리실 / D**

휘파람을 불며 로비를 향해 걸어가는 삼식이. 배 선장의 수하들 몇 명이 문을 지키고 있다.

삼식	아이고~ 불철주야 고생이 많으십니다~ 혹시 우리 밥 시킨 거 아직 안 왔을까?
수하1	(관계자 외 출입금지라고 쓰인 문 가리키며) 저기….
삼식	응?… 밥이 왜 저깄어?

삼식, 다가가 문을 살며시 열어보다가… 놀라서 홱 열며!

| 삼식 | 아, 뭐 허는 거여요?!!! |

CCTV 관리실 안… 배달 온 음식들을 몰래 열어보다가 화들짝 놀라는 배 선장.

배 선장	아이쿠! 깜짝이야….
삼식	(달려와 음식 챙기며) 왜 남의 음식에 함부로 손을 대고 그려요?
배 선장	아니… 검찰청 다니는 똑똑한 사람들은 평소에 뭘 먹나 궁금해서… 근데 뭐 별거 없네… 흐흣.
삼식	설마… 뭐 이상한 약 같은 거 탄 건 아니겠죠?
배 선장	얌마… 이상한 약 처방받는 건 뭐 쉬운 줄 알어? 그럴 돈 있음 내 영양제나 사 먹겠다. 니들 온 이후로 신경 쓰고 잠 못 자서 이 피부 누렇게 뜬 것 봐….
삼식	술이나 끊어요.

삼식, 음식이 든 봉지들 들고 나가려는데…

| 배 선장 | 근데… 이런 걸 사내연애라고 하는 건가? 큭큭. |

나쁜엄마

삼식	뭔 소리예요?… 사내연애라니?
배 선장	그 검사랑 수사관이랑 말이야… 아주 불이 붙었던데…?

배 선장, CCTV 모니터를 플레이시키자 엘리베이터 화면이 나온다.
미주와 강호가 엘리베이터 안에서 키스하는 장면이다. 삼식, 헉!… 눈이
커지더니 들고 있던 음식 그릇을 턱! 떨어뜨린다.

4.　　　관광호텔, 스위트룸 / D

미주가 테이블에 하영과 마주 앉아 종이에 뭔가를 열심히 적고 있다.
그 모습을 음울한 얼굴로 지켜보는 하영.

미주	오케이… 사고 전날 병원, 웨딩샵, 백화점까지 동선은 정리됐고… 다음은 사고 당일 아빠하고 했던 대화 내용을 정리해 보자.
하영	저… 자신 없어요.
미주	응? 뭐가?
하영	결국은 약을 처방받은 것도, 그걸 생수병에 넣은 것도 나잖아요… 아무리 아빠가 시킨 거라고 말해도 증거가 없는 이상 결국 내가 다 떠안게 될 거예요. 잘못을 했으니 벌을 받는 건 당연해… 근데… 오빠한테 아무런 도움이 되지 못할까 봐 무서워요.

미주, 하영의 손을 꼬옥 잡아준다.

| 미주 | 이렇게 용기 내준 것만으로도 이미 강호에게 큰 도움이야. 증거 찾아온다고 했으니… 믿고 기다려보자. |

하영, 울먹한 눈으로 미주를 바라보다가…

| 하영 | 나… 실은… 우리가 어디서 봤는지 생각났어요… 청담동 에스테틱… 맞죠? (머뭇거리다) …때려서 미안해요…. |
| 미주 | 그 덕분에 널 찾은 거야… 진단서까지 끊어와 지랄해 줘서 고마워! |

하영, 흡! 웃는다… 미주도 풋! 웃음이 센다. 결국 깔깔깔깔 웃어버리는 두 사람. 그때, 쾅! 문이 닫히는 소리가 나며 거실로 들어오는 삼식.

| 미주 | (일어서며) 뭐야? 왜 이렇게 늦었어? |

미주, 다가와 음식 봉투를 받아주려고 하자 그런 미주를 마치 투명인간처럼 지나쳐 가는 삼식.

| 삼식 | (하영에게) 늦어서 죄송해요… 배고팠죠? |
| 미주 | 응… 엄청 배고팠어… 와~ 떡볶이다!! |

달려드는 미주를 요리조리 엉덩이로 밀어내는 삼식. 몇 번을 시도하다 이내 꽈당 넘어지는 미주.

| 미주 | (버럭) 아, 왜 그래!!!! |
| 삼식 | 많이 먹어서 배부를 텐디… 뭘 더 먹겠다고 그랴? |

미주	먹다니⋯ 뭘 먹어?
삼식	아주 엘리베이터 안에서 쩝쩝 쪽쪽!⋯ 먹방이 따로 없드만! (하영 보더니) 자자⋯ 하영 씨⋯ 어여 먹어요. 식기 전에⋯.
미주	(당황해서) 뭐⋯ 뭐야⋯ 어디서 봤어?⋯ 왜 그런 걸 몰래 보고 난리야!
삼식	몰래 보긴⋯ 엘리베이터에 CCTV 있는 거 몰랐냐? 카메라 쪽으로 을매나 각도랑 동선도 잘 잡았는지⋯ 누가 보면 JBC 드라마 찍는 줄!
하영	(어리둥절해서) 왜요? 뭘 봤는데요?
삼식	아니아니아니⋯ 못 볼 거 봤어요⋯ 안 본 눈 사고 싶어⋯. 자자⋯ 어떻게⋯ 쪼끔 떠먹여드릴까? (떡볶이 하나 집어) 아~~~~

미주, 황당한 얼굴로 삼식을 보다가 다시 달려들며⋯

미주	내 카드로 결제했거든!!⋯ 너나 저리 꺼져!!!
삼식	와~ 떡볶이 먹고 싶대서 이 일대 분식집이란 분식집은 싹 뒤져가지고 평점, 리뷰 일일이 다 읽어보고 최고 맛집으로 엄선해 주문해 주니까!
미주	엄선은 개뿔!⋯ 이 일대 분식집 하나밖에 없는 거 다 알거든!!

서로 잡고, 밀고 아등바등 장난치는 두 사람을 보며 빙그레 웃는 하영.
그러다 문득 표정이 확 굳어진다.

하영	(혼잣말로) 하나밖에⋯ 없⋯어?

하영, 다급히 휴대폰을 검색하기 시작한다. 이것저것 찾아보다가 이내 눈이
커지더니…

하영   차… 차… 찾았다!!!

갑작스런 하영의 비명에 서로 머리끄댕이 잡은 채 멈춰 선 미주와 삼식.

하영   아빠가 그 사고를 계획했다는 증거!!… 찾았다구요!!

미주   뭐?

하영   그날… 아빠가 나한테 사고 위치를 지정해 줬어요.

오태수가 보여주던 화면과 같은 화면을 보고 있는 하영과 삼식.

하영   여기서 이송할 수 있는 응급실은 도원대학병원…
            딱 하나밖에 없어요.

미주   도원대학병원?

하영   네… 오빠가 실려갔던 병원이요… 우성의료원이랑 같은
            재단이에요.

삼식   우성의료원이면… 하영 씨가 잡혀 있던 그 병원?

하영   맞아요… 아빠가 뒤를 봐주고 있는 병원. 모든 게 아빠의
            계획이었던 거예요. 그 병원으로 이송시켜 증거를 없애려고.

미주   증거? 무슨 증거?

하영   수면제 성분이 든 오빠의 혈액과 검사 결과지!

나쁜엄마   432

5.   우벽그룹 앞 / D

우벽그룹 앞에 끼익 멈춰 서는 강호의 차. 강호, 차에서 내려 우벽그룹 건물을
눈으로 쭈욱 훑는다.

오태수   V.O 송우벽은 검찰, 법원 모든 윗선과 연결돼 있어. 절대 영장
              받기 쉽지 않을 거야. 결정적인 증거가 없는 한 영장을 받는다
              해도 실질심사에서 기각될 거고. 자칫 어설프게 건드렸다간
              오히려 자네 계획만 송 회장에게 노출될 수 있어. 그럼… 모두가
              다 위험해지는 거야!

6.   우벽그룹 내 일각 / D

여러 명의 이사들과 걷고 있는 송 회장.

이사1   이번 '글로벌 하이 클린 경영인상 수상'은 아시아 최초라 더
              뜻깊은 것 같습니다.

송 회장   글로벌 하이 클린… 이름이 영~ 파이야… 깨끗한 기업윤리
              강조하는 건 좋은데 이~ 뭔가… 청소업체 같기도 하고… 세탁소
              이름 같기도 하고….

하하하 웃는 이사들과 송 회장.

이사2   미국에선 언제 귀국하십니까?

송 회장	마음 같아선 메이저리그 월드시리즈까지 싹 다 보고 오고 싶지….
이사1	네?… 그럼 올 시즌 우리 '우벽 비스트'는 버리시는 겁니까?
송 회장	아! 맞다… 아이고… 내 진짜… 이 정도면 노망이야… 노망!

또 다시 하하하하 웃는 사람들. 웃으며 걸음을 옮기던 송 회장 앞쪽으로 나타나는 검은 양복의 실루엣. 뭔가 하고 고개를 들어 바라보는 송 회장… 순간 표정이 확 굳는다.

7.   우벽그룹, 옥상 / D

옥상에 서서 전망을 바라보고 있는 송 회장… 그 옆에 비서가 있다.

송 회장	와~ 전망 직인다… 니 덕분에 내 여를 다 올라와보네…. 근데… (돌아보더니) 와 혼자고?

보면, 소 실장이 서 있다. 소 실장, 가만히 송 회장을 노려보고 서 있다가…

소 실장	꼭 그러셔야 했습니까?… 평생을 회장님만 바라보고 회장님만 따랐습니다. 꼭 그렇게 죽이셔야 했습니까?

소 실장, 무너지듯 털썩 무릎을 꿇더니 흑흑 흐느낀다.

송 회장	인마…이 뭐고?… 니 우나?… 아이고야… 이 크다란 게 쪽팔리게시리 이란다….

비서	출발하실 시간입니다.

송 회장   후우… (소 실장 어깨를 툭툭 토닥여주더니) 세상에 미련 맨치로
          미련한 기 없는 기라…. 운 좋게 살았으모 쩌~ 물 건너 어데라도
          도망가 살 궁리를 했어야제. 뭔 놈에 미련이 남아가 이래 명을
          재촉하노… 우찌 됐든 고맙데이… 니 살아 있단 말에 출장
          가는 길 영 찜찜했는데… 인자 쫌 맘 편히 가겠네. 니도 편히
          가그래이~

송 회장, 옆에 비서에게 눈짓하고는 돌아서는데…

소 실장   왜 혼자왔냐고 물으셨죠? (휴대폰 보이며) 방금 하신 말씀…
          차 대리에게 갈 겁니다. 한 사람은 살아 있어야… 회장님의 죄를
          밝히지 않겠습니까?

순간, 홱 돌아서더니 일말의 주저없이 소 실장의 머리를 지팡이로 후려갈기는
송 회장.

송 회장   이 개새끼가… 내내 처울고 자빠졌다가 비행기 시간 다 되니까
          흥정을 하고 지랄이고? 어? 어?

송 회장이 쓰러진 소 실장을 발과 지팡이로 잔혹하게 패기 시작한다.
그 바람에 소 실장의 손에서 떨어지는 휴대폰. 송 회장, 휴대폰을 집어
던지더니…

송 회장   (씩씩 숨을 몰아쉬며) 그래… 원하는 게 뭔데?…
          말해 봐라… 내 뭐 해줄까?

거칠게 소 실장의 멱살을 잡아 일으키더니… 옥상 난간에 곧 떨어뜨릴 듯
밀어붙인다.

송 회장	뭐에 눈시깔이 뒤집히가 내를 찾아왔는지 말해 보라고!… 으이?
소 실장	윽… 으윽…
송 회장	와 말을 몬하노? 와!!!… 곧 디질 새끼가 돈이 필요하노? 집이 필요하노? 아니모… 니도 강호 새끼처럼 내 아들 시키주까?!!!
소 실장	(벌건 얼굴로 힘겹게 버티며) 회장님 덕분에 농사란 걸 지어봤습니다. 신기하게도 뿌린 만큼 다 거두더라구요… 회장님도 곧 그러실 겁니다….
송 회장	이 미친새끼가!!!

순간, 팡! 하는 소리와 함께 열리는 옥상 문. 그리고 들어서는 한 사람…
강호다. 금방이라도 떨어질 듯 옥상에 반쯤 걸쳐진 소 실장, 그리고 그대로
표정이 굳어버린 송 회장. 강호, 송 회장을 향해 저벅저벅 걸어간다. 송 회장,
소 실장을 잡고 있던 손을 턱 놓더니… 홀린 사람처럼 강호를 향해 절뚝절뚝
걸음을 옮긴다. 조금씩 가까워지더니… 이내 걸음을 멈추는 두 사람. 송 회장,
벌겋게 충혈된 눈으로 강호를 바라보다… 이내 팍 안는다.

송 회장	살았나?!!!
강호	….
송 회장	됐다!!… 이쟈 아무것도 필요 없다… 내는… 강호 니 하나만 있음 다 끝이다!!

강호, 무표정한 얼굴로 송 회장에게 안긴 채 가만히 입을 연다.

강호   … 죄송합니다… 저는 지금부터 시작입니다.

순간, 몸을 떼내더니 송 회장의 손목에 수갑을 철컥 채우는 강호.

강호   송우벽… 당신을 특수상해 및 살인미수 현행범으로
            긴급체포합니다.

송 회장   니… 지금 뭐 하는 기고?

강호   (반대편 수갑을 채우며) 당신은 묵비권을 행사할 수 있고,
            당신이 한 발언은 법정에서 불리하게 사용될 수 있습니다.

송 회장   아이고야…. (허탈한 표정으로 하늘을 올려다보며) 하~~~~

강호   변호인을 선임할 수 있으며 질문을 받을 때 변호인의 조력을
            받을 수 있습니다. 변호인을 선임하지 못할 경우, 국선 변호인이
            선임될 것입니다. 당신은 미란다 원칙을 고지받으셨습니다.

송 회장, 흠… 여유만만한 미소로 강호를 본다.

송 회장   강호야… 니… 괜않겠나?

강호   (가만히 보다가) …식사 잘 챙기십쇼… 연행해!!

강호가 소리치자 옥상 문 앞에 대기하고 있다가 우르르 달려오는 수사관2, 3.
송 회장과 비서를 끌고 나간다. 바닥에 박살 난 휴대폰을 집어 수사관에게
주더니 소 실장에게 다가가 손을 내미는 강호. 빙그레 웃으며 손을 잡는
소 실장 얼굴에서 과거 회상으로…

8.　　　영순네 앞 (과거) / N

얼굴 이곳저곳이 터진 소 실장, 차 대리가 영순네 집을 기웃거리고 있다. (13화 41씬 연결 모습) 그때… '누구세요?' 소 실장과 차 대리가 놀라 돌아보면 강호가 서 있다. (13화 36씬 관광호텔 연결 모습)

소 실장　　(다급하게 강호를 잡더니) …최강호 …도망 가!

9.　　　양씨네, 셋방 (과거) / N

심각한 얼굴로 앉아 있는 소 실장, 차 대리.

강호　　구속영장을 받을 수 없다면 방법은 하나! 현행범 체포를 해야 합니다.

차 대리　　근데… 송 회장 미국 출장 간다고 하지 않았어요?

소 실장　　응… 맞아….

강호　　미국 출장이요?… (잠시 생각하더니) 그게 언제죠?

10.　　　검사실 (과거) / N

- 온갖 서류들을 펼쳐놓고 보는 강호와 수사관들.
- 칠판 앞에 놓고 동선 설명하는 강호.

강호	자, 계획은 이렇습니다. 제가 옥상으로 치고 올라가면
	백 수사관과 민 수사관, 박 수사관님은 저를 따라 오시고
	나머지는 김 시보 따라서 압수수색 진행해 주세요.
수사관들	넵!
수사관	아~ 우리 검사님 돌아오시니까 일할 맛 나네! 하하하하
가수	[v.o] ♪ 언제 들어왔어~ 내 가슴에~ 꽉 잠긴 내 마음 속에~

11.   영순네, 안방 / D

티브이에서 앳된 남자가수가 트롯백의 ♪ **사랑의 주거침입죄**를 부르고 있다.
그 앞에 옹기종기 모여 앉아 있는 이장, 청년회장, 정씨, 박씨, 이장 부인, 서진,
예진.

정씨	(밖에 대고) 강호 엄마~ 언능 들어와~~!! 노래 시작했어!!!

'네~ 가요~~!!' 하는 영순의 소리.

12.   영순네, 욕실~부엌 / D

욱욱… 변기 앞에서 구역질을 하며 괴로워하는 영순. 수건걸이의 수건을 잡아
빼 입에 물고 소리가 새어나가지 않도록 하더니. 배를 움켜쥐고 부엌으로 뛰어
들어가 다급히 약을 꺼낸다.

영순네, 안방 / D

웃으며 들어오는 영순. 손에 고구마가 들려 있다.

영순	내 새끼들… 간식 먹자!!
예진	와~~~! (좋아하다 급 실망) …또 고구마네?
서진	그래서 답답헐 때마다 고구마다, 고구마다… 허나 봐….
영순	왜? 고구마 싫어?… 녹두전 해줄까?

순간 일제히 만류하는 사람들. '아휴… 그르지마', '참어', '많이 무따이가'…등등.

정씨	에잇… 거 조용히 좀 혀봐… 노래 좀 듣게….
영순	아!!… 저거예요? 그 작곡가가 만들었다는 노래?
박씨	그렇댜… 아주 여기저기서 인기 폭발이랴… 이번 주 1등 후보까지 올랐는디 제목이 「사랑의 주거침입죄」랴….
이장	주거침입죄? 제목이 뭐 그려?
이장 부인	삼식이 보고 만들었나봐요.
박씨	야!!!!!!!… 아니 이년이 꺼떡허면 넘의 아들을 가지고…
청년회장	(얼른 박씨 잡고 일어나더니) 아싸!! 노래 좋네, 좋아~ (춤추며) 잇히!! 잇히!!
이장	잠깐만!!! 방금 뭐여?… (춤추는 청년회장 다리 밀며) 아! 좀 비켜봐!!

티브이 화면 아래로 속보 자막이 떠 있다.

나쁜엄마

[뉴스 속보, 우벽그룹 송우벽 회장 특수상해 및 살인미수 혐의로 긴급체포]

청년회장   히익!… 저게 뭔 소리여?!!… 우벽그룹 송우벽이 잽혀갔다구?

영순, 멍하니 보다 다급하게 리모컨을 찾더니 여기저기 돌린다.
뉴스 속보가 나오고 있는 뉴스 채널. 송 회장이 기자들의 플래시 세례 속에
검찰청으로 들어가는 모습이 보이는 가운데 기자의 목소리가 들려온다.

기자   …송우벽 회장의 최측근 비서였던 피해자 소모 씨의 증언에
따르면 송우벽 회장의 폭행과 살해 협박은 이번이 처음이 아니며
또 다른 피해자도 상당수에 이른다고 전해져 파문이 일고
있습니다.

14.   대검찰청, 차장검사실 / D

티브이를 보고 있는 차장검사. (9화 39씬의 부장검사) 바들바들 떨더니 명패를
집어 탁자에 앉아 있는 검사들 쪽을 향해 집어 던진다.

차장검사   도대체 어떤 새끼야!!!!!! 당장 기자들 출입 막고 정확한 사실관계
확인할 때까지 언론보도 일체 정지하라고 엠바고 걸어!!… 뭐 해!
빨리 안 튀어 나가고!!!

검사들, 일어나 뛰어나가는데… 그때 한 검사가 놀라 티브이를 가리키며…

검사1   차… 차장님!! 저기…

티브이를 보는 차장검사, 순간 표정이 확 굳는다. 검찰청 앞 기자들에 둘러싸인 강호의 모습이 보인다.

차장검사   최강호?!!

15.   대검찰청 앞 / D

기자들 앞에 서 있는 강호.

강호   얼마 전 송우벽 회장으로부터 살해 위협을 받았다는 피해자의
제보를 받고 조사하던 중⋯ 금일 오후 14시⋯ 우벽그룹 본사
내에서 또 다시 피해자에게 상해를 가하고 살인에까지
이르려하는 피의자를 긴급체포하였습니다. 피의자가 피해자의
휴대폰을 훼손하려고 시도한 점과 금일 미국행 항공권을
소지한 점으로 미루어 증거인멸 및 도주의 우려가 있다고
판단하였습니다.

16.   선거사무소, 오태수 방 / D

심각한 얼굴로 티브이를 보고 있는 오태수.

기자   F 앞으로의 수사는 어떻게 진행될 예정인가요?

그때, '의원님!!!!' 하며 문을 열고 뛰어 들어오는 비서관1.

나쁜엄마   442

손을 들어 멈추라고 표시하는 오태수.

강호　　　F 국민을 섬기고 국가에 봉사하는 공명정대한 검사로서…
　　　　　　어떠한 힘과 권력 앞에서도 성역 없는 수사를 펼치라는
　　　　　　검찰총장님의 뜻에 따라… 국민 앞에 한치의 불신과 의혹도
　　　　　　남기지 않도록 철저히 수사하겠습니다.

하… 고개를 숙이는 오태수. 초조한 듯 안절부절못하더니 번뜩! 어딘가로
급하게 전화를 건다.

오태수　　　김 원장님?… 접니다, 오태수!

17.　　　영순네, 안방 / D

티브이를 향해 일시정지 화면처럼 굳어버린 마을 사람들…

정씨　　　　시… 시방 내가 뭘 본 겨?… 가… 강호여?

청년회장　　(스르르 박씨를 보더니) 나 싸대기 한 대 갈겨줄 텨?

박씨가 청년회장 싸대기를 날린다. 짝!

청년회장　　(뺨을 어루만지며) 맞네… 맞어… 아프니께 강호네… 아프니께
　　　　　　강호여!!!!

이장　　　　이야!!!… 강호!!!… 우리 자슥… 강호가 돌아왔어!!!!

박씨　　　　(티브이 만지며) 아이고 강호야!!… 우리 삼식이 베프 강호야!!!

꺄아아아악~~~~~ 이장 부인, 예진, 서진도 신나서 깡총거리며 박수를 친다.

| 정씨 | (홱 영순 보더니) 뭐여?… 어째 그동안 말을 안 한 겨? 설마 날 못 믿은 겨? 말 좀 혀보라고!!… 사돈!! |

| 이장 부인 | 어머! 사돈이라뇨? |

| 박씨 | 누구랑?… |

| 예진 | 저랑요!! (영순 목을 끌어안으며) 맞죠? 어머님~ |

그런 예진을 꼭 끌어안는 영순. 붉은 눈에서 눈물이 주르륵 흘러내린다.
영순, 얼른 손등으로 눈물을 닦아내고는 밝샇게 웃으며…

| 영순 | 우리… 서울 나들이 한번 갈래요? |

경쾌한 노래와 함께…

18.   법원으로 가는 길 몽타주

－ [삼식이 방앗간] 차에 타고 가고 있는 미주, 하영, 삼식. 그리고 운전하고 있는 배 선장.

| 삼식 | 아! 우리끼리 가도 된다니께…. |

| 배 선장 | 닥쳐!… 가다가 사고라도 나면 영락없는 내 짓이여~ |

－ 번쩍번쩍 광이 나는 새 차. 양복을 쫙 빼입은 이장 운전하고, 조수석에 청년회장. 그리고 루이뷔통 가방을 든 박씨, 모피코트를 입은 정씨,

나쁜엄마

선글라스에 과하게 챙 넓은 모자를 쓴 이장 부인. 이장 부인의 모자에
자꾸만 얼굴을 얻어맞는 박씨.

박씨　　　엠비럴… 어디 바캉스 가나….

청년회장　바캉스가 따로 있나? 좋은 차 타고, 좋은 디 가면 그게 바캉스제~~

이장　　　범죄 없는 마을 상받을 때 탈라고 뽑은 건디… 한 사람만 더
　　　　　　있었어도 다 못 탈 뻔혔지 뭐여~

이장 부인　어머~ 정씨 아줌마가 오늘을 위해서 과부가 되셨나 봐요~

정씨　　　뭐여?!!!

하하하 웃는 사람들.

- 신 반장, 조 형사 차를 타고 가고 있는 영순.

신 반장　아직 용의선상에서 벗어난 건 아닙니다… 끝까지 주시할 겁니다.

영순　　　아, 시끄럽고 전방주시나 잘 하세요.

영순, 빙그레 웃으며 창밖으로 하늘을 바라본다.

영순　　　[Na] 여보… 보고 계신 거죠?… 드디어 오늘이에요…
　　　　　　우리가 끝내지 못한 그 재판… 우리 아들이 끝내러 갑니다.

　　　서울중앙지방법원, 법정 / D

영순을 비롯한 마을 사람들이 앉아 있다. 미주와 삼식, 차 대리의 모습도
보인다. 그때, 문이 열리며 들어서는 강호. 방청석 통로를 따라 재판장
안으로 걸어 들어간다. 울먹, 흐뭇, 대견한 눈으로 그런 강호를 바라보는 마을
사람들… 그리고 영순.

영순　　　Na 똑바로 걸어가게 해주세요. 돌아보지도, 비틀대지도,
　　　　　움츠리지도 않고… 똑바로 걸어가게 해주세요.

들어오는 송 회장… 피고인석에 앉는다. 강호, 의미심장한 미소로 송 회장을
본다.

영순　　　Na 똑바로 쳐다보고… 똑바로 말하게 해주세요. 그 옛날, 그들
　　　　　앞에서… 당신이 그랬던 것처럼… 우리 강호의 눈과 입… 손끝,
　　　　　발끝에 세포 하나까지 당당하게 해주세요.

재판부가 들어오자 기립하는 사람들. 강호, 영순을 쳐다본다. 영순, 강호를
향해 빙그레 웃으며 고개를 끄덕인다.

영순　　　Na 사활을 걸고… 원한을 품고… 가슴 저미도록 간절하게…
　　　　　기도합니다.

재판장　　2023 고합 133호 재판 시작하겠습니다.

CUT TO

일어서서 얘기 중인 강호.

나쁜엄마

강호   피고인은 지난 2월 6일 피해자 소지석과 그 부하 직원인
             차승언을 살해할 목적으로 변필수외 5명을 사주하였습니다.
             또 그 이틀 뒤인 2월 8일에는 피해자에 대한 특수폭행 및
             살인미수 혐의로 공소 제기되었습니다.

CUT TO

변호사 일어서 있다.

변호사   2월 6일 조우리에서 발생한 폭행 사건은 동료 직원 간 서열
             다툼 과정에서 빚어진 단순 폭행사건으로 이를 송우벽 회장이
             사주했다는 소지석의 진술은 그의 일방적인 주장일 뿐입니다.
             이번 사건 역시 태권도, 유도, 합기도 등의 유단자인 소지석이
             일방적으로 송우벽 회장을 공격하자 이를 방어하는 과정에서
             불가피하게 발생한 몸싸움이었습니다.

강호   피해자가 피고인 송우벽을 공격했다구요?… 혹시, 이걸
             말씀하시는 겁니까?

강호가 플레이 버튼을 누르자 소 실장과 송 회장의 대화가 들려온다.

송 회장   F 운 좋게 살았으모 쩌~ 물 건너 어데라도 도망가 살 궁리를
             했어야제. 뭔 놈에 미련이 남아가 이래 명을 재촉하노. 우찌 됐든
             고맙데이… 니 살아 있단 말에 출장가는 길 영 찜찜했는데….
             인자 쫌 맘 편히 가겠네. 니도 편히 가그래이~

소 실장   F 왜 혼자 왔냐고 물으셨죠? 방금 하신 말씀… 차 대리에게
             갈 겁니다. 한 사람은 살아 있어야… 회장님의 죄를 밝히지

않겠습니까?

송 회장　　　F 이 개새끼가… 내내 처울고 자빠졌다가 비행기 시간
　　　　　　　다 되니까 흥정을 하고 지랄이고? 어? 어?

퍽퍽퍽! 들려오는 구타하는 소리가 이어지자… 당황하는 변호사와 그저 피식
웃는 송 회장.

강호　　　　(재판장에게 갖다주며) 증거로 제출하겠습니다. 자, 그럼 본 사건의
　　　　　　　피해자인 증인에게 묻겠습니다.

강호, 소 실장에게 나가와 신다.

강호　　　　증인은 조우리에서 발생한 폭행사건 직후 피고인인 송우벽
　　　　　　　회장이 증인을 살해하려 한다며 본 검사를 찾아왔습니다.
　　　　　　　맞습니까?

소 실장　　네… 그렇습니다.

강호　　　　피고인이 왜 증인을 살해하려고 한 거죠?

소 실장　　제가… 송우벽 회장의 가장 최측근 비서로서 송 회장에 대해
　　　　　　　많은 것을 알고 있기 때문입니다.

강호　　　　많은 것을 알고 있기 때문에 죽인다구요? 피고인은
　　　　　　　용라건설에서 우벽그룹에 이르기까지 약 30년을 최고 경영자로
　　　　　　　있었습니다. 당연히 가까이에서 업무를 돕는 수많은 사람이
　　　　　　　있었고 그들 또한 피고인에 대해 많은 정보를 가지고 있었을
　　　　　　　텐데… 그럼 그들이 모두 죽었다는 말입니까?

소 실장	……네.

놀라 웅성거리는 사람들.

변호인	이의 있습니다! 이는 전혀 확인되지 않은 사실로…
강호	네… 그래서 사실을 확인해 봤습니다. 지난 30여 년간 피고인 송우벽의 최측근 비서는 여기 증인을 제외하고 총 네 명. 그중 두 명은 자살, 한 명은 교통사고 사망, 또 한 명은 얼마 전 제면도에서 사체로 발견된 바로 그 황수현이었습니다.
변호사	재판장님! 검사 측은 지금 본 재판과 전혀 관계없는 사건을…
강호	증인의 진술에 대한 진위 여부를 확인하는 중입니다. 왜 관계가 없습니까?
재판장	… 검사 측… 계속하세요.
강호	(노란 USB 꺼내더니) 이것은 피고인 사무실을 압수수색하던 중 발견된 USB 저장장치입니다. (소 실장에게 보이며) 혹시 이게 뭔지 아십니까?
소 실장	우벽그룹 비리와 관련된 각종 기밀문서와 송 회장의 이중장부 및 배임, 횡령 등에 대한 정보가 든 황수현의 USB입니다.

황수현?!!…다시 웅성거리는 사람들.

송 회장	(당황) 점마 저… 뭐라노?… 황수현이라니….
강호	어떻게 황수현의 USB라고 확신하죠?
소 실장	이중장부에 접근할 수 있는 암호는 회장님과 그해에 장부를

작성, 저장한 비서만 알 수 있는데 백업한 자료의 내용이
2016년도에서 2020년도까지로 황수현의 근무 연도와
일치합니다.

송 회장, 뭔가에 한 대 맞은 듯 얼얼한 표정이다.

강호   그렇다면… 비서실 노트북에서 발견된 이 영상에 대해서도
설명해 주시겠습니까?

강호, 영상을 플레이한다. 4화 18씬 송 회장이 오태수에게 보여줬던 연변
영상이다.

여자   ⒡ 방금 뭐랬쇼? 돈을 다시 돌려달라고 했슴까?

소 실장   ⒡ 사고 후 바로 한국을 떠나는 것이 계약 조건이었습니다.
그런데 양구만 씨가 갑자기 자살을 하는 바람에 경찰 수사가
들어갔고 결국 저희까지 위험해졌습니다. 이건 명백한
계약위반입니다.

여자   ⒡ 웃기지 마쇼… 뺑소니부터 자살까지 다 계약에 있던 거 내 다
알고 있슴다.

당황하는 송 회장.

소 실장   2년 전 송우벽 회장이 양구만이라는 사람의 부인을 찾아가 돈을
돌려달라고 하라고 지시했습니다.

강호   돈을 다시 돌려달라고 시켰다는 건… 피고인 송우벽이
양구만에게 그 뺑소니 사고를 지시했다는 건가요?

소 실장   저는 그저 송 회장이 시키는 말만 전했을 뿐입니다.

어이없는 표정으로 고개를 절레절레 흔드는 송 회장.

강호   그럼 피고인에게 묻겠습니다. 경찰 조사 결과 황수현이
            사망하기 전 마지막 목격된 날짜는 2021년 10월 3일…
            이는 USB의 마지막 저장 날짜와 일치합니다. 그런데…
            이 USB가 왜 피고인의 책상 속에 있었을까요?

송 회장   후훗… 보소… 내가 소 실장 쟈를 죽일라 캤다 했심꺼?
            내 보기엔 쟈가 내 죽일라꼬 앵간이 했네예… USB건…
            양뭐시기건… 점마가 꾸민 짓을 내 우예 알겠심까?

강호   그러니까 이 모든 것이 피해자 소지석이 꾸민 일일 뿐, 피고인은
            누군가를 살해하거나 혹은 살인을 교사한 사실이 없다는 거죠?

송 회장   없습니다!!

소 실장   거짓말입니다!!… 송 회장은 제게도 살인교사를 했습니다!

웅성대는 사람들.

강호   증인에게 살인교사를 했다구요?… 누굴 말입니까?

소 실장   송 회장의 외손자 윤재민이 연루됐던 살인사건의 피의자
            정종구와 우벽건설 현장 정민호 군 추락사건의 피의자
            박철수입니다.

강호   그래서… 시키는 대로 했나요?

소 실장   두 사람 모두 감옥에 수감되는 바람에… 실패했습니다.

희미하게 웃는 강호.

강호 저는 이번 사건을 조사하던 중 몇 가지 이상한 점을 발견했습니다.
그것은… 피고인 송우벽과 긴밀한 관계였던 비서들뿐 아니라
피고인과 우벽그룹에 대해 의혹을 제기하거나 재판을 진행하던
사람들 중 상당수가 갑작스럽게 사망하거나 행방이 묘연해졌다는
사실입니다.

변호사 이의 있습니다! 검사 측은 지금 피해자의 일방적인 진술만을
가지고 사실을 왜곡하고 있습니다.

강호 그렇다면 이 사실을 확인시켜 줄 또 다른 증인을
신청하겠습니다. (서류를 재판장에게 내민다)

재판장 (서류 보더니 놀라) …증인 소환이 가능한가요?

강호 재정증인으로 지금 바로 신청하겠습니다.

재판장 채택합니다… 증인 오태수 씨 앞으로 나오세요.

오태수?!… 방청객이 웅성거리는 가운데 맨 뒷자리에서 일어나는 한 사람…
오태수다. 경악하는 사람들… 예상치 못한 오태수의 등장에 어리둥절한
송 회장.

송 회장 이… 이 뭐꼬?… 점마가 왜 여서 나오노?

오태수, 증인석으로 와 선다.

오태수 양심에 따라 숨김과 보탬이 없이 사실 그대로 말하고…

선서를 하고 있는 오태수의 얼굴 위로…

오태수 사무실 (과거)

강호와 오태수가 마주 앉아 있다.

강호   송우벽이 구속되면 바른한국당을 비롯한 모든 정재계, 언론이
          의원님을 걸고넘어질 겁니다. 의원님과 송우벽의 오랜 암묵적
          관계를 모르는 사람은 없으니까요. 근데… 그런 송우벽의 재판에
          상대 측 증인으로 선다? 송우벽과 의원님의 관계에 대한 모든
          의혹을 단번에 불식시킬 수 있는 절호의 기회가 될 겁니다.

다시 법정. 강호가 오태수 앞에 서 있다.

강호   증인은 지난 1987년부터 약 30여 년간 송우벽 회장을 여러 차례
          기소한 적이 있습니다. 맞습니까?

오태수 네. 그렇습니다.

강호   하지만 대부분 공소가 기각되었습니다. 증거불충분, 고소취소,
          반의사불벌죄 등 여러 이유가 있지만 그중 피해자가 사망하여
          공소권없음으로 종결된 사건이 총 열세 건으로 가장 많았습니다.

오태수 네, 그렇습니다.

강호   증인은, 반복되는 원고 또는 피해자들의 사망이 이상하다고
          생각한 적이 없습니까?

오태수와 송 회장의 눈이 마주친다.

오태수 저는 당시 검사로서 수많은 재판을 했고, 원고나 피해자 사망에

의한 공소권없음으로 종결된 사건 또한 많이 접했습니다.
피해자들의 사망에 대한 수사 결과상 문제가 없었고 유족들
또한 별다른 의혹을 제기하지 않았기 때문에 특별히 이상하다고
생각한 적은 없습니다.

당황하는 강호. 흠… 고개를 끄덕이는 송 회장.

오태수	다만… 본 재판을 지켜보던 중 한 가지 의구심이 드는 부분은… 바로 피고인 송우벽의 수행 비서였던 황수현의 사망사건입니다.
송 회장	?
오태수	황수현은 지난 2018년부터 2020년까지 약 2년간 제 수행 보좌관으로 근무했습니다. 당시 황수현은 검사 출신이었던 저에게 여러 차례 법률 자문을 구하곤 했는데… 내용이 좀 심상치 않아 그 이유를 물은 적이 있습니다. 그러자 황수현 역시 전 비서들의 사망과 관련해 두려움을 느낀다고 말했습니다.
송 회장	!!!
오태수	그러던 2020년 어느 날… 수행 보좌관직을 그만두겠다며 저를 찾아왔습니다. 사유는… (머뭇거리더니) …임신에 따른 신변의 위협이었습니다.
강호	…임신에 따른 신변의 위협이요?…
오태수	네… (송 회장을 가만히 보더니) …송우벽 회장의 아이를 가졌다고 했습니다.

놀라는 강호. 순간, 찬물을 꺼얹은 듯 조용해지는 장내.

그때… '흐… 흐흐흐흐… 흐흐흐흐… 하하하하' 미친 듯이 웃어대는 송 회장.
'하이고야…언사시러워라…' 고개를 절레절레 흔들더니…

송 회장   니가 이라믄… 억울하고 드러버도 입 꾹 다물고 있던 지금까지의
             내 노력이 뭐가 되노? 니놈 대통령 만들라꼬 깜빵까지도
             댕겨올라 캤던 내 이 진심이 뭐가 되냐고, 이 개새끼야!!!

송 회장, 뛰어나오자 교도관들이 송 회장에게 달려들어 제압한다.

재판장   피고인!! 자리에 앉으세요!!

송 회장   그 아가 왜 내 아고?… 불쌍한 아 죽인 것도 모자라 인쟈는
             애비도 모를 잡놈의 새끼로 만드나? 딸년까지 동원해 최강호를
             직일라 캐놓고 뭔 낯짝으로 여까지 기어 나와 개소리고,
             개소리가!!!! 으이?!!!

교도관들에게 잡혀 버둥대며 고래고래 소리 지르는 송 회장. '최강호?!!'…
'강호를 죽이려고 했다고?', '뭔 소리여?' 송 회장의 말에 어리둥절한 재판부와
방청석의 사람들… 순간… 읍! 배를 움켜쥐는 영순. 우읍우읍 구역질을
하다 손수건으로 입을 막는데… 손수건에 피가 묻어난다. 영순, 입술을 질끈
깨물고는 빠르게 고개를 젓는다.

영순   Na 안 돼요… 여보… 아직 안 돼요… 지금 내가 흔들리면
          우리 강호도 흔들려요… 지금 내가 무너지면 모든 게 다
          무너진다고요… 여보… 제발… 조금만 더 날 잡아줘요… 제발
          조금만 더… 버티게 해주세요.

그때, 홀연히 자리에서 일어나는 한 사람… 야구모자를 벗는다… 하영이다.

하영   네, 맞습니다. 제가 직접 최강호 검사에게 수면제를 먹였습니다.

놀라는 오태수, 스르르 강호를 본다. 빙긋 웃는 강호.

CUT TO

증인석에 앉아 있는 하영.

하영   당시, 약혼자인 최강호 검사에게 여자와 아이가 있고, 저와
            결혼하기 위해 누 사람을 살해했다는 거짓말에 속았습니다.

강호   그 말을 누구에게 들었습니까?

하영   저희 아버지인… 오태수 의원입니다.

사람들이 놀란다. 오태수, 의연한 얼굴로 씁쓸하게 웃더니…

오태수   모든 것이 제 잘못입니다. 이깟 정치가 뭐라고… 하…. (가만히
            한숨을 쉬더니) 출마를 결심한 이후 끊임없이 송우벽 회장에게
            협박을 받았습니다. 온갖 비리와 범죄에 연루된 우벽그룹과
            송우벽 회장 자신의 뒤를 봐달라는 거였죠. 이를 거절하자
            제 딸아이를 이용해 최강호 검사를 살해하려고 한 것입니다.

강호   그러니까 그날 사고가 본인이 아닌 송우벽 회장의 지시였다는
            말인가요? 송우벽 회장이 왜 본 검사를 살해하려고 하죠?

오태수   그건… 35년 전 송우벽 회장이 최강호 검사의 아버지를
            살해했기 때문입니다.

나쁜엄마

놀라는 사람들. 턱! 입을 막는 영순.

오태수   당시 저는 최강호 검사의 아버지인 최해식의 농장 방화사건으로
송우벽을 기소했지만 패했습니다. 그리고 얼마 후 항소심을
준비하던 중 피해자 최해식의 자살 소식을 들었습니다. 자살의
이유와 정황에 의문점이 많아 여러 차례 송우벽에 대한 수사를
의뢰했지만 결국 혐의점을 찾지 못하고 공소권없음으로 사건
종결됐습니다.

오태수, 송 회장을 노려본다.

오태수   결론적으로 말하자면 송우벽 회장에게는 없애야 할 두 사람이
있었던 것입니다. 내연녀 황수현과 최해식의 아들 최강호….
그래서 황수현을 죽이고 그 죄를 최강호 검사에게 덮어씌운 후,
제 딸을 시켜 최강호 검사를 없애려고 한 겁니다. 제 딸을 자신의
범행에 끌어들이면 제 약점을 잡을 수 있을 거라고 생각했겠죠.

하영   거짓말하지 마세요!!… 최강호 검사를 죽이려 한 건 아빠잖아요!!
황수현과 아이도 아빠가 죽였어요!! 아빠의 내연녀고 아빠의
아들이잖아요!!! 유전자 검사 결과지… 제 눈으로 똑똑히
봤다구요!!

일동   !!!!

오태수, 참담한 얼굴로 후우~ 한숨을 쉬더니 옷 안쪽에서 서류를 하나 꺼내
펼쳐 든다.

오태수   제 딸아이의 정신병원 진료기록입니다. 네… 실은 저희 아이가…

많이 아픕니다. (울먹) 행여 사랑하는 딸이 정쟁에 이용될까
두려워 그동안 숨겨왔는데…

하영   아빠!!!!

하영의 비명에 가까운 소리에 놀라는 사람들. 오태수를 바라보는 하영의
눈에서 굵은 눈물이 뚝뚝 떨어진다.

하영   왜 이렇게 됐어요?… 도대체 누가 이렇게 만들었냐구…. 아빠…
나예요… 나… 하영이… 아빠가 세상에서 제일 사랑하는
딸… 하영이요. 내가 무서워할 때마다 가시고기 동화책을
읽어주셨잖아요. 아무것도 부서워하지 말라고… 날 괴롭히는 긴
모조리 다 물리쳐주신다고 하셨잖아요…. 아빠… 나 지금 너무
무서워요… 너무 괴로워요. 그만하면 안 돼요?… 제발… 제발
돌아와 주세요, 아빠….

하영, 흑흑흑 흐느낀다. 오태수, 그런 하영을 보며 눈시울이 벌게지는 듯
하더니… 이내 강호를 보고는…

오태수   형법 제10조 1항에 의거한 심신장애인임을 감안해 주십시오.

그 말에 표정이 싸늘하게 굳어버리는 하영… 벌떡 자리에서 일어난다.

하영   제가 아버지의 범행을 도운 이유… 한 가지가 더 있습니다.
35년 전! 저희 아버지 오태수 의원이 송우벽 회장과 공모해
최강호의 아버지 최해식 씨를 죽였기 때문입니다. 아버지는 당시
담당 형사를 매수해 사체에 남아 있는 상처를 조작했습니다.

나쁜엄마

놀라는 사람들. 강호의 눈이 점점점 붉어진다. 스르르 영순을 보는 강호…
두 사람의 눈이 마주친다.

하영   아버지는 저와의 결혼을 반대하기 위해 최강호 검사를
        뒷조사하던 중 그 담당 형사에게서 최강호가 다녀갔다는 말을
        들었고… 황수현과 아버지의 관계를 알고 있는 최강호 검사가
        언젠가 이를 이용해 자신에게 복수할 것이라는 두려움에…
        모두를 없애려고 계획한 겁니다. 그래서 딸인 저를 살인범으로
        만들고… 어린 제 동생까지 살해했죠! 정신병자는 제가 아니라…
        바로 오태수 의원입니다!

오태수 아무래도 딸의 상태가 많이 안 좋은 것 같습니다… 검사님!…
        휴정을 요청해 주십시오…!!

가만히 고개를 숙이고 있던 강호. 서서히 고개를 든다.

강호   증인들의 모든 증언을 종합해 볼 때 이번 사건의 열쇠는 피고인
        송우벽의 비서였던 황수현의 사망사건에 있는 걸로 보입니다.
        증인 오태수는 황수현을 살해한 범인으로 피고인 송우벽을
        지목했고, 송우벽과 오하영은 오태수를 지목했습니다. 또한
        경찰은 저 최강호를 유력한 용의자로 보고 있습니다.
        이 세 용의자가 황수현을 살해한 동기는 황수현 아이의 친부일
        가능성입니다. 그렇다면… 답은 하나!… 아이의 유전자를
        세 사람과 맞춰보면 되겠군요.

강호의 말에 어리둥절한 사람들.

송 회장   저… 뭔 말이고?

그때다… 법정의 문이 스르륵 열린다. 그리고 모습이 드러나는 한 사람…
신림싱싱횟집 사장이다. 그리고 사장의 손을 잡고 아장아장 들어오는 아기…
오태수와 송 회장을 비롯한 사람들의 눈이 커진다. 한 걸음, 한 걸음 아이와
함께 걸어 들어오는 횟집 사장의 눈이 떨린다.

20.   선상 (과거) / N

13화 8씬에 이어… 죽은 듯 쓰러져 있는 횟집 사장. 그때… 어디선가 들려오는
희미한 아이의 울음소리… 움찔움찔하던 눈을 번쩍 뜨는 횟집 사장. 배를
움켜쥐고 간신히 일어나더니… 소리가 나는 쪽으로 비틀비틀 걸어간다.

21.   선실 (과거) / N

선실 문을 열고 들어오는 횟집 사장. 소리가 나는 쪽으로 다가가면 선반
아래… 이불, 옷등을 욱여넣어 막아놓은 공간. 이불과 옷들을 치워내면…
그 속에… 이불에 싼 아기가 있다.

인서트 과거

밖에 이상한 소리를 감지하고는 잠든 아기를 선반 아래 숨기는 수현.
뚝뚝 떨어지는 눈물로 아기와 인사를 나누더니 소화기를 겉싸개로 둘둘 말아
감싸고… 나간다.

아장아장 걸어 들어오는 아이. 오태수, 놀라 강호를 홱 쳐다본다.

오태수　　　최… 최강호….

강호　　　(빙그레 웃으며) 배부른 돼지보다 배고픈 오크라태수가 되겠다고
　　　　　　하셨죠? 틀렸습니다… 어미 돼지는 아무리 배가 고파도 자기
　　　　　　젖 아래 있는 어린 새끼가 다칠까 봐 함부로 몸을 일으키지
　　　　　　않습니다. 자식을 살인의 도구로 이용하고 또 매정하게
　　　　　　살해하려고 했던 오태수 당신 같은 짐승과는 감히 비교
　　　　　　할 수도 없는 모성애죠.

오태수, 바들바들 떨더니 자리에서 벌떡 일어난다.

오태수　　　이건 선거를 앞둔 후보에게 흠집을 내려는 최강호 검사의 명백한
　　　　　　정치공작이며 모함입니다!! 그 배후를 철저히 밝혀내 반드시
　　　　　　책임을 물을 것입니다.

강호　　　증인, 자리에 앉으세요.

오태수　　　더 이상의 증언을 거부하겠습니다

오태수, 걸어가 하영의 손을 우악스럽게 잡아끌더니 나가려 한다.

강호　　　한 발짝만 더 움직이면 증거인멸 및 도주로 간주합니다.

하지만, 그대로 나가려는 오태수. 순간, 하영을 잡고 있는 오태수의 손을 잡아

떼는 강호.

강호   오태수… 당신을 황수현과 그의 자… 본인 최강호와 그의 모친
진영순, 그리고… 1988년 봉우동 화재사건 최해식의 살인교사
혐의로… 그 공범인 송우벽과 함께 긴급체포합니다. 당신은
묵비권을 행사할 수 있고…

스르르 자리에서 일어서는 영순. 울먹울먹한 얼굴로 강호를 보더니… 갑자기
번쩍 양팔을 치켜든다.

영순   만세!! 만세!! 최강호 만세!! 우리 아들 만세!!

영순의 눈물 맺힌 외침에 너도나도 벌떡 일어나는 마을 사람들… 모두 다 같이
'만세'를 외친다!!!

기자1   V.O 긴급속보입니다. 오늘 낮 제일미래당 소속 오태수 후보가
살인교사 혐의로 긴급체포되었습니다.

23.   **방송 몽타주**

각종 매체에 보도되는 오태수와 송 회장의 뉴스.

- 앵커1   검찰이 수천억 원대에 달하는 송우벽 회장의 비자금 조성과
배임횡령 혐의에 대해 수사에 착수했습니다.

- 기자2   오태수와 공모해 증거인멸을 돕고 그 대가로 전국 병원 손소독제

나쁜엄마

독점 유통권을 따낸 혐의로 우성의료원 김태하 원장에 대한
구속영장이 청구됐습니다.

- 기자3   (오토바이 사내 영상 보이며) 당시 오하영 씨가 감금되어 있던
우성의료원 VIP 병실 앞 CCTV에 찍힌 범인의 모습입니다.
피해자들의 공통된 증언에 의하면 범인은 손목에 별 문양 문신이
새겨져 있으며⋯

- 앵커2   우미정 살인사건의 용의자 윤재민의 마약 투약과 강간 혐의가
추가로 밝혀진 가운데 미국 현지 인터폴에 체포되었다는
소식입니다.

- 기자3   정민호 군 건설 현장 추락사 사건이 휴대폰 포렌식 수사
결과 우벽건설사 측의 범행으로 드러남에 따라 재심이
청구되었습니다.

- 앵커3   이미 공소시효가 만료된 봉우동 화재사건과 최해식의
사망사건에 대한 여론의 관심이 뜨거운 가운데 재심 여부가
거론되고 있습니다.

24.   **호송버스 앞 / D**

기자들의 카메라 플래시 속에 호송차로 끌려가는 송 회장과 오태수.
모든 것을 포기한 듯 초점 없는 얼굴로 강호를 보더니 이내 차에 오르는
오태수. 뒤를 이어 차에 타려던 송 회장이 강호를 본다.

송 회장   물지 못할 거믄 짖지도 말라캤데이⋯. 내를 뱃길래면⋯ 니부터

벗어야 할긴데… 우짤라고 이라노.

강호   가르쳐주셨지 않습니까… 홈런 아니면 아웃!! 홈런은 쳤으니…
이제 당당히 아웃되겠습니다!

송 회장, 흠… 차에 오르려는데…

강호   아! 그리고…(가만히 송 회장을 보더니)…사람은 절대 개를 물지
않습니다.

강호를 빤히 쳐다보는 송 회장…

송 회장   참…닮았데이… 35년 전… 느그 아버지도 똑같이 말하드라….

강호, 눈시울이 붉어진다. 송 회장… 고개를 푹 숙이더니 차 안으로 들어간다.

25.   영순네, 마루~부엌 / N

(마루)

마을 사람들이 한가득 모여 술자리가 벌어졌다. 마루 벽면에 [happy birthday]
풍선을 붙이고 있는 강호와 예진, 서진. 예진이 [habby]라고 붙여놓은 걸
강호가 다시 [happy]로 고쳐주고 있다. 그 모습을 흐뭇한 눈으로 쳐다보고
서 있는 정씨.

정씨   에휴… 저렇게 좋아들 허는 걸….

그때, 음식을 들고 나르던 미주와 딱 마주친다.

정씨	이놈의 지지배야! 진작 알았으면 귀띔이라도 해주지….
미주	그러면… 엄마가 당장 강호랑 결혼하라고 할 거 같아서….
정씨	그게 뭔 소리여?
미주	엄마 속물 만들기 싫었다구~~ (웃으며 간다)
정씨	잉?

(부엌)

박씨, 쟁반 들고 있는 삼식에게 국그릇 올려주며…

박씨	(삼식에게) 아참!… 너 그거 들었어? 글쎄 미주하고 강호하고…
삼식	(박씨 입술 손가락으로 막으며) 쉿!… 엄마는 들었어?… 난 봤어….
청년회장	(빈 쟁반 들고 오며) 보다니… 뭘 봐?
삼식	JBC 드라마… (하늘 보며 한숨) 하아~~~~

삼식, 쟁반 들고 가버리고… '왜 저랴?' 하며 서로 쳐다보는 박씨와 청년회장.

(마루)

낑낑거리며 쟁반을 들고 나오는 삼식을 보는 강호.

강호	어! 삼식아… 이리 줘… 내가 할게….

삼식에게 가려는 강호를 얼른 잡는 예진.

EPISODE 14

465

예진	지금껏 재판하느라 힘들었는디… 오빠는 좀 쉬세요~
	삼식이 아저씨는 맨~ 놀아서 일 좀 혀도 돼요.
서진	전문 용어로 백수라고 허제… 히힛.
삼식	그래, 실컷 웃어둬라… 오빠가 오빠가 아니란 걸 아는 순간…
	곧 그 웃음을 잃게 될 것이다~

삼식, 쟁반을 들고 터벅터벅 지나가자 자리에서 일어서는 이장.

이장	자자, 주목!… 우리 조우리 역사 이래 요즘처럼 통쾌하고
	뿌듯한 날들이 또 있을까 싶어요. 우리 최강호 검사님!… 하~
	재판장서 을마나 멋들어지든지… 내가 아주 그 매력에 긴급체포
	됐다니께….

하하하 웃는 사람들.

이장	자, 그럼… 우리 자랑스런 검사님을 키워내신 오늘의 주인공~
	우리 진영순 여사님을 모셔보겠습니다!

와아!! 짝짝짝 박수 치는 마을 사람들. '아휴… 아니에요…' 만류하다가
'얼릉 나와' 잡아끄는 정씨 손에 마지못해 나오는 영순. 겸연쩍고 부끄러워
잠시 머뭇거리더니… 마을 사람들을 쭈욱 둘러보는 영순.

영순	벌써 35년 전이네요. 돼지 한 마리 달랑 트럭에 싣고 이 마을로
	이사온 게…. 뭐 하나 가진 것도, 아는 것도 없이 홀홀단신
	쳐들어온 배불뚝이 불청객을 참 따뜻하게도 맞아주셨어요.
이장 부인	맞아주긴요… 냄새나는 돼지 농장 쫓아낸다고 괭이에 낫에… 읍!

이장이 얼른 이장 부인 입을 막는다.

영순   (훗 웃으며) 맞아요… 괭이에 낫 들고 버선발로 몰려와서는…
갑작스럽게 태어난 우리 애기… 강호를 받아주셨죠.

미주   (손 번쩍 들고) 미주도요!!

영순   네, 우리 미주도요… (빙그레 웃더니) 어느 날 갑작스럽게 태어난
인생처럼… 언젠가는 또 갑작스럽게 떠나야 할 인생… 이렇게
한마디라도 똑똑한 정신으로 전할 수 있을 때… 여러분께 인사를
드려야겠네요.

사람들, 영순의 말에 숙연해진다.

영순   남들은 저를 보고 지지리 복도 없는 년이라고 할 거예요.
부모 복, 남편 복 없는 것도 모자라 아픈 자식에 몹쓸 병까지
걸렸으니… 세상 이렇게 팔자 사나운 년이 또 어딨겠어요.
그런데… 인생이란 게 참… 신기하고도 기특하죠? 한 가지를
뺏어가면… 꼭 다른 한 가지를 그 자리에 채워놓아요.
부모 복이 없어서 남편 소중한 걸 알았습니다. 남편 복이 없어서
자식 소중한 걸 알았어요. 자식이 아프니 자식을 돌봐야 하는
내가 얼마나 소중한지를 알았고, 내 인생이 이렇게 짧다보니
그 자리를 채워줄 여러분이 얼마나 소중한지를 알았어요. 세상에
태어나 한평생을 살면서… 이 모든 소중함을 다 알고 가는
사람이 몇이나 될까요?… 이렇게 귀한 인생을 살 수 있어서 저는
참 행복한 사람입니다.

영순, 사람들을 한 명씩 본다.

영순   이장님, 청년회장님… 그리고… 우리 형님들… 그동안
감사했습니다… 매일 지지고 볶고 싸우고 그러다 또 언제
그랬냐는 듯 웃고 떠들고… 덕분에 외로울 틈 없이 시끌벅적 잘
살았습니다. 이 담에… 이 담에… (하늘 가리키며) 쩌기 윗동네로
이사 오시면… 그땐 제가 버선발로 달려 나가 따뜻하게
맞아줄게요. 그때까지 천수만수… 모두모두 건강하세요.

영순, 공손하게 인사한다. 마을 사람들 저마다 눈이 벌게져 훌쩍인다. 그때…
'생일 축하합니다! 생일 축하합니다' 노래하며 초가 잔뜩 꽂힌 케이크를 들고
다가오는 강호와 서진, 예진.

강호   사랑하는 우리 엄마… 생일 축하합니다~

영순, 빙그레 웃으며 촛불을 후~ 불려고 하자…

강호   잠깐… 소원부터 빌어야죠.

영순, 두 눈을 감고 잠시 속으로 소원을 빌더니… 후~ 분다. 와!!! 박수 치는
사람들. 강호, 케이크를 내려놓고는 영순 앞에 등을 보이고 앉는다.

강호   자, 이제 업히세요… 대학 합격, 사시패스, 검사 임용… 그동안
못했던 거 한꺼번에 몰아서 우리 엄마 한번 업어드려야지!!!

'이야!!! 그랴그랴…' 사람들 박수 치며 환호한다. 영순, 그런 강호의 넓은
등을 눈시울이 붉어져 쳐다보다가 이내 업히는데… 끄응 일어나려다 발라당
넘어지는 두 모자.

나쁜엄마

강호   뭐야… 우리 엄마… 너무 건강하신데? 살 좀 빼셔야겠어?

'뭐!!… 이눔의 자식… 다시 업어봐!!', '아아… 못 업어… 포기!!'…
실랑이하는 두 사람. 그 모습 보며, 하하하 웃는 사람들.

CUT TO

모두가 돌아가고 나란히 서서 설거지를 하는 강호와 미주. 서로 거품 가지고
장난을 치다가 주위를 살피는 미주.

미주   여긴 CCTV 없지?

강호   응?

미주, 입술을 쭉 내민다. 강호, 피식 웃으며 다가가는데…

영순   V.O 강호야, 미주야… 잠깐 들어와 봐.

26.   **영순네, 안방 / N**

강호와 미주가 들어서자 나란히 앉아 있는 영순과 정씨.

영순   이리 앉아….

강호와 미주 무슨 일인가 서로 얼굴을 쳐다보며 앉는다. 영순, 자신의 손에 낀
반지를 빼더니 미주의 손을 잡고 끼워준다.

영순   이건 너희 시아버지가 나한테 처음 선물해 줬던 반지야.

영순, 작은 반지함을 꺼내 열면 해식의 결혼반지가 나온다. 영순, 강호의 손을
잡고 반지를 끼워준다.

영순   그리고 이건 엄마가 아빠에게 처음 선물해 준 반지고.

강호, 자신에 손에 끼워진 해식의 반지를 가만히 보며 만지작거린다.

영순   사람들은 늘 처음처럼 사랑하라고 말하지만 엄마는 늘
               마지막처럼 사랑하라고 말해 주고 싶어… 지금 하는 이 말이
               이 사람에게 하는 마지막 말이다. 지금 나의 이 모습이 이
               사람에게 보여주는 마지막 모습이다. 그럼… 절대로 함부로
               말하거나 아무렇게나 행동할 수 없을 거야. 아빠의 마지막 말이
               엄마 가슴에 평생 남아 있는 것처럼.

강호, 영순을 물끄러미 바라본다.

강호   아빠의 마지막 말씀이 뭐였는데요?

영순, 회한에 잠긴 듯 씁쓸히 웃더니…

영순   '이따 만나'…. 안녕은 왠지 끝인 것 같아서 싫다고 늘 '이따
               만나…' 하고 인사를 했었어… 이따 만나… 이따 만나… 그렇게
               되뇌다 보면 진짜로… 이따가 만나질 것만 같아서… 설레고
               좋았어.

영순, 강호와 미주의 손을 포개준다.

영순　　　보석같이… 내 몸같이… 서로 아끼고 사랑하면서 행복하게 살아.
　　　　　　알았지?

강호/미주　네….

정씨　　　그러고 보니 이 방이었네… 우리 강호랑 미주가 한날한시에 같이
　　　　　　태어난 자리…. 미주, 니 할매가 그런 말씀을 하셨제. 인연이란
　　　　　　첨 만나는 사람한티 허는 말이고 운명이란 마지막까지 남아준
　　　　　　사람한티 허는 말이라고…. 지금 보니께 우리 새끼들은 참말로
　　　　　　운명이었다… 그쟈?

정씨, 영순을 손을 잡는다.

정씨　　　이쟈부터 이것들은 내가 지킬 테니께 아무 걱정허지 말어.
　　　　　　내 승질 알제? 그 지랄들 허고 다시 만났는디, 사네 못 사네…
　　　　　　쌈박질허고 속썩이면 아주 다리몽댕이를 분질러… 아니다…
　　　　　　다리는 건드리지 말자… 을매나 힘들게 일으켰는디….

풉! 웃음이 터지는 강호. 흐흐훗… 덩달아 웃는 영순. 모두들 까르르 한바탕
웃음이 터진다.

CUT TO

창문에 아른거리는 달빛. 이부자리에 누워 강호의 돌 사진 액자를 가만히
들여다보고 있는 영순. 그때, 방문이 열린다. 영순, 얼른 사진 액자를 베개 밑에
넣고 보면… 베개를 안고 서 있는 강호.

영순	뭐야… 설마 여기서 자려고?
강호	(이불 속으로 들어와 영순 안고) 당연하죠… 결혼할 때까진 매일매일 이렇게 엄마 옆에서 잘 거예요.
영순	내일 당장 결혼식장 알아봐야겠네….
강호	에? 뭐야… 나랑 자는 게 그렇게 싫어요?
영순	징그럽지… 다 큰 놈… 우리 서진이, 예진이라면 모를까…. 으휴… 우리 서진이는 눈매며 입매며 지 아빠 어릴 때랑 똑같애. 예진이는 또 얼마나 그림을 잘 그리는지… 피는 못 속인다니까… 흐흣.

생각만 해도 좋은지 빙그레 웃는 영순.

| 강호 | 아… 싫어, 싫어… 내가 엄마랑 잘 거야… 우리 엄마야. |

영순을 안고 애기처럼 칭얼대는 강호.

| 영순 | 아이고, 애가 왜 이래… 저리 가… 이놈아… 간지러. |

깔깔깔 한바탕 장난치며 웃는 영순과 강호. 그러다 '아하~~~~함' 영순이 하품을 한다.

강호	피곤하세요?
영순	응… 그러게… 조금… 피곤하네… 후~ 참… 길고 긴 시간들이었어… 그치?
강호	(벌떡 일어나 영순 발을 잡으며) 다리 주물러드릴게….

영순	아니아니… 일루 와서 엄마 자장가 불러줘… 그때… 그 노래
	말이야… 우리 처음으로 데이트하고 돌아온 날 우리 아들이
	불러줬던 노래… 엄마 그 노래 들으면서 잠들고 싶어.

강호, 그 말에 영순의 옆에 다시 눕더니, 영순의 손을 꼭 잡는다.
그리고 노래를 시작한다.

강호	♪ 지친 하루가 가고 달빛 아래 두 사람… 하나의 그림자…
	눈 감으면 잡힐 듯 아련한 행복이 아직 저기 있는데…
영순	아… 행복해….

배시시 웃으며 눈을 감는 영순.

강호	♪ 상처 입은 마음은… 너의 꿈마저 그늘을 드리워도…
	기억해 줘. 아프도록 사랑하는 사람이 곁에 있다는 걸…

영순의 머리가 스르르르 베개에서 미끄러지더니, 강호의 어깨로 툭!
떨어진다. 순간 멈칫! 하는 강호… 떨리는 눈으로 잠시 머뭇거리다… 이내
다시 노래를 이어간다.

강호	♪ 때로는 이 길이 멀게만 보여도… 서글픈 마음에 눈물이 흘러도
	모든 일이 추억이 될 때까지 우리 두 사람… 서로의 쉴 곳이 되어
	주리…

강호… 가만히 영순을 바라본다… 그리고는 천천히 입을 연다…

강호	엄마… 이따 만나….

눈을 감는 강호의 눈에서 눈물이 주르륵 흘러내린다.

27.   장례식장, 식당~분향소 / D

(식당)

마을 사람들로 붐비는 장례식장 식당. 화환을 옮기고 있는 양씨와 양씨 처.
부의함 앞에 침울한 얼굴로 앉아 있는 이장과 청년회장. 퉁퉁 부은 눈으로
음식을 나르고 있는 미주와 삼식. 한쪽에 우울한 얼굴로 앉아 미미인형과
로봇을 들고 있는 예지과 서진. 손수건으로 얼굴을 가리고 흑흑 박씨에게
엎어져 흐느끼는 이장 부인. 그런 이장 부인을 토닥이며 같이 울고 있는 박씨.

(분향소)

영순의 영정 사진이 놓여 있다. 그리고… 그 앞에 상복을 입고 긴 막대기
하나를 쥔 강호가 멍하니 영정을 바라보고 서 있다.

영순   `V.O` 자, 한 번만 다시 해보자.

플래시백 8화 46씬, 영순네, 안방

강호   엄마… 근데… 이건 왜 하는 거예요?

영순   시작해.

강호   ….

영순   얼른!!

강호   아이고… 아이고… 아이고… 아이고… (영순 눈치 본다)

나쁜엄마   474

영순	계속해.
강호	엄마… 나 이거 하기 싫어… 무서워….
영순	무서울 거 없어, 강호야… 그냥 엄마가 강호가 모르는 걸 알려주는 거야. 밥하는 법처럼… 은행 가는 것처럼… 사람이 살다 보면 필요해지는 걸 가르쳐주는 거야.
강호	언제 필요한데요?
영순	나중에… 아주아주 나중에… 자… 해보자.
강호	(어쩔 수 없이) …아이고… 아이고… 아이고….

다시 현실. 가만히 영정을 바라보는 강호… 고개를 숙이더니…

강호	아이고… 아이고… 아이고… 아이고…

마을 사람들이 일제히 강호 쪽을 본다.

강호	아이고… 아이고… 아이고… 아이고… 아이고… 아이…

강호, 문득 곡소리를 멈추더니… 가만히 고개를 숙인 채 서 있다.
사람들이 의아한 듯 서로서로 얼굴을 보는데… 어디선가 들려오는 영순이의
휴대벨 소리…「나는 행복합니다」강호, 주머니에서 영순의 휴대폰을
꺼내든다. 서서히 고개를 들어 영순을 보는 강호. 점점 강호의 입가에
번져가는 미소… 읊조리듯 휴대폰에서 나오는 소리에 맞춰 조용히 노래를
시작하는 강호.

강호	♪ 나…는… 행복합니다… 나는… 행복합니다.

나는 행복합니다. 정말정말 행복합니다.

마을 사람들이 홀린 듯 하나둘 자리에서 일어난다.

강호	(힘차게) ♪ **나는 행복합니다… 나는 행복합니다…**
정씨	♪ **나는 행복합니다.**
박씨	♪ **정말정말 행복합니다.**

서로서로 얼굴을 쳐다보는 마을 사람들. 갑자기 누가 먼저랄 것도 없이…
신나게 춤을 추며 노래를 부르기 시작한다. ♪ **나는 행복합니다, 나는
행복합니다… 나는 행복합니다. 정말정말 행복합니다.** 강호, 천천히 뒤를 돌아
마을 사람들을 쳐다본다. 웃는 듯 우는 듯 신나게 춤까지 춰가며 노래를
부르는 사람들… 강호, 울먹울먹 붉은 눈으로 사람들의 모습을 보며 웃어
보인다. 노래 계속 이어지며…

28.   마을 전경 / D

평화로운 조우리 마을.

29.   마늘밭 / D

♪ **나는 행복합니다~~** 노래를 흥얼거리며 밭을 매는 정씨.
그때, 전화가 울린다. 눈치 보더니 조용히 전화 받는 정씨.

정씨	자꾸 전화하지 말랬지? 애들 눈치채면 으쩌려고… 뭐? 또 신곡을 냈다고? 아휴… 사랑의 금자탑이 뭐여… 그렇게 노골적인 제목 허지 말라니께… (몸을 비비 꼬더니 애기같은 목소리) 구대서 언제 또 올꼬야?… 태벽에 와… 태벽에… 다 잘 띠… 우웅.

그 모습을 멀리서 몰래 유튜브로 찍고 있는 예진과 서진.

예진	자, 지금까지 노망에 빠진 아니 로망에 빠진 정금자 할머니였습니다! (서진 보더니) 근디 넌 뭐 혀?
서진	뇌졸중 증상 찾아보는 중… 할머니 발음이 이상혀….

30.　　　박씨네, 마당 / D

♪ **나는 행복합니다~** 노래를 부르며 빨래를 널고 있는 청년회장. 그때, 방에서 달려 나오는 박씨.

박씨	삼식이 이 새끼 어디 갔어!!
청년회장	왜 또 뭐가 없어졌어?
박씨	엠병할 놈의 새끼가 뜯지도 않은 내복하고 양말, 빤쓰를 다 갖고 튀었어!
청년회장	아니… 그걸 어따 쓴다고 갖고 튀어?
박씨	내 말이!!!! (가슴 치며) 아이고… 아이고… 내 이 쌍놈의 새끼를 그냥… 나중에 나 죽으면 부검도 하지마… 속 터져 죽은 거니께….

청년회장	에이… 속 터져 죽긴 왜 죽어… 내가 있는디… 내가 빤쓰 새로
	사줄 껴… 레이스 달린 이쁜 걸루다… 일루 와~~

| 박씨 | 히잉…. |

청년회장, 박씨를 안고 볼을 부빈다.

31. 교도소, 면회실 / D

내복, 팬티, 양말을 황당한 얼굴로 보고 있는 하영.

삼식	(부끄러운 듯) 내가 거서 지내봐서 아는디… 뭐니 뭐니 해도
	사제가 최고여요… 이 내복이 캐시미어 모달이라서 음청 개볍고
	따뜻해요. 양말은… 이거 메이커야 메이커…. 코발트 빛 유니폼
	밑으로 살짝 살짝 보이면 을매나 간지 나는지 몰러요… 빤쓰는
	좀 크려나….

하영, 풋 웃는다…

삼식	(손가락 펴 보이며) 2년?… 그거 암것도 아니여… 금방 가요….
	진짜 중요한 건 하영 씨와 나의 인연이죠… 흐흣. 또 뭐
	갖다줄까? 참기름 안 필요해요? 고춧가루는?… 아! 맞다…
	상추 농사 진짜 잘됐는디… 좀 갖다 드릴까?

32. 마을길 / D

♪ **나는 행복합니다~** 노래 부르며 상추 상자가 가득 실린 트럭을 타고 가는
소 실장과 차 대리.

차 대리	와~ 비법이 뭐예요? 농사만 졌다 하면 풍년이네….
소 실장	비법은 무슨… 다 뿌린 대로 거두는 법이지.
차 대리	어? 근데 이장님 댁 앞에 저 차들은 뭐죠?

이장네 앞에 검은 승용차들이 줄지어 있다.

33. 이장네 앞 / D

양장을 곱게 입고 레이스가 붙은 모자로 얼굴을 가린 이장 부인이 큰 짐 가방을
들고 문을 열고 나온다. 급하게 따라나오는 이장.

이장	여보!… 여보… 잠깐만… 이게 뭔 소리여… 갑자기 어딜 간다는 거?
이장 부인	(일본 억양으로) 에… 그동안 고마웠스므니다. 조희 아버지께소 신흥 야쿠자 조직을 다시 재건하셔소… 돌아가야만 합니다.
이장	멀쩡히 한국말 잘하다가 발음도 이상해지고… 아휴… 이런 게 어딨어? 그럼 그동안의 나와의 세월은 다 뭐여? 나는 뭐여? 그냥 엔조이였어?

이장 부인   엔조이도 못 했스므니다. 잘 아시면소….

그때, 차에서 내리는 야쿠자.

야쿠자   지칸 키레데스! 쿠루마니 노리마쇼오!
            (시간이 다 됐습니다. 어서 차에 타시죠.)

야쿠자, 이장 부인의 차 문을 열어주자 차에 오르는 이장 부인. 하지만 이내
다시 튀어나오더니 우욱! 우욱! 하다가… 갑자기 눈이 커지더니… 손가락을
세어보더니… 헉!!

이장 부인   임신?

이장   뭐?!!

이장 부인   (차 문을 닫고) 오토오산니 와타시와 오토노코 아카챵가
            이루토츠타에테! (아버지께 난 한 남자의 아이를 가졌다고 전해!) 여보!!!

이장   설마… 그게… 가능하다고?….읍!

순간, 모자를 벗어 휙 날려버리는 이장 부인… 드디어 얼굴이 드러난다.
이장을 잡고 찐하게 뽀뽀하는 이장 부인. 안 된다고 날뛰며 뜯어말리는
야쿠자, 하지만 아랑곳 않고 계속 뽀뽀하는 이장 부인.

34.   **교도소 앞 / D**

철문이 열리더니 나오는 정종구. 그런, 정종구를 맞이하며 좋아하는 할머니와

할아버지. 뒤에 서 있던 강호가 정종구에게 다가온다.

강호   너무 늦어서 죄송합니다.

정종구   아니요, 꼭 다시 오실 줄 알았어요… 고맙습니다 .

할머니   저기… 이거….

보면, 빈 반찬 통이 한가득 든 쇼핑백.

할머니   어머니가 그동안 김치며 반찬이며 고춧가루며 계속 보내줬어요.
              안 받을려고 했는디… 으쩌나 맛있던지… 염치불구허고 계속
              받아먹었당께요.이제 그만 보내주셔도 된다고… 감사했다고
              전해주쇼….

강호   (가만히 반찬 통을 보다가 웃으며) 네, 그럴게요.

강호, 돌아서는데…

할아버지   우리 아들 살려주시려던 것도 모르고 그동안 검사님을
              오해했어요. 지송합니다.

강호   (빙그레 웃으며) 건강하십시오… 아! 그리고… 저 이제 검사
              아닙니다.

넓게 펼쳐진 잔디밭에 평화로이 뛰놀고 있는 돼지들. 미주와 예진, 서진이
함께 돼지들 밥을 주고 있다. 그때, 저 멀리 강호가 오는 게 보인다.

미주   어?!! 강호야!!!

서진   아빠!!!

미주와 서진 달려가자 시큰둥한 얼굴로 노려보고 있는 예진. 서진을 번쩍 안아
올리는 강호. '예진아~' 하며 예진이를 향해 손을 흔들어 보인다.

예진   칫!!… 아빠라니… 난 절대로 인정 못 혀!!… 뺏어 갈 게 없어서
          딸의 남자를 뺏어 가냐!!!

예진, 열받아서 돌멩이에 발길질하며 반대쪽 길로 걸어가는데… 그때…
'안녕?' 하는 소리. 예진, 돌아보면… 샤라라라~ 별빛이 쏟아지는 가운데
서 있는 귀공자 스타일의 한 남자아이. 그리고 아이의 손을 잡은 한 아줌마.

여자   우리, 오늘 이사를 왔는데… 여기, 이장님 댁이 어디니?

예진   (멍하니 보다가 침 닦고 어색한 서울말) 가는 길이 매우 험난하오니
          제가 모셔다 드릴게요. 이리로 오시죠, 어머님….

예진, 으히히히히 신나서 걸어간다.

36.   돼지 농장, 사무실 / D

놀란 얼굴로 농장 사무실을 둘러보는 강호. 예쁘게 꾸며놓은 사무실 안.

강호   우와! 언제 이렇게 싹 꾸몄어?… 돈이 어딨어서?

미주, 주머니에서 탁! 통장을 꺼내 흔든다. 옛날, 강호가 미주에게 주었던
통장이다.

미주   이거 기억해? 니가 나한테 주고 갔던 통장! 언젠가 다시 만나면
          확 면상에 던져주려고 한 푼도 안 쓰고 갖고 있었지… 근데…
          보석같이… 내 몸같이 아껴주라시네… 어머니가!

미주, 강호 얼굴을 쓰담쓰담 만져준다.

미주   아! 맞다, 맞다… 짜잔… 이것 봐….

한쪽 벽을 장식하고 있는 각종 트로피와 자격증… 그리고 사진들.

미주   아버님 사진, 어머님 사진… 그리고 난 이 사진 너무 좋아. 한돈
          영농인 시상식 때 우리 행복한 농장 이름으로 불우이웃에게
          기부해 준 사진… 너무 뿌듯했어. 그리고 세상에서 젤 귀여운
          당신 돌 사진, 어머님 아버님 결혼사진… 그리고 (빈 공간 가리키며)
          여긴… 음… 무슨 사진이 걸리면 좋을까 생각 중인데… (영순,
          해식 결혼사진 가리키며) 뭐 이런 거 비슷한 거 걸리면 좋겠는데…
          혹시 좋은 생각 있음 말해 줘.

강호, 사랑스러운 눈으로 미주를 보더니 꼭 껴안는다. 그러다 문득 표정이 굳는 강호. 자신의 돌 사진 액자 밑으로 뾰족 튀어나온 뭔가가 보인다. 강호, 다가가 액자를 떼어내 분리해 본다.

미주　　왜 그래?

강호, 눈이 커진다… 액자 안에 파란색 편지 봉투가 들어 있다.

37.　　초원 / D

넓은 초원. 멋진 양복 차림의 강호가 편지를 들고 나무 그늘에 앉아 편지를 펼쳐본다.

영순　　[V.O] 사랑하는 내 아들 강호야…

강호… 눈시울이 붉어진다.

영순　　[V.O] 우리 아들이 처음으로 엄마에게 보내줬던 편지 기억하니?
　　　　　비록 몸은 멀리 떨어져 있지만 마음만은 늘 엄마, 아빠와 셋이
　　　　　함께했던 그 추억 속에 고스란히 머물러 있다는 말….
　　　　　이 편지를 니가 읽고 있을 때쯤… 엄마 또한 그럴 거란다.

인서트 과거

26씬. 안방 달빛 아래에서 편지를 쓰고 있는 영순.

영순　　강호야… 인연의 '연'자에는 '실 주'자와 '돼지머리 계'자가 들어

있다는 거 아니? 돼지를 실로 묶어 끌고 가는 것 만큼 어려운 게
바로 사람의 '연'이라는 거지…. 그런 연으로 나는 너의 엄마가
됐고 너는 나의 아들이 된 거란다. 이렇게 소중한 인연… 이 세상
누구보다 좋은 엄마가 되고 싶었는데… 한 번뿐인 인생, 엄마도
엄마가 처음이라… 서툴고 부족했던 거 미안해.

인서트 과거

생일 촛불을 끄며 눈을 감고 기도하는 영순.

영순   아까 생일 초를 불며 소원을 빌었어… 딱 한 번만 더… 우리
                아들의 엄마로 태어나게 해달라고…. 나 있잖아… 그땐 정말
                잘해 볼게….

어느새 강호 앞에 강호를 바라보고 앉아 있는 영순. 강호의 얼굴을 만져준다.

영순   V.O 아빠가 없는 걸 슬퍼하면 안 된다고 말하지 않을게.
                성적이 인생에 다인 것처럼 속이지 않을게. 그림에 소질이 있는
                널 모른 척하지 않을게. 밥 한 숟갈 더 먹고 싶어 하는 그 눈빛을
                못 본 척하지 않을게. 아파하는 너를 보며 억지로 눈물 참지
                않을게. 넘어지면 일으켜줄게… 무서우면 안아줄게…
                참 잘했다고, 고맙다고, 사랑한다고 매일매일 말해 줄게.
                그리고… 이렇게 빨리 떠나가지 않을게. 사랑한다… 내 아들…
                미주와 애기들과 오래오래 행복하게 살다가 엄마의 기도가
                이뤄지는 날… 꼭 다시 만나자. 나쁜 엄마가.

강호, 빙그레 웃더니 하늘을 본다.

강호	오늘 미주에게 오래오래 행복하게 살자고 프로포즈 하는 날이에요. 떨지 않고 잘할 수 있게 지켜봐 주세요… 아니, 지켜주세요.

그때, 하얀 원피스를 예쁘게 입은 미주가 저 앞에 산책하는 모습이 보인다. 바람에 나폴거리는 머릿결, 살랑살랑 한들거리는 치마… 예쁘다.

강호	(미주를 향해 힘껏 외친다) 이미주!

미주, 강호의 목소리에 강호 쪽을 보더니 웃으며 손을 흔든다.

강호	(큰 소리로) 당신을 최강호의 아내로 긴급체포합니다!!! 당신은 묵비권을 절대 행사할 수 없고!!… 싸웠을 때 장모님을 선임할 수 없으며!!
미주	어흐… 유치해!!!!… 그게 무슨 프로포즈야?… 지금 니가 한 발언… 살면서 내내 불리하게 사용될 수 있어… 조심해!!
강호	흠… 안 되겠다… 아무래도 니가 출동해야겠다!

강호, 나무 옆에 놓인 커다란 선물 상자를 연다. 보면, 빨강 리본이 묶인 아기 돼지가 들어 있다. 아기 돼지를 안아 올리는 강호. 빨강 리본 끝에는 해식이 그랬던 것처럼 예쁜 반지가 달려 반짝!

강호	이미주!!… 내가 세 번 살려줬으니까… 미워도 다시 한번, 싸워도 다시 한번, 유치빤쓰여도 다시 한번!… 그렇게 오래오래 나랑 살아줘!!!!

나쁜엄마

풋 웃는 미주. 강호, 아기 돼지를 내려놓고 엉덩이를 톡톡 치자 미주를 향해
달려가는 아기 돼지. 미주, 얼굴이 환해지며 아기 돼지를 향해 손을 뻗는데…
순간, 옆으로 도망가는 아기 돼지. 으악!!!! 안 돼!!! 잡아!!!… 돼지 잡아!!!
강호와 미주… 먼 옛날 해식과 영순처럼 아기 돼지를 쫓아 달려간다.
그 모습 점점점 멀어지며… 조우리 마을 풍경이 펼쳐진다.

나쁜엄마

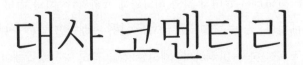

대사 코멘터리

돼지는 고개를 들 수가 없어서 평생 땅만 보고 살아야 한다는 거야.
오직 돼지가 하늘을 볼 수 있는 유일한 방법은 하나.
그건 바로… 넘어지는 거지. 그래 맞아. 넘어져 봐야 이제까지 볼 수 없었던
또 다른 세상을 볼 수 있는 거야. 돼지도 그리고 사람도.
　_ 1화, 프롤로그 중에서

　　　　　　돼지의 습성을 조사하던 중, 돼지가 목뼈 구조상 고개를 들
　　　　　　수 없다는 사실을 알게 됐다. 평생을 회색빛 땅만 보고 살
　　　　　　아 하는 돼지… 고개를 조금만 들면 저렇게 파랗고 예쁜
　　　　　　하늘이 펼쳐져 있다는 걸 모르겠지? 우리 앞에 어떤 파란
　　　　　　희망이 펼쳐질지도 모르고 회색빛 현실에 좌절하는 우리
　　　　　　들처럼… 인생에 정말 중요한 것이 뭔지 모르고 자기 안에
　　　　　　갇혀 아등바등대는 우리들처럼….

살자… 살아보자… 내 새끼도, 니 새끼도… 엄마 살리려고 왔나 봐….
그러니까… 우리… 어떻게든… 살아보자….
　_ 1화, 29씬

　　　　　　영순의 삶은 처음부터 지금까지 상실과 슬픔, 외로움의 연
　　　　　　속이었다. 하지만 늘 극단의 순간, 그녀에겐 아주 작은 희
　　　　　　망이 남아 있다. 배 속의 콩알만 한 아기처럼, 마침 창고로
　　　　　　옮겨놔 죽음을 면한 어미 돼지 한 마리처럼. 오늘을 사는
　　　　　　모든 사람에게 이렇게 콩알만 한 희망이 하나씩은 남아 있
　　　　　　기를.

인연은 처음 만난 이헌티 허는 말이고,
운명은 마지막까지 남아준 이헌티 허는 말이랬다.
　_ 1화, 40씬

　　　　　　처음 인연은 쉬울 수도 있다. 그걸 소중히 이어가다가 운명

나쁜엄마

으로 마치는 것이 힘들 뿐. 정씨 할머니가 툭하니 던진 이 대사가 강호와 미주의 인생과 그 결말을 암시한다.

하지만 강호와 미주뿐 아니라 영순과 마을 사람들에게도 마찬가지이다. 그리고… 나와 인연으로 만나 운명으로 끝나주신 우리 배우님들과 감독님, 모든 스탭분들에게도… 우리 만남은 인연이 아니고 운명이었음을 감사하며….

이 경을 칠 년! 어딨어!!!
왜 자꾸 이 지랄을 해놓는 거?!!
_1화, 48씬

평생을 흙구덩이 속에 손을 묻고 농사만 짓던 시골 촌부의 손에 반짝반짝 빨간 매니큐어가 가당키나 한 걸까? 미주는 춤바람 난 아빠가 손잡고 춤추던 파트너의 손을 보며 바로 이것이 아빠의 마음을 훔쳐 간 손이라 생각했을 것이다. 엄마의 거칠고 메마른 손에 빨간 사인펜을 칠한 미주의 심정은 엄마에 대한 사랑… 그리고 언젠가는 엄마에게 돌아와주길 바라는 아빠에 대한 그리움이었을 것이다.

그거 엄마 인생이잖아요.
지겨워요. 지긋지긋해… 숨이 막혀 살 수가 없다고요!!
왜 엄마 마음대로 내 인생을 정해놓고 나를 괴롭혀요?
_1화, 67씬

엄마들은 그랬다. 아버지의 인생이, 남편의 인생이, 자식의 인생이 내 인생이다. 아버지의 인생과 남편의 인생은 바꿀 수 없지만, 자식의 인생은 바꿀 수 있다는 의지를 갖게 되면서 문제가 생긴다. 모든 건 자식을 위한 사랑의 마음에서 출발하지만 때론 그것이 자식에게 상처와 굴레가 된다는 것을 알지 못한다. 영순이 그랬고, 내가 그랬고, 많은 엄마들이 그랬다.

엄마는 나쁜 사람이에요.

왜 다른 사람 땜에 인생을 망치냐구요?··· 엄마가 그렇게 살라고 하셨잖아요.

힘 있고 능력 있는 사람 돼서 힘없고 어려운 사람들 도와주라고 하셨잖아요!···

근데 아니었어··· 엄마는 그냥 힘없어서 당한 게 억울했고

나를 이용해서 보란 듯이 그 힘을 갖고 싶었던 거예요.

　_ 1화, 67씬

　　　　엄마들은 가끔 자신의 욕망과 욕심을 좋은 공이나 대의의
　　　　말로 포장한다. 의사가 되어 아픈 사람을 고쳐줘. 선생님이
　　　　되어 학생들에게 좋은 걸 가르쳐줘. 경찰이 되어 나쁜 놈들
　　　　을 잡아줘. 대통령이 되어 국민을 행복하게 해줘. 물론 영
　　　　순도 강호를 그렇게 길렀을 것이다. 자신을 위한 욕망이라
　　　　기보다는 아들의 행복을 위한 욕심으로···. 그래서 미주가
　　　　사고가 난 후 '니가 왜 다른 사람 땜에 인생을 망쳐!'라는 엄
　　　　마의 말에 강호는 충격을 받을 수밖에 없었을 것이다. 평생
　　　　을 엄마의 대의를 믿고 참고 견뎌왔던 강호가 엄마를 미워
　　　　(?)하게 되는 전환점.

애비가 있으면 뭐가 달라지나요?

힘없고 능력 없는 애비 밑에서 당신 아들은 살인자가 됐는데···.

　_ 2화, 4씬

　　　　쓰면서 많이 고민이 됐던 대사. 정종구는 송 회장 외손자
　　　　인 윤재민 대신 범인으로 몰린 억울한 피해자다. 그런 정종
　　　　구를 송 회장이 살해할지도 모른다는 사실에 강호는 확실
　　　　한 증거가 나올 때까지 정종구를 감옥에 넣어두기로 결심
　　　　한다. 감옥에 있으면 적어도 죽임을 당하지 않을 거란 생
　　　　각에 정종구를 설득한 것이다. 그 후 정확한 증거가 나올
　　　　때까지 송 회장을 비롯한 모두를 속여야 하는 강호. 자신
　　　　에게 아들의 억울함을 호소하는 정종구 아버지에게 모진
　　　　말을 내뱉는다. 힘없고 능력 없어 억울한 일을 당한 그들
　　　　의 모습에서 엄마 영순과 자신의 처지를 떠올렸을 것이다.

나쁜엄마

아버지의 복수를 위해 이런 위험한 계획과 정의롭지 못한 재판을 할 수밖에 없는 자괴감과 함께.

커터 칼로 하영의 가방 속 천을 찢고 있는 강호.

_ 2화, 28씬

강호가 다짜고짜 하영의 가방을 찢는 건, 어린 시절부터 중요한 건 가방 밑에 숨기던 엄마의 습관을 보고 배웠기 때문이다. 강호가 엄마에게 선물한 명품 가방 밑에 '유전자 검사 결과지'를 숨겨놓은 것도, 자신이 잘못되더라도 언젠가 엄마가 그걸 찾아낼 거란 확신이 있었기 때문이다.

저기… 어째 쫌 단무지 같지 않어?

_ 2화, 46씬

이 드라마에서 노란색이 유독 많이 등장하는 건, 용띠의 행운의 색이 노란색이기 때문이다. 즉 강호에게 가장 중요한 색으로, 실제 노란색은 지적 능력을 상징하며 운동 신경을 좋게 하는 색이라고 하는 데서 영감을 받았다. 영순, 미주, 아이들을 비롯해 황수현의 USB까지 노란색이었던 설정은 강호를 사랑하고 걱정하는 그들의 마음을 상징한다.

강호 뒷좌석 문을 열더니 영순이 싸 준 보따리를 꺼내 든다.
그리고는 일말의 주저함도 없이 갓길 밑 낭떠러지로 휙 던져버린다.

_ 2화, 57씬

강호가 녹두전 보따리를 절벽 아래로 떨어뜨리는 장면은 2화와 9화에 한 번씩 나온다. 강호가 어떤 마음으로 그 녹두전을 던져버렸는지를 알게 되면 같은 두 장면이 완전히 다르게 느껴질 것이다.

배부르면 잠 와… 잠 오면… 공부 못 해….
_ **3화, 48씬**

대본 쓰면서 가장 많이 울며 썼던 대사였다. 모든 기억을 잃은 강호가 유일하게 기억하고 있었던 말. 가장 강호를 옥죄었을 말이지만, 엄마를 위해 스스로도 몇만 번이고 되뇌었을 말. 나중에 촬영장에서도 스탭들 사이에 유행이 되어 '배부르면 잠 와… 잠 오면 촬영 못 해…', '배부르면 잠 와, 잠 오면 편집 못 해…'로 변주했을 만큼 모든 스탭들이 사랑해 준 대사. 보조작가들과 글을 쓰면서도 '쫌만 먹어… 배부르면 잠 와, 잠 오면 작업 못 해' 하며 웃었던… 가장 추억이 많은 대사다.

하늘이 주신 기회…. 그러니까 행복해야 돼….
슬퍼하거나 무너지지 말고 기뻐해야 된다고. 엄마는 강호가 다시 돌아와서 기뻐.
_ **4화, 5씬**

영순이 강호를 위로하기 위한 대사 같지만 어쩌면 영순은 다시 자신의 품으로 살아 돌아온 강호의 존재가 기뻤을지도 모른다는 생각이 들었다. 어린 시절 다 주지 못했던 사랑을 다시 한번 줄 수 있는 기회, 어린 시절 강호가 못 해본 모든 것을 다시 한번 할 수 있게 해줄 기회, 그야말로 행복하고 진실된 모자관계로 거듭날 수 있는 기회.

그러니까… 쫌 있으면 죽을지도 모르는데….
애들은 아무리 아파도, 무서워도 울거나 비명을 지르지 않잖아….

나쁜엄마

494

법관도 그래야 된다고 생각해. 닮고 싶어.
_ 4화, 9씬

강호가 지금 아프고, 무섭고, 울고 싶고, 비명을 지르고 싶다는 마음을 표현하기에 수족관 속 물고기라는 소재가 적합했다. 울 수도 비명을 지를 수도 없는 물고기… 하지만 울고 비명을 지르고 있을 물고기.

진짜 고마운 사람은… 살려주는 사람이 아니라…
살고 싶게 만드는 사람이야. 살고 싶어… 너랑 오래오래 같이…
_ 4화, 11씬

강호가 두 번이나 미주를 살려주었을 때, 미주가 한 번만 더 살려주면 결혼해 주겠다고 말한다. 그리고 그 마지막, 미주를 살게 한 원동력은 강호가 남겨준 쌍둥이들이었다. 미주를 살려줬으면서도 살고 싶게 만들어준 아이들. 강호의 대사가 고백이자 복선이 된다.

하이, 주니! 우리 집 가는 길 알려줘.
우와 된다… 된다… 엄마 이것 봐요… 돼요.
그러니까 앞으로 집에 오는 길 잊어버리면 그렇게 찾아오면 돼….
아니지! 길 잊어버릴 짓을 하면 안 돼… 알았어?
_ 6화, 37씬

앞서 미주가 '하이, 주니' 하고 버스 시간표를 물어본다. 그 모습을 본 강호는 '하이, 주니'에 대해 알게 되고 집에 오는 길을 저장해둔다. 7화에서 요양원을 도망 나온 강호가 집에 돌아와 엄마를 살릴 수 있었던 것은 '하이, 주니' 덕분이었다. 6화는 미주에 대한 강호의 관심을 보여주면서도 강호가 엄마를 살리게 되는 계기를 마련하는 중요한 화이다.

일어나….

_ 6화, 72씬

이제 엄마 없이 넌 살아야 해. 그러니까 강호야 일어나!
이제 죽기 전까지 강호를 살게 만들어놔야 해… 그러니까
영순아 일어나!

물기가 있거나, 추워서 결로가 생기면 사료가 이 안에서 엉겨버려.
그러면 파이프가 막혀서 먹이가 안 나오는 거야.
그럴 때마다 여기를 이렇게 탕탕탕 쳐주는 거야. 탕탕탕.

_ 7화, 17씬

돌잔치에서 판사봉을 들었던 강호. 하지만 고무망치를 든
농장 사장님이 되며 이야기가 끝난다. 돌잔치에 강호가 든
판사봉… 실은 이런 의미가 아니었을까?

여기… 요 큰 돼지가 이 새끼들 엄마야.
엄마 돼지는 새끼를 낳으면 이렇게 젖도 주고, 핥아주고 내내 같이 지내면서
밥은 어디서 먹는지, 똥은 어디다 싸는지, 가려울 땐 어떻게 긁는지,
화날 땐 어떻게 소리 내는지 하나하나 가르쳐줘.
그리고 그렇게 스물다섯 밤이 지나면… 새끼들을 보내는 거야.
왜냐면…… 엄마는… 좋은 데로 가야 되거든… 혼자서….

_ 7화, 22씬

〈나쁜엄마〉를 쓰게 된 이유다. 28일간만 새끼들과 함께할
수 있는 어미 돼지. 헤어지기 전까지 살아가는 방법을 모
두 가르쳐야 한다. 모두의 원성을 샀던 시한부 설정도 여기
서 가져오게 되었다. 영순에게 시간 제한이 없었다면 그렇
게 지독하거나 조급할 필요가 없게 된다. 말기 암에 걸렸기
에 자식에게 짐이 될 수 없어 죽음을 선택하고 그 충격으

로 강호가 일어선다. 또한 자신의 영정 사진을 찍는 바람에 강호의 모든 이야기가 담긴 SD카드를 찾을 수 있었다. 남은 시간 안에 결혼을 서두르다 보니 미주와의 갈등과 비밀도 풀리게 된다. 〈나쁜엄마〉는 언젠가는 자식을 남기고 떠나야 하는 세상 모든 엄마들의 이야기이다.

이거… 제초제…
마늘밭에 있는 엄마한테 갖다주면 되는 거죠?
_ 7화, 49씬

미주가 농약 가게에서 샵인샵을 열도록 설정한 이유는 두 가지인데, 첫째는 우리 부모님과 동생이 농약 가게를 운영하고 있기에 가장 친숙한 장소이기 때문이다. 농약 가게는 농민들의 사랑방이다. 동네 사람들이 그 안에서 휴식을 취하기도 하고 정겨운 이웃들의 이야기를 전하기도 한다. 내가 농민들의 다양한 모습과 생활 습관, 말투를 배운 곳도 바로 우리 가게다. 두 번째 이유는 영순이 죽음을 생각한다는 것을 미주가 알게 하기 위해서다. 감자농사를 지을 수가 없음에도 제초제를 사 간 영순. 미주는 단박에 그 의도를 알고 달려간다. 그리고는 영순과 미주만이 알 수 있는 이야기로 자살을 막는다.

아직은 안 돼요…. 결혼도 하고 가정도 꾸리고 아기도 낳아야 돼….
그래야 나중에 기억을 다 찾아도 당신 복수하겠다는 그 위험한 생각 안 해요.
그러니까 제발 도와줘요… 그때까지만 우리 강호 기억 좀… 잡아주세요.
_ 10화, 24씬

그토록 강호의 기억이 돌아오기만을 바라던 영순이 이제는 강호의 기억이 돌아오지 않기를 바라는 아이러니한 상황이 연출된다. 자신이 죽은 후 강호가 기억을 되찾고 다시 복수를 시작하게 된다면 그 옛날 아빠와 같은 일을 당하게

될지도 모른다는 두려움에 내뱉는 마음… 이것이 영순이
지닌 진정한 모정이라고 생각한다.

돌아왔구나, 우리 아들… 어서 와… 오랜만이야….
엄마 너무 무서웠어… 다시는 너를 못 만날까 봐.
너한테 엄마가 정말 잘못했다고 용서를 빌어야 되는데… 그러지 못하고
떠날까 봐… 미안해… 강호야… 엄마가 잘못했어….

다녀왔습니다… 어머니….

_ 12화, 21씬

영순은 강호가 경찰서에서 보인 행동에서 강호가 정신이
돌아왔음을 느끼게 된다. 엄마와 자식은 그렇게 눈빛만으
로도 모든 것을 안다. 미주가 돌아왔을 때 정씨가 한 말처
럼 말이다.

그 지옥… 내가 만든 거야… 내 일에 아무 죄 없는 너를 끌어들였고…
너무 큰 상처를 줬어…. 미안하다.

_ 13화, 35씬

나쁜 엄마에서 가장 불행한 사람이 있다면 아마 오하영이
아닐까 싶다. 물론 인성 자체가 좋은 사람은 아니었지만,
모든 사람에게 필요에 의해 이용(?)을 당하는 불쌍한 인물
이다.

남들은 저를 보고 지지리 복도 없는 년이라고 할 거예요.
부모 복, 남편 복 없는 것도 모자라 아픈 자식에 몹쓸 병까지 걸렸으니…
세상 이렇게 팔자 사나운 년이 또 어딨겠어요.

나쁜엄마

그런데… 인생이란 게 참… 신기하고도 기특하죠?

한 가지를 뺏어 가면… 꼭 다른 한 가지를 그 자리에 채워놓아요.

부모 복이 없어서 남편 소중한 걸 알았습니다.

남편 복이 없어서 자식 소중한 걸 알았어요.

자식이 아프니 자식을 돌봐야 하는 내가 얼마나 소중한지를 알았고,

내 인생이 이렇게 짧다 보니 그 자리를 채워줄 여러분이 얼마나 소중한지를 알았어요.

세상에 태어나 한평생을 살면서… 이 모든 소중함을 다 알고 가는 사람이

몇이나 될까요?… 이렇게 귀한 인생을 살 수 있어서 저는 참 행복한 사람입니다.

_ 14화, 25씬

> 지금도 세상 어딘가에서 자신의 불행한 인생에 좌절하고 괴로워하고 있을 이들에게 꼭 전하고 싶은 위로와 희망의 말을 영순을 통해 전해보았다.

사람들은 늘 처음처럼 사랑하라고 말하지만

엄마는 늘 마지막처럼 사랑하라고 말해 주고 싶어….

지금 하는 이 말이 이 사람에게 하는 마지막 말이다.

지금 나의 이 모습이 이 사람에게 보여주는 마지막 모습이다.

그럼… 절대로 함부로 말하거나 아무렇게나 행동할 수 없을 거야.

_ 14화, 26씬

> 늘 처음처럼 사랑하라는 말을 들을 때마다 그런 생각을 했었다. 처음처럼 사랑할 수는 없다. 이미 지나간 시간과 감정을 되돌리기는 힘들다. 처음이라는 시점과 기억도 모호하다. 하지만… 마지막은 바뀔 수 있다. 늘 이 순간이 마지막인 듯 사랑한다면… 우리는 더 진실되고 간절하게 사랑할 수 있지 않을까?

인연의 '연'자에는 '실 주'자와 '돼지머리 계'자가 들어 있다는 거 아니?

돼지를 실로 묶어 끌고 가는 것 만큼 어려운 게 바로 사람의 '연'이라는 거지….

대사 코멘터리

그런 연으로 나는 너의 엄마가 됐고 너는 나의 아들이 된 거란다.
이렇게 소중한 인연… 이 세상 누구보다 좋은 엄마가 되고 싶었는데…
한 번뿐인 인생, 엄마도 엄마가 처음이라… 서툴고 부족했던 거 미안해.
_ 14화, 37씬

인연의 '연'자가 어떻게 만들어졌는지를 찾아보다가 '실 주' 자와 '돼지머리 계'자를 찾아냈다. 실과 돼지… 실로 돼지를 묶어 끄는 상상을 했다. 실로 잡아당길수록 마구 뒷걸음질 치며 버팅기는 돼지를. 인연이라는 것은 그렇게 어렵게 끌고 가는 것이라는 생각이 들었다. 한 번뿐인 인생, 엄마도 엄마가 처음이라 나의 아이들인 서진, 예진에게 너무나도 많이 서툴렀다. 〈나쁜엄마〉는 결국 나 자신에 대한 고백이다.

나쁜엄마

나쁜엄마

작가 노트

	이름	주민번호	나이	한문이름	
1	최해식	620420-102235*	86년 25세	崔(성씨 최) 海(바다 해) 植(심을 식)	
2	진영순	670312-205872*	86년 20세 21년 55세	陳(베풀 진) 英(꽃부리 영) 順(순할 순)	
3	최강호	880907-135501*	21년 34세	崔(성씨 최) 强(강할 강) 豪(호걸 호)	
4	이미주	880907-2******	21년 34세		
5	송우벽	540818-101335*	86년 33세 21년 68세	宋(성씨 송) 友(벗 우) 璧(구슬 벽)	
6	윤재민	011010-307101*	21년 21세	-	
7	오태수	570902-103402*	86년 30세 21년 65세	吳(성씨 오) 太(클 태) 秀(빼어날 수)	
8	오하영	950820-207101*	21년 27세	-	
9	정씨 : 정금자	-	88년 24세 21년 57세	-	
10	정씨남편 : 이춘길	-	88년 25세	李 (성씨 이) 春 (봄 춘) 吉 (길할 길)	
11	이예진	-	21년 5세	-	
12	이서진	-	21년 5세	-	
13	박씨 : 박승애	630702-234839*	88년 26세 21년 59세	朴 (성씨 박) 承 (이을 승) 愛 (사랑 애)	
14	청년회장 : 방원형	660809-138504*	88년 23세 21년 56세	方(모 방) 元(으뜸 원) 亨(형통할 형)	
15	방삼식	880605-135225*	21년 34세	方(모 방) 滲(스며들 삼) 識(알 식)	
16	이장 : 손용락	620311-145847*	88년 27세 21년 60세		
17	이장 부인 : 조은연	-	88년 20세 21년 53세		
18	트롯백 : 백훈아	651019-1******	21년 57세		
19	양씨 : 양상길	-	-		
20	양씨 처 : 김명숙	-	-		
21	소 실장 : 소지석	900620-102131*	21년 32세	邵(성씨 소) 智(지혜 지) 皙(밝을 석)	
22	차 대리 : 차승언	-	21년 30세		
23	황수현	881201-220131*	21년 34세		
24	황수현 아들 : 황민찬				
25	부장검사 : 이재규	*부장검사실 명패			

나쁜엄마

	주소	전화번호	기타/비고	
신혼집	서울특별시 강천구 봉우동 60-19	-	봉우동 돼지농장	(봉우농장) 강천구 봉우동 32번지
돌담마을 집	충청북도 반도시 우리면 조우리 407 충청북도 반도시 우리면 돌담5길 10	010-0589 4120	돌담마을 집	한문 : 半(반 반)島(섬 도)市 우리面 遭(만날 조)遇(만날 우)里
행복한 농장	충청북도 반도시 우리면 조우리 1311 충청북도 반도시 우리면 우담1길 60		행복한 농장	
21년 오피스텔	서울특별시 서초구 배화로 30길 9 베네체하우스 2동 202호	010-0359-8891		
신림동 주소	서울특별시 관악구 삼월로 148-2			
신림동 원룸	서울특별시 관악구 삼월9길 34-8			
87년 주소	서울특별시 은포구 역산동 253의 10 서울 은포구 새한동 22-18 서울 은포구 일선동 330-10	010-0724-3328	명함용 용라건설 설정	한문명 : 龍(용 용) 羅(벌일 라) 建設(세울 건, 베풀 설) 직함 : 이사 理事 주소 : 서울특별시 은포구 역산동 140 명오빌딩(서울特別市 恩浦區 驛山洞 140 명오빌딩) TEL : 409-1125 FAX : 409-1126
현 주소	서울 은포구 일선로 17길 18			
	-	-		
	서울특별시 성북구 대관로 140번길 36-6	010-0289-7270		
		010-0438-5322	이력	중앙시립발레단 소속
	충청북도 반도시 우리면 조우리 430 충청북도 반도시 우리면 돌담6길 23	010-0799-7748 (집) 043-098-7748		
	(집) 충청북도 반도시 우리면 조우리 470-3 충청북도 반도시 우리면 서담로 2148 (방앗간) 번지 : 충청북도 반도시 우리면 조우리 480-3 도로명 : 충청북도 반도시 우리면 서담로 2148-1	010-0595-1028 (방앗간) 043-398-1028		
	충청북도 반도시 우리면 돌담8길 18	010-0533-8959 (집) 043-092-8959		
	충청북도 반도시 우리면 돌담4길 22			
양조장/ 부동산/ 점집/집	충청북도 반도시 우리면 돌담8길 11	010-0277-3384 (가게) 043-856-1029		
	서울특별시 은포구 일선대로 32 은포파크트리움 102동 801호	010-0736-2295		
	-			
	서울특별시 강천구 선강로398번길 56 무림상가아파트 214호			

메인/러브/서브라인

1화

● **메인라인** 꽃다운 나이 21살, 해식과 결혼한 영순.
강호 임신 중, 남편 해식이 억울한 죽음을 당하며 하루아침에 남편과 돼지 농장을 잃게 된다. 그 후, 배 속의 강호와 모돈 한 마리만 가지고 조우리로 내려가는 영순. 모돈 한 마리로 새 돼지 농장을 다시 일구며 자리를 잡는다.
홀로 강호를 출산, 혹독한 공부법으로 악착같이 강호를 키워 서울대 법대에 보낸다. 하지만, 강호에게는 나쁜 엄마일 뿐인 영순.

♥ **러브라인** 같은 날 태어난 강호와 미주. 고등학교 시절, 삼식의 장난으로 창고에 갇힌 강호와 미주. 미주의 사고로 수능을 못 보게 된 강호.

◆ **서브라인** 송우벽, 돼지 농장에 불 지른다. 해식을 자살로 위장. 거짓 증언으로 송우벽을 돕는 오태수.

2화

● **메인라인** 강호의 생일을 맞아 미역국, 잡채 등 생일 음식을 챙겨 서울에 있는 강호 오피스텔에 찾아간 영순. 하지만, 안에 있어도 문을 열어주지 않는 강호. 결국 못 만나고 돌아온다.
강호가 결혼할 사람(하영)과 함께 조우리에 내려온다는 소식을 들은 영순과 마을 사람들. 잔치 준비에 한껏 들떠 강호를 맞이하는데… 영순에게 호적 정리를 요구하는 강호. 충격받은 영순. 하지만, 마지못해 입양동의서에 도장을 찍어주고 보낸다.
강호, 서울로 돌아가는 길에 사고가 난다.

♥ **러브라인** 청담동 네일샵에서 하영과 싸운 미주. 선영과 새로 네일샵을 오픈한다.
현재, 하영과 사귀고 있는 강호. 과거, 하영에게 접근하는 강호의 모습들.

◆ **서브라인** 송 회장 비리를 뒤처리하고 다니는 강호. 바닷가에서 수현의 차를 밀어버리는 강호. 송 회장과 부자지간 결의를 다지는 강호.

3화

● **메인라인** 병원 중환자실에서 강호와 마주한 영순. 억장이 무너진다. 혼수상태인 강호를 밤낮으로 지극정성 간호하는 영순. 6~7세의 지능으로 깨어난 강호. 퇴원 후, 조우리 집으로 돌아온 영순과 강호. 식음을 전폐하는 강호 때문에 속상한 영순. 결국 쓰러

나쁜엄마

진 강호. 식음을 전폐한 이유가 어렸을 적 트라우마 때문이었다는 사실을 알게 된 영순. 강호에게 지난 시절에 대해 진심으로 사과하는 영순. 영순의 사과에 마음을 열고 밥을 먹는 강호.

그러던 어느 날, 손을 조금 움직인 강호. 희망을 가지고 강호를 훈련시키는 영순. 마침내 강호, 손을 움직여 밥을 먹는다.

♥ **러브라인** 출소 후, 미주를 찾아온 삼식. 과거, 미주를 위해 도둑질을 한 삼식.

네일샵 보증금 갖고 튄 선영. 쫄딱 망한 미주.

하영, 강호에게 약 먹인 사실이 들통날까 두려워한다.

◆ **서브라인** 강호가 바보 된 사실이 온 동네에 퍼진다.

강호의 사고에 대해 뒷조사하는 송 회장. 강호를 사고 낸 범인을 찾아다니는 소 실장.

4화

● **메인라인** 서울의 강호 짐을 정리하러 올라온 영순. 강호 오피스텔의 팬트리 안에서 서류뭉치들, 박스들, USB 등을 발견, 트럭에 싣는다.

검찰청 앞에서 피켓 시위하는 할머니 만나는 영순, 강호를 원망하는 할머니와 싸운다. 찝찝한 마음을 가지고 돌아오는 길, 트롯백과 접촉사고로 박스가 쏟아지며 그 안에 금괴, 명품 시계, 정치인 명함 등이 나온다. 그로 인해 강호의 지난 행실에 대해 알게 된 영순. 자신이 강호를 잘못 키웠다는 자책에 괴로워하는 영순.

♥ **러브라인** 과거, 강호와 재회한 미주. 사시바라지한다.

도박장에서 일하는 삼식.

통통볼을 찾아온 강호와 마주친 미주.

◆ **서브라인** 오태수가 사고 낸 사실을 알게 된 송 회장. 송 회장에게 강호가 접근한 사실을 털어놓는 오태수.

5화

● **메인라인** 돼지 농장 냄새로 트롯백과 크게 싸운 영순. 스트레스 때문인지 속이 자꾸 쓰린 영순. 병원에서 내시경 한다. 영순에게 강아지 사달라고 조르는 강호. 영순이 사주지 않자 아기 돼지를 들고 나가버린 강호. 강호를 뒤쫓아 나가는 영순. 강호를 찾으러 나갔다가 미주와 만난 영순. 미주가 조우리에 내려온 것을 알게 된다. 강호와 아기 돼지 때문에 흙탕물을 뒤집어쓴 트롯백, 영순 집에 쫓아온다. 화가 난 트롯백, 영순의 멱살을 잡자 강호, 그대로 들이받아버린다. 파출소에 간 강호와 영순과 트롯백. 트롯백의 죄명에 대해 법령을 읊는 강호를 보고 생각에 잠기는 영순.

♥ **러브라인** 과거, 사시바라지하는 미주. 강호와 이별.

아기 돼지를 잡아 강호에게 건네주는 미주. 마을 사람들에게 네일아트 해주는 미주.

도박장에서 싸움 난 삼식.

소개팅하러 나간 하영. 대추차 보고 강호를 떠올린다. 술 취한 하영, 취중 자수한다.

◆ **서브라인**   과거, 오태수, 하영에게 강호를 모함한다. 하영, 강호의 사고를 꾸미게 된다.

오태수, 하영에게 외출, 연락 금지시키고 강호 없애라고 지시.

6화

● **메인라인**   돼지 농장을 몰아내기 위해 마을회관에 마을 사람들을 모두 불러놓고 선동하는 트롯 백, 그 앞을 우연히 지나가던 영순, 마을 사람들이 돼지 농장에 대해 뒷담화하는 것을 듣고 충격받는다. 임신한 모돈을 돌보고 새끼를 받으며 힘을 낸다.

증거를 찾기 위해 돼지 농장 축분장을 찾은 소 실장과 차 대리. 영순과 마주친다. 영순, 갑자기 쓰러져 병원에 실려 간다. 시한부 말기암 선고받는 영순.

♥ **러브라인**   미주의 카드지갑을 주워 찾아주는 강호. 농약 가게 샵인샵으로 네일샵 얻은 미주.

미주에게 자신이 나쁜 사람이었냐고 묻는 강호. 미주 가슴 아프다.

도박장에서 쫓겨난 삼식.

◆ **서브라인**   강호를 지키기 위해 내려온 소&차 VS 강호를 죽이러 내려온 오태수 일당의 추격전.

잭나이프 줍는 예진.

농장에서 영순과 마주친 소&차. 귀농 청년으로 위장한다. 쓰러진 영순을 병원으로 옮긴다.

7화

● **메인라인**   암 선고에 넋이 나간 영순. 하지만, 이내 정신을 차리고 강호에게 돼지 농장을 물려주기로 마음먹고 업무를 가르친다.

얼마 후, 구제역으로 돼지들을 살처분하게 된 영순. 묻히는 돼지들을 보며 먼저 떠나보낸 부모님, 동생, 남편 해식, 혼수상태였던 강호를 떠올림. 희망이 사라진 영순.

농약을 사서 강호와 함께 해식의 묘에 찾아가 먹고 죽으려 하지만 해맑은 강호의 모습에 그냥 돌아온다. 결국, 시설에 강호를 맡기고 돌아와 혼자 자살 시도한다. 엄마를 찾아 시설에서 뛰쳐나온 강호, 두 다리로 번쩍 일어나 기적적으로 영순을 구한다.

♥ **러브라인**   네일샵을 열심히 운영하는 미주. 제초제를 사간 영순에게 이상한 낌새를 눈치챈다.

삼식과 미주, 조우리에서 마주친다. 미주, 강호에게 서진이와 같이 목욕탕 가달라고 부탁한다. 강호, 서진, 삼식 목욕탕 같이 가는 세 사람.

◆ **서브라인**   삼식이네 옥수수밭을 사게 된 소 실장과 차대리.

삼식을 찾아온 배 선장. 두들겨 맞는다. 돈이 급한 삼식, 소 실장과 차 대리를 꼬셔 농업창업자금 사기를 계획.

콘서트홀 유치에 힘을 싣는 트롯백.

나쁜엄마

8화

● **메인라인** 자신을 버리고 갔다는 사실과 엄마의 자살 시도 모습에 충격받은 강호. 영순, 강호에게 아프다는 사실을 털어놓으며 용서를 구함.
두 다리를 일으켰던 강호의 모습에 희망을 가지고 함께 훈련에 임하는 영순과 강호. 영순의 노력 끝에 걸을 수 있게 된 강호.
강호가 살던 오피스텔의 경비로부터 연락을 받고 서울로 올라간 영순. 영순에게 편지를 건네는 경비. 강호가 쓴 편지 속 문장에 숨겨진 비밀을 알아채고 가족사진 액자 뒤를 열어보는 영순. 파란색 SD카드를 발견함.

♥ **러브라인** 미주에게 안겨 아이처럼 우는 강호. 강호를 꼭 안아주며 위로해 주는 미주.
조우리를 찾은 선영의 남자친구로 발칵 뒤집힌 마을. 아빠 왔다고 좋아하는 서진, 예진.

◆ **서브라인** 상추에 싹이 나 기뻐하는 차 대리와 속 터지는 소 실장. 영순네 창고, 증거를 발견한 차 대리.
강호를 위해 서프라이즈로 전동스쿠터를 산 마을 사람들.
영순의 암 사실을 알게 된 트롯백. 콘서트홀 유치 취소한다.
하영이 곧 결혼한다는 소식을 알게 된 영순.

9화

● **메인라인** 파란색 SD카드의 비밀번호를 알아낸 영순. 그 안에는 강호가 아빠의 복수를 하기 위해 준비해 왔던 모든 계획에 대한 자료가 들어 있었고… 그것들을 모두 보게 된 영순.
순간, 너무 혼란스럽고 무서워지는 영순. 창고 안에 있던 강호의 모든 짐과 SD카드를 챙겨 강호를 데리고 공터로 간다. 강호가 보는 앞에서 모든 자료를 하나도 남김없이 전부 다 태워버리는 영순.

♥ **러브라인** 하영이 결혼한다는 사실을 알려주는 예진.

◆ **서브라인** 부엌에서 영순의 명품가방을 발견한 삼식. 당근나라에 중고로 판다.
서진, 예진에게 영감받아 노래 만드는 트롯백.
영순네 창고를 습격한 소 실장과 차 대리. 하지만, 영순보다 한발 늦었고… 급기야 강호가 문단속하며 갇혀버린다.

10화

● **메인라인** 강호가 다시 복수를 할까 봐 불안한 영순. 가정을 만들어주려고 마을 사람들과 합심해 결혼을 추진한다. 하지만 강호는 번번이 퇴짜. 그러던 중, 베트남유학생 후앙이 강호에게 호감을 갖는다. 미주가 좋아하는 검사가 다시 되고 싶다는 강호. 속상한 영순.
영순에게 강호가 예진, 서진의 아빠임을 알리겠다고 결심하는 미주.

작가 노트   507

♥ **러브라인**　농약사에서 변태 상가 번영회장에게 봉변을 당하는 미주. 그 모습을 본 강호는 미주를 도와준다. 오토바이 사고를 당할 뻔한 미주를 보는 순간, 고등학교 수능 날 미주의 사고 장면이 떠오르는데… 미주는 강호를 향한 자신의 흔들리는 마음에 심란하다.

◆ **서브라인**　강호에게 막걸리를 먹이며 속여 패물을 손에 넣는 삼식. 결국 장물로 신고당해 청년회장과 박씨의 속을 터지게 한다.
황수현 사망사건 수사가 시작된다.

11화

● **메인라인**　쓰러진 영순을 강호, 후앙, 미주가 병원으로 옮기고 강호는 영순이 시한부임을 알게 된다.
강호와 버킷리스트를 실현하며 즐거운 한때를 보내는 영순. 코트 주머니에서 박철수 부인이 맡겼던 휴대폰을 발견하는 강호.
삼식이 발견한 SD카드에서 송 회장, 오태수와의 녹음파일을 듣고 **혼란**에 빠진 강호.

♥ **러브라인**　강호와 미주의 서로를 향한 마음을 알고 떠나는 후앙.
영순의 시한부 소식을 들은 강호는 미주 앞에서 무너진다.

◆ **서브라인**　트롯백에게 영순의 시한부 소식을 듣게 된 정씨.
반품받은 가방 바닥에서 SD카드를 발견한 삼식. 녹음파일로 하영에게 돈을 요구하는 삼식. 오태수 수하에게 납치, 폭행당하는 삼식을 구하는 소&차. 오태수는 삼식을 송 회장 수하로 오인.

12화

● **메인라인**　황수현 사망사건이 불거지면서 다시 손을 잡는 송 회장과 오태수.
영순과 바닷가 산책 중, 황수현을 떠올리는 강호. 농장에 불이 나고 쓰러지는 강호. 경찰에게 농장에 만난 방화 괴한을 얘기하는 삼식. 과거 해식의 억울한 죽음을 떠올린 영순은 자신의 과실이라며 사건을 무마한다.
황수현 살인사건 용의자로 체포된 강호는 바보 행세로 풀려나고 사건을 파헤치기로 한다. 강호의 기억이 돌아왔음을 알게 되는 영순.

♥ **러브라인**　예진, 서진이 자신의 아이라는 사실을 알게 된 강호. 강호의 기억이 돌아왔음을 알게 된 미주. 미주에게 상처 준 지난날들에 용서를 비는 강호. 복수를 끝내고 돌아오겠다고 약속한다.

◆ **서브라인**　농장에 방화 괴한에게 맞아 기절한 삼식. 강호를 구하러 불길에 뛰어든 삼식 앞에서 삼식에 대한 사랑을 표현하는 박씨, 청년회장.
미주에게 녹음파일 얘기를 털어놓는 삼식.

마을 잔치에 함께 하는 트롯백과 화해하는 영순과 조우리 사람들.
하영이 우성의료원에 갇혔다는 사실을 알아낸 미주.

13화

● **메인라인** 신림싱싱횟집 사장님에게 황수현이 배에 침입한 괴한을 피해 아이와 함께 죽었음을 듣게 된 강호. 미주, 삼식, 하영을 배 선장의 호텔에 숨겨두고 사건을 해결하러 떠난다. 아쿠아리움에서 행사를 하던 오태수 앞에 나타난 강호.

♥ **러브라인** 서로의 사랑과 믿음을 확인하는 강호와 미주. 미래를 약속하고 일을 해결하러 떠나는 강호.
하영에게 과거 상처 줬음을 사과하는 강호.

◆ **서브라인** 우성의료원에 감금된 하영을 설득해 탈출한 미주, 삼식.
강호 때문에 만든 곡으로 대박이 난 트롯백.
영순의 시한부를 알게 된 조우리 사람들.
소&차에게 강호 살인을 지시하는 송 회장.
송 회장이 자신들도 죽이려 했음을 알고 분노하는 소&차.

14화

● **메인라인** 송 회장을 잡기 위해 오태수에게 손을 잡기를 제안하는 강호.
소 실장을 죽이려는 송 회장을 긴급체포하는 강호.
마을 사람들과 법정에 온 영순. 영순 앞에서 긴급 체포되는 오태수. 송 회장과 오태수의 파멸을 보며 만세를 부르는 영순.
모두가 모여 마지막 생일잔치를 하는 영순. 강호의 노래를 들으며 마지막 순간을 맞이하는 영순.
돼지 농장 사장님이 된 강호는 영순의 편지를 발견하고 영순을 추억한다.

♥ **러브라인** 강호와 미주의 키스 장면을 보고 실망과 배신감에 떠는 삼식.
미주와 강호에게 해식과 자신의 반지를 물려주는 영순.
미주에게 프러포즈하며 영원한 사랑을 약속하는 강호.

◆ **서브라인** 법정에서 검사 측 증인으로 나와 송 회장에게 불리한 증언을 하는 오태수.
자신에게 불리한 증언을 하는 하영을 정신병자로 모는데… 결정적 증인으로 등장하는 황수현의 아이. 현장에서 긴급체포된 오태수.
이장부부의 임신, 삼식의 새로운 사랑. 소&차의 새로운 인생, 정씨의 늦사랑. 예진이의 첫눈에 반한 사랑… 모두가 '나는 행복합니다~'를 부르는 조우리 마을의 사랑스런 해피엔딩.

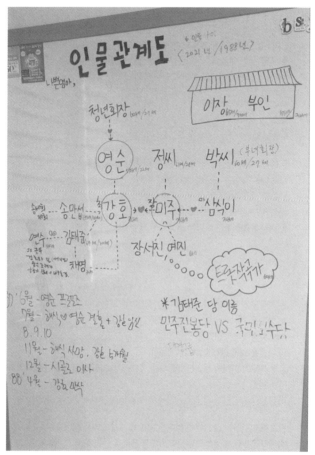

집필 초기 인물 설정이 담긴 보드판. 인물들의 이름이 많이 바뀌었다. 오태수의 이름의 경우 실제 정치인들의 이름과 겹쳐서 몇 차례 수정했고, 정당 이름과 우벽건설의 이름 또한 같은 이유에서 계속 바뀌었다. 미주의 경우는 처음에는 이미주가 아니라 장미주였는데, 우리 아이들의 이름을 그대로 쓰고 싶은 욕심(?)에 이미주가 되었다.

9화까지 미리 적어본 스토리라인. 상단에 깨알 같은 글씨로 매달 써내야 할 화를 기록했는데, 당시에는 16화로 기획했었다.

어린 시절

[1988년]   해식을 잃고 홀로 된 영순에게서 사생아로 태어난 강호.
해식이 나쁜 놈들에 의해 억울하게 죽었다고 생각하는 엄마 영순은 강호에게 늘 말한
다. 열심히 공부해 힘 있고 능력 있는 사람이 돼서 아빠가 왜 억울하게 죽을 수밖에 없
었는지 아들이 꼭 좀 밝혀달라고….
강호는 그런 엄마의 뜻에 따라 장차 법관이 되기 위해 따뜻한 밥 한 번 못 먹고, 잠 한
숨 편하게 못 자고, 소풍 한 번을 못 가며 또래 아이들과는 전혀 다른 세상 속에 지독
하게 공부만 하며 자란다.
이미 자신의 인생은 정해진 것처럼, 오로지 공부만을 위해 살아가는 강호.

[2006년]   어느덧, 고3이 되어 수능을 보게 된 강호.
수능 시험 날, 하나뿐인 소중한 친구이자 첫사랑인 미주가 자신을 응원하러 왔다가 교
통사고가 나는 충격적인 장면을 눈앞에서 보게 된다. 너무 놀란 강호는 수능 시험장을
가는 대신에 다친 미주를 데리고 병원으로 가고… 수능을 포기한다.
그렇게 집에 돌아온 강호를 보고 실망한 엄마는 모진 말들을 쏟아붓는데… 강호는 다
른 사람들에게는 늘 따뜻하면서 자신에게만 혹독한 엄마, 그리고 어려운 사람들을 도
와달라고 말하면서 정작 자신을 꾸짖는 엄마를 보며 도대체 엄마가 왜 이렇게까지 됐
는지… 뭐가 엄마를 그렇게까지 괴물로 만들었는지 엄마에 대한 실망과 분노와 슬픔
과… 가슴속에 뒤엉킨 복잡한 감정들에 휩싸인다.

[2007년]   미주의 교통사고 이후, 마음이 완전히 메말라버린 강호는 미주든, 엄마든 자신의 인생
에서 모든 걸 뒤로 하고 이 지긋지긋한 공부에서 벗어나기 위해 그저 공부, 다시 공부
에만 매달리며 재수를 해 서울대에 입학한다.

대학 시절

[2010년]   이 모든 건 아빠가 억울하게 죽은 사건부터 시작된 것이라는 마음을 품고 있던 강호
는 법대에 입학하자마자 법원에 찾아가 재판기록을 열람해 읽던 중… 이상한 점을 하
나 발견한다. 아버지가 증인으로 채택한 소방공무원 곽상철이라는 사람이 법정에서
오히려 불리한 증언을 했다는 것, '도움을 줄 수 있는 사람이기 때문에 증인으로 채
택을 텐데… 왜 아빠한테 불리한 증언을 했을까?'
의문을 가진 강호는 수소문 끝에 소방공무원을 직접 찾아가 만나게 되는데 그곳에서

송 회장이란 사람에게 돈을 받고 거짓 증언을 섰다는 충격적인 사실을 듣게 된다. 그
땐 어머니 수술비가 필요해 너무 어리석은 짓을 하고 말았다고… 해식이 형님이 그렇
게 죽을지 몰랐다고… 형님이 그렇게 죽을 줄 알았다면 그런 짓은 하지 않았을 거라
고… 강호에게 사죄하는 소방공무원.
송 회장의 악행에 대해 알게 된 강호는 가슴속에 차오르는 분노를 가지고 그 길로 당
시 사건을 담당했던 형사를 찾아가 수사기록을 보여달라고 요청하지만… 돈도, 빽도
없는 심지어 대학생 신분인 강호는 결국 아무것도 해보지 못하고 허무하게 경찰서에
서 쫓겨나고 만다.

[2014년]   그 뒤로 이를 아득바득 갈며 낮에는 알바에 밤에는 공부에 사법고시 합격만을 향해
앞만 보고 달리는 강호.
1차 합격 통보 후, 아르바이트를 하던 횟집에서 미주를 우연히 만나게 된다. 그렇게
오랜만에 재회한 두 사람. 다시는 헤어지고 싶지 않았던 두 사람은 각자의 자리에서
최선을 다하며 서로의 삶을 이어나간다. 미주는 강호를 뒷바라지하며, 강호는 미주의
도움을 받아 알바를 그만두고 오로지 공부에 매진하며 더 열심히 고시를 준비해 나가
는데….
그러던 어느 날, 사법연수원생들을 위한 전 검찰총장 오태수 의원의 특강이 열렸고,
오태수가 아버지의 사건을 담당했던 검사라는 걸 재판기록을 통해 알고 있던 강호는
혹시 도움이 되어줄지도 모른다는 생각에 오태수에게 다가가 말을 걸어본다.
'혹시, 저 예전에…' 어렵게 말을 꺼낸 그때, '아빠' 하고 오 의원을 부르는 딸 하영 때
문에 더 이상 말을 이어가지 못하고… 오태수와의 첫 만남은 아쉽게 끝이 난다.

[2016년]   3차 합격까지 한 후, 시보로 중앙지검에 발령된 강호는 시보 실습 중 사수 몰래 송 회
장과 연루된 모든 사건기록을 찾아보다가 또 하나의 충격적인 사실을 알게 된다. 송
회장이 저지른 모든 악행에 무죄 또는 증거불충분, 불기소 등으로 해결된 재판에는 바
로 오태수 의원이 있었다는 것. 두 사람 사이에 분명히 무언가 커넥션이 있다는 것을
직감하는 강호.
'어쩌면 아빠의 죽음에도 송 회장과 오태수가 연관이 있는 걸까…' 꼭 밝혀내고 말리
라 다짐하는 강호… 그리고 그 시간은 머지않아 다가오는데….

검사 시절 그리고 현재

[2017년]   드디어 정식 검사가 되는 날.
강호는 가장 먼저 엄마도, 미주도 아닌 형사를 만나러 간다. 대학생 때 아버지의 수사
기록을 보여달라고 찾아갔지만 강호를 매몰차게 쫓아냈던 그 형사. 이번엔 당당히 검
사증을 내밀며 수사기록을 보여줄 것을 요청한다. 하지만 강호의 생각과는 다르게 열
람한 수사기록에는 전혀 문제 될 게 하나도 없었다. 누가 봐도 아빠는 그저 자살한 사
람일 뿐.

작가 노트

현장 사진에서도 별다른 혐의점을 찾아내지 못한 강호는 당시 부검의를 찾아간다. 그런데… 놀랍게도 어렵게 얻은 부검 사진 속의 아빠는 현장 사진 속 모습과 달랐다. 목에 손톱자국이 선명하게 나 있는 것. 현장 사진과 부검 사진이 다르다는 건 누군가 사진을 조작했다는 것이 틀림없었다.

당시 담당 형사를 찾아간 강호는 그 모든 조작에 오태수가 있었다는 것을 알게 된다. 순간 정신이 아득해지는 강호… 사정을 알 리 없던 형사는 오태수 그 인간이 그렇게 극악무도한 인간이라고… 강호에게 당신도 보아하니 오태수 뒤를 캐는 것 같은데 공소시효도 끝난 사건을 뭐 하러 조사하냐? 다 의미 없다며 당신같이 평범한 일개 검사는 절대 오태수 같은 인간은 상대해 볼 수 없으니 그냥 포기하라고 한다.

청천벽력 같은 형사의 말을 들은 강호는 그 길로 오태수를 찾아가지만… 강호는 단한 발짝도 그에게 다가갈 수 없었다. 오태수 주변에 둘러싸인 수많은 경호원… 그리고 그 속에서 해맑게 웃고 있는 태수의 딸… 여유와 기품이 넘치는 그의 아내… 그리고 그런 가족들을 사랑스러운 눈으로 바라보는 오태수… 너무나도 행복해 보이는 그의 가족들… 그리고 언제나 그랬듯 외로이 홀로 서 있는 강호… 그 옆에는 강호를 지켜줄 가족도, 행복도 아무것도 없었다.

그때, 강호의 가슴 속에 훅 파고드는 무언가… 그건 바로 복수였다.

그 길로 집에 돌아온 강호는 '검사 취임 축!' 케이크를 들고 해맑게 웃으며 축하하는 미주에게 잔인한 이별을 통보한다. 아빠의 복수를 준비하기 위해… 미주를 버릴 수밖에 없는 강호. 안타깝게도 미주의 배 속에 강호의 아이들이 있는 걸 모른 채 말이다.

[2018년] 미주와 헤어진 강호는 태수의 딸 하영에게 본격적으로 접근해 새로운 인연을 만들어 간다.

[2019년] 오태수의 사위가 되기 위해, 송 회장의 아들이 되기 위해, 그들 속으로 깊숙이 파고 들어가 완벽한 복수를 하기 위해 준비하던 어느 날, 부장검사가 송 회장이 금쪽같이 여기는 외손자의 살인사건의 뒤를 봐주고 있다는 것을 알게 된다.

송 회장의 약점을 잡을 수 있는 절호의 기회가 눈앞에 온 강호는 부장검사를 찾아가 그 일 함께하자며 공조를 제안했고, 이어 만약 허락하지 않을 시 당신이 송 회장 뒤를 봐주는 더러운 검사라는 걸 다 까발리겠다는 협박 또한 잊지 않고 덧붙인다.

외손자의 살인 혐의를 벗게 해주고 송 회장과 가까워질 수 있는 기회를 잡은 강호. 송회장과 관계를 잘 다진 강호는 다음 플랜으로 오태수의 신임을 얻기 위해 하영과 함께 오태수에게 정식으로 인사를 하러 간다.

하지만 강호는 오태수에게 너무도 치욕스러운 모욕을 듣게 된다. 그럴수록 복수를 향한 강호의 마음은 더 굳건해져만 간다. 어떻게든 오태수의 약점을 잡으려던 강호는 선배 검사에게 오태수한테 여자가 있다는 사실을 듣게 되고, 결국 황수현이라는 내연녀와 그의 아이까지 있다는 사실을 눈으로 직접 확인한다. 비록 오태수에게 신임은 얻지 못했지만 무너뜨릴 수 있는 약점을 얻어내는 데 대성공하는 강호.

[현재] 강호는 송 회장에게 유전자 검사 결과지를 보여주며 오태수에게 황수현이라는 여자와 아이가 있다는 사실을 얘기한다.

이 엄청난 약점으로 오태수를 잡아야 하는데 그 방법은 바로… 자신을 수양아들로 받아들여 준다면, 송 회장의 아들로서 오태수의 딸과 결혼해 송 회장은 오태수를 얻고, 오태수는 자신을 얻고, 자신은 아버지를 얻어 누구 하나 쉽게 배신할 수 없는 사이 가족이 되는 것이다.

송 회장은 결국 이 제안을 받아들이고, 모든 사실을 오태수에게 알린다. 지금으로서는 당신도 나도 최강호를 잡을 수밖에 없다고, 강호를 받아들이자고 하는 송 회장. 오태수 또한 더 이상 물러날 곳 없이 강호에게 황수현을 처리해 줄 것을 약속한 후, 어쩔 수 없이 사위로 받아들일 수밖에 없게 되고… 그렇게 강호의 계획대로 흘러가 결국 세 사람은 가족이 되기로 한다.

강호는 오태수와 송 회장에게 자신이 진짜 가족이라는 것을 보여주기 위해 오태수의 여자 황수현과 아이를 끌고 가 물에 빠져 죽은 것처럼 꾸민다. 그리고 마지막으로 엄마에게 호적 정리를 하러 시골에 내려오는데… 그날, 큰 사고가 나는 강호… 이 모든 일을 하나도 기억할 수 없는… 바보가 된다.

역시나… 그 사고의 배후에는 오태수가 있었다. 강호를 받아들일 수 없던 오태수는 강호를 죽이기 위해 사고를 꾸몄는데 끔찍하게도 자신의 딸 하영이를 설득해 강호에게 수면제를 먹였던 것.

그렇게 강호가 죽을 줄 알았건만… 죽이는 데는 실패한 오태수. 아무리 기억을 잃은 강호라 해도 자신이 황수현과 내연관계라는 증거를 갖고 있기 때문에 오태수는 다시 한번 더 강호를 죽이려고 시도한다.

반면, 송 회장은 오태수의 약점인 황수현이 죽어버린 상태에서 오태수를 잡을 또 다른 증거를 들이민다. 그건 오태수가 강호를 죽이려고 교통사고를 사주했던 영상이었다. 이 말을 들은 오태수는 결심한 듯 무겁게 입을 연다. 최강호는 30년 전 우리가 죽인 최해식의 아들이라고, 송 회장 당신의 믿음과는 달리 강호는 역시 아버지 해식의 복수를 꿈꾸는 호랑이 새끼였다며 이제라도 강호를 없애야 한다고 말하는 오태수. 하지만 송 회장은 그 사실을 이미 알고 있었다고 놀라지 않는다.

이후, 영순에게서 강호가 가지고 있던 가발과 여자 옷을 찾아오는 소 실장. 그것은 송 회장의 비리를 터뜨렸던 PC방 CCTV 속 여자의 것이었다. 그 여자는 바로 강호였던 것. 하지만 송 회장은 이것 또한 자신에게 잘 보이려고 하는 강호의 행동이라며 아랑곳하지 않은 채 오태수를 압박할 증거만을 찾아오라고 지시한다.

한편, 바보가 된 후, 영순과 함께 평범한 일상을 보내고 있는 강호.

하지만 평탄한 일상도 잠시, 영순은 구제역과 암 선고를 받으며 생의 끝에 서게 되고 모든 걸 놓으려고 자살시도를 하는데… 순간, 그런 영순의 다리를 들어 올리며 기적적으로 번쩍 일어나는 강호, 이내 풀썩 주저앉지만, 그럼에도 불구하고 아주 작은 희망이라도 갖게 된 영순은 절망을 뒤로 하고 강호를 다시 걸을 수 있게, 다시 기억을 되찾을 수 있게 노력을 하는데….

어느 날, 영순에게 걸려 온 전화 한 통, 다름 아닌 강호가 서울에서 지내던 오피스텔 경비 아저씨의 전화였다.

영순이 강호에게 반찬을 주러 갔던 날, 영순이 적어 주고 온 번호를 찾아 전화를 했다는 경비는 영순에게 꼭 전해줘야 할 말이 있다며… 강호가 혹시 자신이 없는 날, 엄마가 짐을 빼러 오는 날이 있다면 엄마에게 꼭 이 편지를 전해달라는 부탁을 했다는 것.

경비는 강호 이삿날 자신이 비번이라 자리에 없어서 전달하지 못했다며… 강호가 부탁한 거니 꼭 편지를 가져가라고 한다.

서울로 올라와 편지를 찾은 영순. 편지는 강호가 영순에게 쓴 편지였다. 하지만 그 속엔 이상한 점들이 몇 개 있었다. 절대 편지 같은 건 쓸 일이 없는 강호인데… 뜬금없이 편지를 남겼다는 것과 그리고 '엄마, 아빠와 함께하던 그때가 가장 그립습니다…'라는 문구였다. 세 사람은 한 번도 함께할 수 있었던 적이 없는데… 이건 뭘까. 영순은 아무래도 이 안에 다른 의미가 있다며 곰곰이 생각하던 중… 집에 있는 액자 하나를 떠올린다. 강호 돌 사진, 그리고 영순 사진, 해식 사진을 각자 오려 붙여… 마치 셋이 같이 있는 것처럼 보이는 그 액자였다.

얼른 액자 뒤를 열어보는 영순. 그 속엔… 강호가 복수를 하기 위해 강호가 어떤 일을 꾸미고 있었는지 알 수 있는 녹음파일이 들어 있었다. 혹시 위험에 처할지 모르는 상황을 대비해 중요 증거를 몰래 액자 뒤에 숨겨놓았던 것… 편지는 바로 이 녹음파일을 숨겨둔 위치를 알려주는 중요한 단서였다.

강호가 복수를 하기 위해 어떤 일들을 꾸미고 있었는지… 알게 된 영순은 갑자기 두려움이 몰려왔다. 강호가 혹시라도 다시 복수하겠다고 하면 어쩌나… 이 사실이 누군가에 알려져서 행여 강호가 위험에 빠질까… 너무나 두렵고 걱정되는 영순인데… 순간, 영순은 이런 생각이 들었다. 강호가 정신이 돌아온다 해도 가정을 꾸려 아내와 아이가 있으면 그런 위험한 복수를 하진 않을 것이라고. 영순은 곧장 강호에게 마음이 있는 여자와 결혼을 추진한다.

한편, 그 소식을 듣고 밤새 잠 못 이루며 안절부절못하던 미주는 결국 영순에게 강호가 쌍둥이 아빠임을 털어놓는다. 미주에게 너무 미안하면서도 고마운 마음이 너무 큰 영순. 이제라도 강호와 함께하고 싶다는 미주의 뜻대로 강호와 미주를 결혼시키기로 하는데… 진짜 결혼 준비로 정신없으면서도 행복한 한때를 보내던 중.

그때, 강호의 집에 들이닥치는 경찰. 강가에 떠오른 황수현 시체로 인해 강호가 살인 용의자로 긴급 체포된다. 황수현의 시체가 떠오르자 경찰 조사가 진행되면서 위기를 느낀 오태수와 송 회장은 강호를 범인으로 몰기 위한 계략을 세운 것.

심지어 오태수 쪽에서 보낸 놈들에 의해 집이며 농장이며 또 한 번 큰 화재가 나게 되고… 유전자 검사 결과지며, USB며, 이제 증거들까지 모조리 사라지고… 강호 또한 정신적으로 큰 충격을 받는다. 정신적으로 쇼크가 오면서 단계적으로 조금씩 기억을 되찾아가지만… 이 사실을 숨길 수밖에 없는 강호. 긴급체포에서 풀려나 심신미약인 상태를 이용해 송 회장, 오태수를 무너뜨릴 증거를 찾아야만 하기 때문이다.

미주, 삼식 등의 도움으로 자연스럽게 송 회장, 오태수를 압박할 계략을 세우는 강호. 마침내 죽은 황수현의 아이를 찾아낸 강호는 오태수와 송 회장과 맞설 모든 준비를 끝내고… 엄마의 마지막 순간을 함께 보낸다.

황수현 살인사건 용의자로 법정에 서게 된 강호. 죽은 줄 알았던 황수현 아이가 증인으로 법정에 들어오며 모든 누명을 벗게 되고… 오태수와 송 회장의 악행을 밝히며 모든 것을 무너뜨린다.

과거 자신이 잘못을 저질렀던 사람들을 찾아가 용서를 빌고 새사람으로 거듭나는 강호에서….

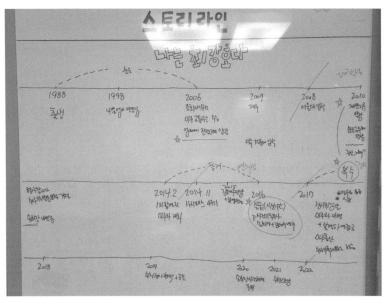

강호의 시간 기록.

돼지 농장이 주 무대인 〈나쁜엄마〉를 쓰기 위해 읽은 돼지 농장과 축산, 동물에 관련된 책들. 송우벽 회장이 야구를 좋아하는 경상도 출신 설정이었기 때문에 부산 사투리와 야구와 관련된 책들을 참고했다.

작품에 두 번이나 발생한 '화재'에 관해 조사한 자료들이다. 그리고 영순이 강호를 모질게 공부시키는 장면을 위해 실제로 행해졌다는 여러 공부법과 사고를 당한 후 강호의 증상과 재활훈련 과정에 필요한 자료들이다.

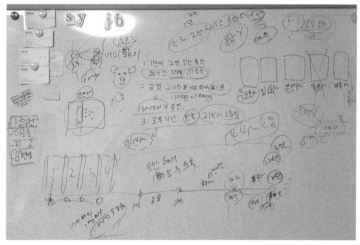

동물 약품회사에서 근무했던 남편이 돼지에 관련된 정보를 브리핑해 준 흔적.

서울올림픽 실제 마라톤 대회가 열렸던 코스를 중심으로 영순과 재식의 봉우농장 위치를 고민했다.

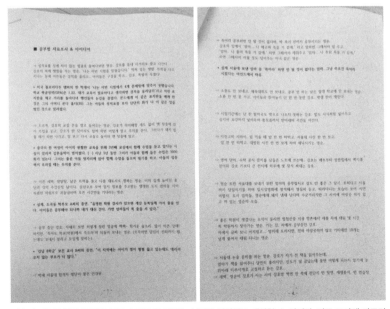

영순이 강호를 밥도 조금만 주고 소풍도 안 보내는 설정이 과하다고 생각할 수 있지만, 자료 조사에 따르면 실제 많은 아이들이 그보다 더 혹독한 방법으로 공부하고 있었다.

부모님이 운영하시는 농약 가게.
읍내 '옹렬농약사'의 모티브가 되었다.

나쁜엄마

〈나쁜엄마〉 1화 완성 대본. 누가 뭐라고 해도 그 순간이 가장 기쁘고 감
동적이었다.

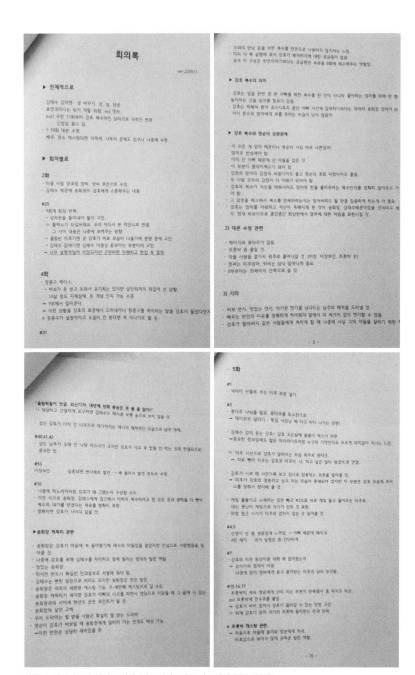

감독님, 피디님들과 함께 고민한 〈나쁜엄마〉 대본 피드백과 회의 기록들.

너무나도 아름다운 마을 조우리.
배우님들이 사진을 한 장씩 보내주실 때마다 얼마나 설레고 행복했는지 모른다.

나쁜엄마

봉우동 화재 촬영이 있던 날, 직접 가서 찍은 사진.
실제로 화재가 나서 건물이 붕괴 되는 걸 고스란히
목격하면서 촬영에 애쓰시는 모든 스탭분들의 노고
에 다시 한번 감사했다.

나쁜엄마

배우 인터뷰

라미란

진영순 역

〈나쁜엄마〉 대본을 읽고 나서 첫인상이 어땠는지 궁금합니다. 제작발표회 당시, 대본을 단숨에 읽었다고 언급한 바 있으시죠. 매달려서라도 해야 하는 작품이라고 하셨는데, 어떤 점이 배우님의 마음을 사로잡았나요?

대본을 받고 정말 순식간에 읽은 것 같아요. 한 권을 다 읽을 때쯤엔 그다음이 어떻게 될지 너무 궁금해졌거든요. 그렇게 다음 회를 읽고, 또 읽으면서 제 감정이 소용돌이치는 걸 느꼈죠. 영순과 강호가 부딪히고 깨지고 넘어지고 일어서는 그 순간순간, 희망과 절망, 벅차오름… 다양한 감정들이 느껴졌어요.
사랑스러운 이웃들의 캐릭터도 너무 좋았고요. 또 빌런들이 만들어준 극한의 상황 덕분(?)에 참 우여곡절과 희로애락이 가득한 인생이더라고요.
너무 주인공 위주의 이야기가 아닌 점도 좋았어요. 다양한 엄마의 모습을 보여주는 것도 좋았고, 등장인물들의 캐릭터, 대사 한 마디 한 마디가 의미 있고 위트 있어서 좋았고요. 그런데 이 작품을 안 한다고요?

실제로 자녀를 둔 엄마의 입장에서, '영순'에게 크게 공감되었던 점과 공감하기 어려웠던 점이 있다면요? 자연스럽게 '엄마 라미란'이 묻어나온 장면이 있었나요?

뭉뚱그려서 얘기한다면 엄마의 마음은 다 그렇지 않을까요? (웃음)
공감되었던 점이라면… 아니 공감이라기보다는, 영순이라는 사람을 엄마라는 이름 말고 '진영순'이라는 사람으로서 이해해 보려고 했어요. '영순이 자식을 사랑하는 법이란 이런 걸까?', '그렇게 하는 것이 자식을 위한 것이라고는 하지만 과연 그럴까?', '영순이도 돼지처럼 지금 넘어진 것일 테지…' 하고요.
엄마 라미란이 묻어 나온 장면이라면, 어질러진 방을 치우라고 할 때? (웃음)

남편 '해식'과의 짧은 결혼생활, 독해져야 '강호'를 잘 키울 수 있다는 부담감, 돼지 농장을 바라보는 사람들의 곱지 않은 시선, 어른이 된 강호의 외면, 아들을 잃을까 노심초사하는 마음, 시한부 선고를 받고도 오로지 아들을 위한 나중을 준비하는 애처로움…고단한 영순의 삶이었습니다. 한편으로는 영순의 삶이 너무 기구한 것이 아니냐며 안타까워하는 반응들이 있었는데. 연기하는 데에 어려움은 없으셨나요?

정말 그런 생각을 했어요. 너무 가혹하지 않나? 어쩜 이렇게까지….
근데요, 그렇지 않았더라면 느껴보지 못했을 큰 깨달음과 받아들일 수 있는 겸허함, 그리고 결국엔 소중한 것이 무엇인지 알았을 때의 행복함이 남더라고요.
하나하나 고비를 넘고 같이 이겨내고 하는 과정이 어쩔 땐 짜릿했어요.
그리고 연기할 때 어떤 것에 신경 쓰지 않는 편이에요. 전 지금 진영순이고, 강호의 엄마이고, 조우리 사람들의 이웃이고. 그렇게 잠깐 다른 사람의 인생을 살아요. 무척 고단하고 힘들었지만 나는 행복합니다~

〈나쁜엄마〉는 코미디와 드라마 사이, 감정의 폭이 매우 큰 작품이었습니다. 연기하실 때 가장 신경 썼던 점이 있다면요?

저는 같이 작업하는 배우들과 스탭들과의 유대관계를 중요하게 생각해요. 현장에서 모두 즐겁고 편안한 마음이었으면 하는 바람이 있어요. 그러면 이 작품을 하는 동안 촬영하는 날을 기다리게 되고, 같이 하는 동료들이 보고 싶고.

그러다 보면 현장에서 서로의 케미가 살더라고요. 그래서 장난도 많이 치고 긴장을 풀려고 노력해요.

조우리 마을은 현실에 없지 않을까 싶을 만큼 따뜻한 공간으로 그려집니다. 이기심에 갈등하다가도 아픈 강호를 돌보려 연대하고요. 마을 콘서트홀에 잠시 혹하다가도 영순의 영양제를 보며 금세 마음을 고쳐먹기도 하고요. 그런 마을을 배경으로 한 〈나쁜엄마〉의 현장 분위기와 배우분들과의 호흡은 어땠어요?

현실에 없을 것 같다가도 어느 때는 너무 현실적이기도 하죠. (웃음)
그리고 다 함께 하는 신이 많다 보니 자연스럽게 하나가 된 것 같아요. 가장 중요한 포인트는 밥을 함께 먹는 거예요. 자연스럽게 식구가 된답니다. (웃음) 한 명 한 명 너무 사랑스러운 사람들이었어요.

조우리 마을 캐릭터 중 '이 역할은 내가 했어도 재밌었겠다' 하는 역할이 있었나요?

다 탐나죠!! (웃음) 그런데 다들 너무 찰떡이라 감히 넘볼 수 없을 것 같아요. 박씨 형님도 좋고… 정씨 형님도 좋고… 아… 이장님… 하….

화기애애한 분위기 속에서 때론 연기에 집중하기가 어려웠을 것 같은데, 이도현 배우의 말에 따르면 배신감이 들 정도로 카메라가 돌아가는 순간 엄청나게 몰입하신다고요. 그 비결이 무엇인가요?

하하. 강호가 처음에 좀 힘들어했죠. 엄마가 이상하다고…. (웃음)
저는 눈물을 흘려야 한다거나 감정의 골이 깊은 연기를 해야 할 때도 왠지 예열을 오래 하고 있으면 더 힘들더라고요. 직전까지 헤헤거리며 딴 얘기를 하다가 연기해요. 순간 몰입하는 게 전 더 편하더라고요.

하지만 배우들마다 다 다른 부분이라서 혹시 제가 방해될 수도 있으니까 상대 배우의 스타일을 먼저 살펴보는 편이에요. 나중엔 강호도 적응이 됐는지 저 못지않게 금방 몰입해 줘서(그렇게 저의 눈물버튼이 되어주었죠) 나중에는 거의 농담하다가 갑자기 슛!! (웃음)

극 초반부터 짙은 감정 씬으로 시청자들을 울렸습니다. 연기하시면서 가장 어려웠던 감정 씬이 있다면요?

감정 씬이 정말 많았어요. 쉽지 않았죠. 그래서 웬만한 씬들은 그 정도를 조절하려고 애썼던 것 같아요. 정말 안 울고 싶어서 참으려고 했는데 오히려 눈물이 나서 힘들었던 씬들이 많았어요.

해식의 무덤에서 강호가 천천히 가라고 하는 씬이 기억에 남는데, 저는 그 씬에서 눈물을 보이고 싶지 않았거든요. 감정이 너무 가면 안 될 것 같아서 최대한 조절을 한 건데 방송을 보니까 또 울고 있더라고요.

오케이를 받고도 유독 감정을 참기 어렵던 씬이 있었나요?

마지막 법정씬이요. 마지막 대본을 보고서 '아, 만세를 어떻게 하지?' 고민이 됐어요. 아무래도 일상적이지 않은 상황과 대사여서 그런지 머릿속으로 상상이 잘 안 돼서 힘들었어요. 그런데 막상 촬영에 들어가서 만세를 외치는데 영순의 인생이 파노라마처럼 지나가는 거예요. 머리끝까지 소름이 끼쳤어요. 그 후련함과 벅차오르는 감정이 정말 기억에 많이 남아요.

영순의 대사 중에 이런 대사가 있죠. "사람들은 누구나 어린 시절로 돌아가고 싶어 하거든? 그러면 바꿀 수 있는 게 엄청 많거

든." 일곱 살로 돌아간 강호처럼, 배우님이 과거의 어떤 순간으로 돌아갈 수 있다면 언제로 돌아가고 싶으신가요?

저는 바꾸고 싶은 게 없어요. 저도 나름 파란만장한 삶을 살았지만 제 인생에 후회는 없어요. 그 순간순간들이 쌓이고 쌓여 지금의 제가 된 거니까요.
전 스스로를 소중히 여긴답니다. 앞으로도 그럴 거고요. 많은 실수를 하고, 후회되는 일도 생길 것이고, 슬픈 일, 힘든 일, 부끄럽고 때론 화가 나는 일들이 있겠지만 잠깐의 행복이나 기쁨, 눈부신 순간들만으로도 충분히 살아갈 힘을 얻을 수 있어요.

'라미란'이라는 배우의 유머러스하고 코믹한 모습을 기억하는 시청자들에게 오랜만에 새로운 모습을 보여준 작품인 것 같은데, 배우님의 소감이 궁금합니다.

그러게요. (웃음) 어쩌다 보니 시청자분들이 저를 아주 유쾌한 성격에 재밌는 사람으로 기억해 주시는데, 새로운 모습이라기보다는 좋은 기회에 제가 가진 여러 가지 모습 중 한 부분을 보여드린 것 같아요. 이전 캐릭터들과 달리 보일 수 있는 작품을 만나서 저도 참 좋았어요. 앞으로도 다양한 모습 보여드릴 수 있게 많이 불러주셨으면 좋겠습니다. (웃음)

어느 인터뷰에서 "'라미란 표' 무언가가 생기지 않기를 바란다"며 자기만의 틀을 만들게 되는 것, 경직되는 것을 경계한다고 말씀하셨습니다.

그 생각은 변함이 없어요. 하지만 저도 모르는 사이에 저만의 색깔과 스타일이 짙어지고 있겠죠? 배우로서 경계하는 부분은 대중, 그리고 나 스스로에게 느껴지는 익숙함인 것 같아요. 그래서 안주하지 않으려고 꽤 노력하고 있어요.

나쁜엄마

〈나쁜엄마〉를 통해 배우 라미란은 어떤 성장, 또는 배움을 얻었나요?

이번 작품을 통해서 인생을 바라보는 시각이 달라진 것 같아요.

무엇이 소중한 것인지, 인생에서 지켜야 하는 게 무엇인지, 앞으로 어떻게 살아가야 하는지. 아직 뭐라고 정의할 순 없지만 가슴에 비었던 부분들이 가득 채워진 기분이에요.

마지막으로 〈나쁜엄마〉를 사랑해 주신 시청자분들에게 한마디 부탁드립니다.

어떤 팬분이 재방에 삼방에, 재재재방송까지 보고 계신다고 하더라고요. 작품을 사랑해 주신 시청자 여러분, 함께해 주셔서 너무 감사드립니다. 〈나쁜엄마〉라는 작품이 나중에 언젠가 또 생각나고 보고 싶은 드라마였으면 좋겠습니다. 여러분, 행복하세요~

나쁜엄마

작가 인터뷰

배세영 작가

드라마 첫 데뷔를 성공적으로 마치셨어요. 축하드립니다. 소감이 어떠신지요.

저에게는 〈나쁜엄마〉가 방영된 7주가, 집필하던 3년보다도 더 의미 있는 시간이었습니다. 첫 드라마다 보니 어떤 모습으로 시청자분들을 만나게 될지, 걱정과 긴장 속에 시간을 보냈어요. 매주 쏟아지는 박수, 그리고 질타 속에서 위로도 받고 또 많이 성장했습니다. 과분하게 주신 사랑과 관심, 응원에 감사드려요.

그간 영화 시나리오 작업을 활발히 해오셨는데, 드라마 작업은 어떠셨어요? 어떤 차이를 느끼셨나요?

영화와 확연히 구분되었던 건 '작품의 길이'였어요. 그 지점이 가장 어렵기도 했고요. 드라마 문법을 잘 모르는 상태다 보니 어려운 게 많았습니다. 매화 독립적인 기승전결을 잡는 것, 긴 호흡으로 여러 갈등 요소를 유기적으로 얽히게 만드는 것, 전체 주제로 귀결하기 위한 빌드업, 다음 화를 기대하게 만드는 엔딩 포인트… 신경 쓸 게 정말 많더라고요. 그리고 영화와 달리 드라마는 다양한 공간과 상황에서 시청하다 보니까 자칫 중요한 대사나 행동을 놓치게 되죠. 두 달가량 되는 방영 기간 동안 이야기의 흐름을 놓치지 않게 하기 위해서는 끊임없이 중요한 서사와 감정을 반복해서 복기해 주어야 해요.
집필 기간도 상당히 오래 걸렸죠. 보통 영화 시나리오 한 편이 70페이지인데,

〈나쁜엄마〉 1화 대본 분량이 44페이지가 나왔거든요. 조금만 더 붙이면 영화 한 편이니까, 거의 매회 영화 한 편 쓰는 공력이 들어간 셈이에요. (웃음) 영화는 빠르면 3주 만에 완성되기도 하는데, 이 작품은 3년이나 걸리다 보니 무척 지치더라고요. 하나 끝냈다 싶으면 또 다음 화가 있고, 또 다음 화가 있고…. 작품의 정서를 끝까지 끌고 가야 하는 게 가장 어려웠어요.

좋았던 점은요?

영화에서는 제가 풍부하게 쓰고 싶은 대사나 감정들도 생략되어야 하는 경우가 많아요. 주제를 최소한의 대사와 행동을 통해 함축적으로 보여줘야 하죠. 그런데 드라마에서는 좀 더 펼칠 수 있더라고요. 한 줄 한 줄 자세하게 풀어 쓰고, 반복적으로 말해주어야 하는 장르였어요. 덕분에 제가 하고 싶은 얘기를 끝까지 가지고 갈 수 있어서 좋았어요. 그리고 영화는 시나리오를 넘기는 동시에 작품에 관여하기가 어려워요. 그래서 편하고 좋은 점도 있지만 반면에 아쉬운 점도 되게 많아요. 제 의도대로 작품이 나올 수 있도록 참견할 수 있다거나 발언권이 주어지는 경우는 거의 없거든요. 그래서 결과물을 VIP 시사 때 처음 보는 거예요. 아무래도 영화를 즐기기보다는 내가 쓴 것 중 무엇무엇이 남았나 찾게 되고, '오, 저거 남았네!' 하고 안심하게 돼요.

반면에 드라마는 제가 쓴 게 고스란히 담겨 있어 신기했어요. 처음이에요. 내가 쓴 걸 가지고 온전히 평가받는 기분은 색다르더라고요. 아무래도 책임감의 무게가 다른 거죠. 드라마는 온전히 내가 쓴 게 구현된 거라 잘못해서 욕을 먹어도 내 책임이고, 칭찬을 들어도 내 것에 대한 칭찬이니까라는 생각이 들었거든요. 근데 그게 좋았어요.

드라마 작업에 대해 좋은 인상을 받으신 것 같은데요, 곧 다음 드라마를 기대해도 될까요?

음… 글쎄요. 영화는 통으로 평가를 받는데, 드라마는 매회 평가를 받아야 하더라고요. 그게 쉽지 않았어요. 그리고 '실시간 오픈톡'이 주는 긴장감과 고통도 만만치 않더라고요. (웃음)

> **다양한 장르물 등 새롭고 자극적인 이야기들이 쏟아지는 가운데, '사랑'이라는 보편적인 감정을 다룬 이야기를 쓰셨습니다. 어쩌면 가장 투박한 주제로 이야기를 전하는 데에 걱정이 많으셨다고요. 그럼에도 이 이야기를 꼭 해야겠다고 마음먹은 계기가 있었나요?**

장황한 이유는 없어요. 다른 장르를 제가 잘 쓰지 못해요. (웃음) 제가 제일 좋아하는 장르가 휴먼드라마고, 이왕이면 코미디로 풀어내는 걸 좋아해요. 지인들로부터 다른 장르에 도전해 보면 어떻겠냐는 얘기도 많이 들었어요. 첫 드라마 작업을 앞두고 저도 '새로운 시도를 해볼까' 하는 고민도 있었거든요. 그치만 제가 잘 쓰는 걸 먼저 해보고 싶었어요.

마침 이 이야기를 쓴 시기가, 딱 코로나 시기와 맞물려요. 그 3년간 쓴 이야기예요. 그 시기에 자의든 타의든 모두 육체적으로, 정서적으로 자가격리를 해야 하는 상황이었잖아요. 누군가를 만나는 게 꺼려지다 보니 점점 함께 있는 공간보다 혼자 있는 공간이 편해졌고, 함께하는 것보다 혼자 하는 것들을 더 선호하게 되었죠. 그런 시기이다 보니 암울한 분위기의 장르물이나 너무나도 자극적인 이야기가 쏟아지고 있었어요. 그래서인지 주위에서 들려오는 말들이 있었어요. 특히나 엄마들로부터 들은 얘긴데요, 따뜻한 얘기 나왔으면 좋겠다고, 요즘 뉴스든지 드라마든지 왜 무서운 얘기만 나오냐고요. 가뜩이나 각박한 세상에, 사람들조차 만나기 힘들어진 이때에, 한 마을에서 어우러져 연대하고 관계 맺는 이런 포근한 이야기가 필요하겠다 싶더라고요. 코로나가 끝난 뒤 나오면 의미가 있는 작품이 되겠다 싶었죠.

나쁜엄마

외롭게 글을 쓰면서도 마스크 너머 웃는지 우는지 모르는 외로운 사람들을 떠올렸어요. 사람은 함께일 때 의미 있다는 걸, 이 시대를 함께 버티고 있는 사람들에게 말해주고 싶었어요. '사랑'은 혼자 할 수 없잖아요.

말씀해주신 것처럼 특히 어머니들이 정말 재밌게 보셨어요.

맞아요. 투박하지만 마음을 건드리는 이야기를 반가워해 주신 것 같아요. 제가 실시간 오픈톡을 보면서 상처받다가도, 미용실에 가면 막 좋아들 하시는 모습을 보면서 힘을 얻었죠. 이 작품을 사랑해 주신 젊은 팬분들도 있지만, 사실 젊은 분들은 다른 콘텐츠도 볼 게 많을 거예요. 그런데 어머님들은 댓글 남기는 법은 몰라도 조용히 시청해 주셨을 거거든요. 그 존재에 위안을 많이 받았어요.

조우리 마을은 사랑이 넘치는 정감 어린 공간입니다. 많은 분이 '조우리에 살고 싶다'고 할 정도였는데요. 실재하는 곳이라는 착각이 들 만큼 생생하게 그려주신 덕분이 아닌가 싶습니다. 작가님께서 어렸을 때부터 보고 자란 것들이 많이 반영됐다고요.

대부분 어린 시절 제가 보고 들은 것들이에요. 저희 부모님께서 평택 안중이라는 읍내에서 농약사를 운영하세요. 극 중 등장하는 '웅렬농약사'는 저희 아버지 성함을 따서 지었죠. (웃음) 읍내 농약사에는 동네 미용실처럼 항상 농민들이 와서 앉아 계세요. 이유도 모르겠어요. 삼삼오오 모여서 '저 마을에 누가 어떻게 됐대'부터 시작해서, '저 옆집 숟가락이 몇 개고…' 이런 얘기들을 다정다감하게 나눠요. 서로 모르는 사람이 없거든요. 그런 모습을 어렸을 때부터 보고 자라서 그런지 조우리 마을 이야기가 특이하다고 생각하지 않았어요. 그래서 조우리에 살고 싶다는 반응이 너무 신기했어요. '다들 이렇게 살아온 게 아니었단 말이야?' 하고 의아했죠. '나 뉴욕 맨해튼에서 살고 싶어'도 아니고 '조우리에 살고 싶어'라니… 저에게는 너무 희한한 말처럼 들렸어요. 사실 조우리 마을이 우리의 본 모습이라고 생각했거든요. 마을 공동체는 옛날부터 지켜져 온 문화인데, 이젠 판타지가 돼버렸다는 현실에 기가 막혔어요. 마을 사람들 간 끈끈한 유대관계가 향수를 불러일으킨 것 같아요.

 사투리도 딱 저희 고향에서 쓰는 사투리예요. 부모님이 평상시 쓰시는 말투라 너무 익숙하죠. 그래서 사투리 대사 쓸 때마다 너무 즐거웠어요. 중간중간 밭 농사, 고추 얘기, 술 담그는 얘기… 다 보고 자란 것들이에요. 마을 사람들 얘기 쓰는 건 너무 재밌고 즐거워서 한도 끝도 없이 쓸 수 있었는데, 오히려 분량 덜 어내느라고 고생했죠. (웃음)

> **'작가의 말'에서 〈나쁜엄마〉의 시작에 대해 언급해 주셨습니다. '암'에 걸렸을까 두려웠던 마음으로부터, 남겨질 아이들을 걱정하는 마음으로 쓰셨다고요. 영화 〈인생은 아름다워〉의 소재와도 비슷한데, 출발점이 같았는지 궁금합니다.**

두 작품의 집필 시기에는 차이가 좀 있었어요. 〈나쁜 엄마〉가 원래 영화를 만들려고 먼저 썼던 작품인데요, 비슷한 소재를 가진 영화가 나오면서 홀딩이 돼 있는 상태였어요. 개인적으로도, 말하고 싶은 주제를 지키면서 강호의 복수와 로맨스, 조우리 마을의 여러 군상을 효율적으로 보여주려면 드라마가 더 적합하다는 생각이 들었어요. 그래서 드라마 대본으로 작업하게 됐는데, 어쩌다 보니 〈인생은 아름다워〉랑 비슷한 시기에 나오게 됐죠. 그래서 주위에서도 저한테 무슨 일 있냐고 많이 물어봤어요. 무슨 일 있는 거냐, 왜 반복해서 이런 소재를 쓰는 거냐… (웃음)

폐 때문에 병원에 CT 검사를 하러 간 일이 있었어요, 폐에서 뭐가 발견된 거예요. 의사 선생님이 CT 검사니까 3개월에서 6개월 후에 다시 봐야 한다고 하셨죠. 커지면 암일 수도 있고 그게 아니면 결절일 수도 있다고요. 그 말을 듣는데 사람이 참 웃긴 게, 그냥 '나 죽는구나' 하는 생각밖에 안 드는 거예요. 피 마르는 심정으로 보낸 3개월 동안 내내 떠오른 건 아이들뿐이었죠. 아이들을 생각하니까, 만약 내가 떠나게 된다면 엄마로서 가르치고 가야 될, 알려줘야 될 것들에 대해 두서없이 떠올랐어요. 그런데 그런 상황에 놓인 분들이 적지 않을 거잖아요. 제 아이들은 어디가 아프지 않은데도, 남은 시간 동안 아이들에게 어떤 이야기를 해줘야 하나, 어떤 삶의 자세를 가르쳐줘야 하나, 생각이 많았어요. 그런데 내 아이가 아프기까지 하면? 아이가 혼자서는 살아갈 수 없고 심지어 주위에 도움을 청할 데도 없다면? 이런 상황에서 엄마는 아이에게 무엇을 가르쳐야 할까? 이런 질문들에서 이야기가 시작됐어요.

제목은 처음부터 〈나쁜엄마〉였나요?

저는 작품에 들어갈 때, 가장 먼저 제목을 정해요. 마음에 드는 제목이 정해지기 전까지는 절대 첫 씬을 쓰지 않아요. 제목이 정말 중요하니까요. 〈나쁜엄마〉 첫 씬을 쓰기 전부터 '나쁜엄마'라고 제목을 달았어요. '이 이야기는 나쁜 엄마에 대한 이야기다'라고요. 누가 봐도 지독하고 냉혹한 엄마지만, 곧 혼자 남겨질 내 아이를 제대로 살도록 하려면 좋은 모습만 보일 수 없다는 걸 알았거든요. 굉장히 독하게 굴어야 될 거고, 좋은 것만 가르치고 갈 수 없었을 거예요. 그래서 처음에는 욕한다고 강호를 혼냈던 영순이 뒤에선 욕하라고 혼내는데요. 이런 과정을 보면서 이 엄마는 분명 나쁜 엄마로 남을 거라고 생각했죠.
 '나쁘다'는 말과 '엄마'라는 말이 굉장히 안 붙는 조합이잖아요. 사랑하기 때문에 나쁜 엄마가 될 수 없는 영순의 아이러니한 모습에서, 이 이상의 제목을 떠올릴 수 없었어요. 내부에서도 제목에 대한 이견은 없었다고 해요. 처음에는 '돼지 엄마'도 후보에 있었는데⋯ (웃음)

극의 중심에 있는 나쁜 엄마 '영순'은 누구보다 척박하고 기구

**한 삶을 살아요. 그런 삶 때문인지 '제목 정말 잘 지었다'는 반
응이 심심치 않게 보일 정도로 영순은 아들에게 정말 모진 인
물로 그려집니다. 그래서 시청자 반응이 엇갈리기도 했는데요,
영순이 너무 모질다는 의견도 있는 한편 공감된다는 이들도 있
었고요. 이런 반응을 예상하셨나요?**

영순이라는 인물이 처음부터 나쁜 사람이 아니었어요. 사랑할 줄도, 받을 줄도
아는 누구보다 순수한 영혼이었죠. 그런데 너무 큰 사건에 휘말리면서 스스로
독해져야겠다고 마음먹게 됐고, 낯선 곳에서 여자 혼자 아들을 길러야 하는 처
지에 놓이게 됐기 때문에 시청자분들이 영순의 감정선을 따라가 주실 거라 생
각했거든. (웃음)

많은 분들이 초반에 영순이 하는 행동 중에서 밥을 적게 준다든가, 소풍을 안
보낸다든가 하는 부분에서 충격받으셨는데요, '어떻게 밥을 안 먹일 수 있어?'
하시면서요. 근데 사실 안 먹인 건 아니고, 졸리지 않을 만큼만 먹으라는 얘긴
데…. (웃음) 아이들을 독하게 공부시키는 엄마들에 대해 자료 조사했을 때, 너
무 흔하게 행해지던 것들이었어요. 옛날 엄마들도 아니고 요즘 엄마들이요.

저는 오히려 아들이 남긴 밥을 엄마가 부엌에 혼자 서서 먹는 모습이 더 안타
깝게 와닿을 거라고 생각했어요. 아들에게 모질게 굴고서는 자기도 속상한 마
음을 꾹꾹 누르며 밥을 삼켜요. 그러다 결국 위에 병까지 얻게 되는 영순의 시
점이 더 슬프게 보일 거라고요. 그런데 제 예상과 달라서 놀랐어요. 한편으론
요즘 아이들을 독하게 키우시는 그런 분들이 영순의 저 모습을 보고 오히려 뜨
끔했으면 좋겠다, 이런 생각을 하면서 넣은 장면이기도 하거든요.

소풍 에피소드의 경우엔, 지금은 소풍 안 보내는 영순을 욕할 수밖에 없겠지
만 나중엔 영순의 트라우마, 남편도 가족도 그렇게 잃었던 이야기를 보여주면,
하나뿐인 가족인 아들에 대한 사랑과 소중함이 너무 강한 나머지 소풍을 보낼
수 없었던 영순을 이해해줄 거라 생각했고요.

그래서 오롯이 영순의 시점에서 감정을 따라가면 고개를 끄덕이게 됩니다.

오히려 영상을 보면서 '저건 나쁘다고 느낄 수 있겠다' 싶었던 상면이, 영순이 강호를 물에 빠뜨리는 장면이에요. 다리 마비 환자의 치료법에 대해 조사하다 보니, 수중 치료법이 있더라고요. 이 점에서 물에 빠뜨리는 설정을 넣었죠. 사실 영순이 강호를 예쁘게 안아서 물에 띄우고 '이제 한번 해볼까?' 하는 것도 물에 빠뜨린다는 점에서는 같잖아요. 어설프게 빠뜨릴 순 없으니 조금 더 극적으로 연출해 주신 건데 그 장면이 자극적으로 느껴질 수 있다는 점에선 공감해요. 그런데 사실 강호가 극한 상황에서 일어났잖아요. 엄마가 가만히 있는 앨 빠뜨리면 정말 나쁜 사람이겠지만, 분명 일어설 수 있다는 걸 보고 알게 된 상태니까, 다시 한번 극한 상황에 놓이면 일어나지 않을까 하는 엄마의 기대를 반영한 거죠. 개인적으로는 그런 극적인 장면 뒤에 어린 시절 아장아장 걷던 강호와 영순의 모습과 맞물려 연출되니 참 좋더라고요.

놀라시겠지만, 사실 집필 초반에는 영순이 그다지 나쁜 엄마 같지 않다는 피드백을 많이 들었어요. '조금 더 독해야 돼', '이 정도는 당연한 거 아냐?'라는 반응이라 놀라기도 했죠. 초반 회차 회의할 때까지는 지금만큼 나쁜 엄마의 각을 세우지 않았어요. 피디님들이 "작가님, 영순이 저희 엄마들과 다를 바 없는데요, 제목이 나쁜 엄만데 나빠 보이지 않아요"라고 하셨어요. 나쁜 엄마라는 게 핵심 주제고 소잰데 나쁘다고 느껴지지 않으면 극이 흔들릴 수 있다고요. 그래서 좀 더 선명하게 해달라고 해주셨고, 그래서 초반보다 강도가 좀 더 많이 올라가게 됐어요. 부디 시청자분들의 너른 이해를 바랍니다. (웃음)

그런 우려가 있었지만, 강호가 일곱 살에서 여덟 살이, 여덟 살에서 아홉 살이 되어가는 동안 영순 또한 성장해갑니다. 그래서 〈나쁜엄마〉는 엄마가 처음인 영순의 '성장 이야기'라고도

볼 수 있을 것 같아요. 그리고 한 사람으로서도, 엄마로서도 행복하게 생을 마감했고요.

이 작품 속에 다양한 엄마의 군상을 그려내시면서, '어떤 엄마가 되어야 하는가'에 대한 고민이 많으셨을 것 같아요. 어떤 엄마가 '좋은 엄마'일까요?

상의 모든 엄마 중에서 '나는 좋은 엄마야'라고 말할 수 있는 사람은 한 명도 없을 것 같아요. '나쁜 엄마'라는 표현에는 행위적으로 나쁜 엄마일 수도 있지만, 아이에게 아무 잘못도 안 하고 살았다고 해도 다들 자기가 나쁜 엄마라고 생각하거든요. 못 해준 것만 생각나고요. 결국 '나쁜 엄마'는 아이가 보는 엄마라기보다는 엄마 스스로 보는 자기 모습인 것 같아요. 그게 자식에 대한 사랑이었든 어쨌든 모든 엄마는 '나는 나쁜 엄마였어' 하고 눈감을 것 같아요.

그래서 사실 '좋은 엄마가 있을 수 있나?' 싶은데, 지극히 제 개인적인 상황에서 생각해 보면요. 제 기준에서 좋은 엄마는 '아이들과 같이 있어 주는 엄마'예요. 저와 제 아이들의 결핍이죠. 저는 오랫동안 일 때문에 아이들과 떨어져 지냈어요. 주말에만 집에 들어가서 아이들을 보고 다시 나와서 작업하는 생활을 반복했거든요. 애들이 알아서 자라줬죠. (웃음) 그러다 보니 늘 아이들과 함께해 준 엄마들 보면 좋은 엄마라고 생각했어요. 저 아이들은 얼마나 좋을까 싶었고요. 근데 재밌는 점은, 그런 친구들한테 너무 부럽다고 했더니 그게 무슨 소리냐고 하더라고요. 자기 애들이 말하길 엄만 왜 돈 안 버냐고, 돈 벌어와서 맛있는 것 좀 사달라고 한다는 거예요. 그 친구에게는 그게 너무 스트레스라고, 돈 벌어서 제가 애들한테 맛있는 거 사주는 게 너무 부럽다고 하더라고요. 이것 봐요, 결국엔 다 나쁜 엄마잖아요. (웃음) 좋은 엄마, 나쁜 엄마를 나누기는 정말 어려워요. 그래서 영어 제목이 〈The Good Bad Mother〉인 게 아닐까요?

영순 역에 라미란 배우가 캐스팅됐을 때 어떠셨어요?

라미란 배우가 이전까지 보여주었던 모습이 유쾌하고 밝은 모습이어서 이 슬픈 감정들을 과연 어떻게 연기할까 궁금했어요. 배우가 지닌 폭넓은 연기 스펙트럼에 대해 익히 들어왔기에, 점점 묘하게 기대가 났죠. 자칫 어둡고 무겁게 느껴질 수 있는 영순을 라미란 배우의 밝은 이미지로 상쇄할 수 있겠다 싶었고요. 그래서 라미란 배우가 캐스팅됐다는 얘기를 듣는 순간 너무 좋아서 울음이 터졌어요. 연기 보세요, 매회 기가 막힌 연기를 보여주시더라고요. 자신이 쌓아온 이미지를 과감하게 내려놓는 모습을 보면서 이 작품을 대하는 배우님의 진정성을 느낄 수 있었어요. 영순을 다른 누가 연기할 수 있었을까요?

라미란 배우의 연기 중 가장 인상적이었던 장면을 꼽으면요?

11화에서 영순이 자신이 시한부라는 걸 알게 된 정씨에게 안겨 울며 무섭다고 살려달라고 말하는 장면이요. 줄곧 강인한 모습을 보여주던 영순이 한없이 여린 한 인간으로서 무너지는 장면이었는데요, 늘 아무렇지 않은 듯 씩씩하게 웃으며 말하던 모습과 대비되어서 더 애틋하고 슬프게 느껴졌습니다.

'강호'는 사실 전혀 다른 모습을 오가야 하는 인물이에요. 냉혹한 검사에서 순수한 일곱 살까지요. 워낙 어려운 역할이라 집필하실 때부터 강호를 누가 연기하게 될까, 걱정되셨을 것 같은데요.

맞아요. 강호라는 캐릭터에는 냉혹함과 순수함뿐 아니라 사실 더 세세한 연기를 해야 해요. 냉혹함 속에서도 아버지의 복수라는 목표를 품는 시기가 있고, 순수함 속에서도 점점 성장하는 모습이 있어야 해요. 3화의 강호와 기억을 되찾기 직전의 강호는 정말 다르거든요. 말하는 모습이나 지식 수준이나 사람을 대하는 방법이 다르죠. 전부 집필 당시에 계획되고 계산된 부분이거든요. 그러다 보니 이걸 도대체 누가 연기하게 될까 걱정이 많았어요. '도대체 80퍼센트 바보는 어떻게 연기하고, 70퍼센트 바보는 어떻게 하는 건가요' 하는 반응도

있었거든요. (웃음)

물론 엄마 역할도 너무너무 중요하지만, 아들이 아쉽게 연기한다면 엄마의 연기가 아무 소용 없어지기 때문에 다들 고민이 많았어요. 그러던 중에 심나연 감독님이 이도현 배우와 이전에 같이 작업한 경험이 있으시다고 하셨어요. 다른 배우분들도 이도현 배우를 많이 칭찬하시고요. 그래서 해주시면 정말 좋겠다 생각했는데, 바람대로 캐스팅되어서 너무 행복했어요. 얼굴에 순수함과 냉혹함이 공존하기가 어렵잖아요? 그런데 이도현 배우는 그게 있었어요. 완벽하게 맞아떨어져서 너무 감사했죠. 지금 와서 생각해 보면 배우 복이 정말 좋았어요.

실제 만나보신 뒤 완벽한 캐스팅이라는 확신이 들었나요?

네, 이도현 배우는 굉장히 다정다감하고 스윗한 배우더라고요. 건전하고 착한 교회 오빠 같은 느낌이었는데, 강호처럼 나이에 비해 진중하고요. 첫 미팅 때 엘리베이터에서 만났는데, 공손하게 배꼽인사 하면서 '작가님, 걱정 마세요. 저 무조건 잘할 수 있습니다. 그러니 어떤 장면이든 마음껏 쓰세요. 화이팅!' 하고 응원해 주셨던 모습을 잊을 수가 없어요. 그 말이 정말 큰 위로와 힘이 됐거든요.

기대하신 대로 이도현 배우의 연기가 아주 탁월했습니다. 특히 정말 일곱 살로 돌아간 것 같은 연기가 인상적이었는데요.

맞아요. 예진, 서진이가 강호와 친구가 되어서 조우리 마을을 뛰어다녔으면 좋겠다는 생각에 같은 나이로 설정해야겠다 싶었거든요. 미주가 강호의 아이를 임신하고 낳는 그 시간을 계산해 봤을 때, 일곱 살 정도 됐겠더라고요. 아주 중요한 설정이었는데 대체할 수 없는 탁월한 연기를 보여주셨어요.

나쁜엄마

강호에게 엄마는 어떤 존재인가요?

'지켜야 하는 존재'요. 강호는 일찍이 어른이 된 아이예요. 어린 나이지만 누구보다 엄마 영순을 이해하고, 아버지가 없는 상황에서 자기가 엄마를 지켜야 한다고 생각했을 거예요. 엄마의 거칠고 모진 행동에 상처도 받지만 모두 자신을 위한 것이란 걸 어릴 적부터 느꼈거든요. 그렇기 때문에 아버지에 대한 복수보다는 사랑하는 자식에게 나쁜 엄마가 될 수밖에 없었던 엄마를 지켜주려고 노력했던 거고요.

'미주'는 전에 없던 여주 캐릭터라는 꼬리표를 얻을 정도로, 사랑을 할 줄도, 받을 줄도 아는 건강한 인물이에요. 어디서 영향을 받으셨나요?

영향을 받았다면 심 감독님일 것 같아요. 감독님의 성격과 비슷한 점이 많거든요. 사실, 영화 시나리오로 쓸 때만 해도 미주라는 캐릭터는 없었어요. 복수극도, 아빠 캐릭터도 없었고요. 그저 검사인 나쁜 놈이 시골에 내려왔다가 사고당하는 얘기였거든요. 이렇게 전사가 아무것도 없는 시나리오였어요. 처음에 주인공 곁에 여자 캐릭터를 두지 않으려고 했는데, 이유가 있어요. 아들 곁에 누구라도 있다면 엄마가 마음 편히 죽을 수 있거든요. 그럼 엄마가 굳이 열심히 할 필요가 없어요. 아무것도 없어야 엄마가 독해질 수밖에 없거든요.
 엄마가 아들을 가르치려고 일으키려 애를 쓰려면 주위 모든 걸 차단해야 되기 때문에 영순에겐 가족이 없었고, 남편도 없었던 거예요. 아들 곁에 연인이 있다면, 오래 함께하지 못하는 상황을 맞닥뜨려야 했죠.

미주가 원래는 없었던 캐릭터라니, 그랬다면 큰일 날 뻔했네요.

미주는 강호에게 '남겨진 희망' 같은 존재예요. 다시 만나리라는 희망을 남겨

두고, 헤어져야 했죠. 그래서 강호와 미주가 사랑에 빠지는 시기를 고민했어요. 학창 시절에는 강호 곁을 영순이 버팅기고 있어서 어렵고, 나중에는 강호가 검사가 되어 아빠 사건을 파헤쳐야 하니까 어려웠죠. 그러다 보니 미주가 강호 곁에 있을 시간이 딱 고시 준비 때밖에 없는 거예요. 그렇다면 이 시기에 둘은 어떤 사랑을 나눌 수 있을까, 고민했어요. 둘이 사랑을 하려면 미주가 곁에서 강호를 도와주어야겠구나. 그리고 강호 시점에서는 미주에게 미안한 관계가 되어야 미주가 버림받았을 때 충격이 더 크겠구나 싶었죠.

사실 고시 준비하는 주인공을 뒷바라지하는 설정은 이전에도 많았어요. 보통 같으면 그 캐릭터는 슬프고 칙칙하고, 비련의 여주인공이어야 했죠. 그 전례를 깨고 싶었어요. '칙칙하지 않고 씩씩한' 미주가 되었음 했어요. 사랑하는 사람이 나를 버렸든 말든, 그가 뭘 찾아가든 말든 할 수 있는 데까지 했으면 어쩔 수 없다는 것도 받아들일 줄 아는, 당당한 여성을 그렸어요. 만약 저라면 못 그랬을 거예요. 강호 얼굴 보자마자 '네 애기야… 엉엉' 이럴 것 같거든요. (웃음) 그런데 요즘 젊은 친구들은 그렇지 않아요, 당당해요. 이런 얘기를 감독님이 해주셨고, 독립적이고 멋진 캐릭터를 만들어보자고 해서 탄생한 거예요.

게다가 안은진 배우가 찰떡같이 연기해 주었어요. 정말 '미주' 그 자체라고 생각해요. 은진 배우가 다른 데 가서 다른 연기하는 걸 보고 싶지 않아요. 보고도 믿고 싶지 않을 것 같아요. (웃음)

그렇게 애틋한 서사를 쌓은 강호와 미주, '호미' 커플에게 매료된 시청자들이 많습니다. 과거 몽타주로만 보여지는 비중이 많았는데도 불구하고 인기였는데요.

저는 몽타주씬들에 어떤 행동들만 써놨을 뿐인데, 감독님이 너무 알콩달콩 찍어주셨더라고요. '얘네가 이렇게까지 사랑한다고?' 하면서 저도 푹 빠져서 봤어요. 다음 몽타주로 뭐가 나올지 너무 기대하면서, 정말 시청자 마음으로 봤어

요. 키스씬에서는 저도 모르게 소리를 꺅 질렀고요. (웃음)

두 사람의 뒷이야기가 궁금한데요, 지금 두 사람은 어떻게 살고 있을까요?

헤어졌단 소문이 있던데요? (웃음) 농담이고요, 엔딩에서도 볼 수 있지만 당연히 강호는 검사를 그만두고, 미주와 둘이서 엄마가 물려주신 돼지 농장을 자연 방목식으로 바꾸어 지켜나가죠. 그렇게 두 사람은 행복하게 살 거예요. 그러다가… 서진이가 법대를 가게 되려나요? 미주가 서진이한테 밥을 안 먹인다든지? (웃음)

캐릭터 플레이의 대가답게, 이번 작품에서도 매력 넘치는 캐릭터들이 돋보였습니다. 어쩜 이렇게 생동감 넘치는 캐릭터를 만드시는 걸까 궁금해집니다. 작가님께서 캐릭터를 만드시는 비결이 있다면요? 평소 주변 인물들을 많이 관찰하시나요?

이런 질문을 받으면 어렵더라고요. (웃음) 저는 캐릭터를 작정하고 만들진 않거든요. 가장 기본적으로는 캐릭터 간에 겹치는 특징이 없는 게 좋겠죠. 캐릭터를 구성할 때 가장 중요하게 생각하는 게 앙상블이거든요. 완벽하게 조화를 이루려면 캐릭터마다 독창성과 생동감이 필요해요. 그리고 많은 캐릭터가 등장하기 때문에 유야무야 묻히지 않으려면 다들 각자의 서사를 갖고 있어야 한다고 생각해요. 그냥 조연으로서 정보 전달만 하고 수명을 다하는 게 아니라, 그들 하나하나 다 자기만의 서사가 있었음 해요. 그럼 자연스레 캐릭터성을 갖게 돼요. 예를 들어, 박씨는 아들한테 늘 욕하는 인물이지만, 사실 얼마나 가슴 미어지겠어요. 남한테는 내 자식 욕 안 먹게 하려고 자기가 먼저 욕해버리는 그런 인물이잖아요. 그 캐릭터를 그곳에 존재할 이유가 되는 서사를 만들어주면, 저절로 캐릭터성이 생기는 것 같아요. 독특하고 재미있는 캐릭터를 일부러 만들지는 않아요.

미워할래야 미워할 수 없는 트롯백과 삼식이는 어떻게 탄생했나요?

트롯백이나 삼식이 같은 경우도, 방송에선 많이 편집됐지만 다 서사가 있거든요. 트롯백이 조우리에 와서 돼지 농장을 괴롭힐 수밖에 없는, 엄마와 약속한 서사를 알게 되면 처음엔 아무리 얄밉고 짜증 나도 나중엔 이해할 수 있는 여지가 생기잖아요. 사람들의 행동에는 모두 나름의 이유가 있어요. 무작정 나쁜 사람은 드물죠. 그래서 사람들이 처음엔 얄밉게 여기다가도 진심을 알게 되면 마음이 풀리고 좋아하게 되는 거예요.

삼식이 캐릭터를 두고도 처음에 욕 엄청 먹었어요. 무슨 도둑놈을 이렇게 미화시키냐고 말이에요. (웃음) 삼식이에게도 편집된 씬에 나름의 서사가 있는데, 처음에 도둑질을 하게 된 계기가 미주한테 사랑받고 싶어서였어요. 그래서 매니큐어를 훔치죠. 아마 집에서도 그랬을 거예요. 맨날 '강호' 타령하는 엄마의 관심을 받고 싶어서. 관심받으려고 하는 아이들의 모습 있잖아요. 자기가 조금이라도 튀고 싶어서, 조금씩 훔치던 게 거기까지 간 게 아닐까. 사랑 결핍인 거죠. 그렇게 생각하면 삼식이가 이해돼요. 그리고 그런 결핍을 극복해서 후반부에 강호를 도와주는 조력자가 되면 시청자들이 당연히 좋아할 수밖에 없으리라 생각했어요. 삼식이는 작품을 쓰는 동안 저희 작가들 사이에서도 가장 인기가 많았던 캐릭터예요. (웃음)

결국 각각의 인물이 가진 서사군요.

서사가 무척 중요하지만, 결국 캐릭터는 배우의 몫인 것 같아요. 그래봤자 글은 글이잖아요. 배우들이 어떻게 해석하고 연기해 주시냐에 따라서 달라지죠. 대사를 똑같이 써도 그걸 못 살리면 그저 그래요. 찰떡같이 소화해서 캐릭터를 만들어주시는 분들이 있는데 저희 배우들이 그랬어요. 김원해 배우가 연기한 이장님이 아니었다면 그 캐릭터가 되었을까 싶거든요. 그래서 저는 캐릭터가 좋다는 칭찬의 모든 영광은 배우님들께 돌리고 싶어요.

배우님들께 어떻게 캐릭터를 표현하면 좋을지, 방향성을 제시해 주시기도 하나요?

제 어설픈 조언이나 당부는 오히려 장애 요소로 작용할 수 있다고 생각해요. 그래서 제가 글을 쓰며 떠올린 캐릭터의 느낌을 가볍게 얘기해 주는 정도예요. 좋은 스토리가 작가의 몫이듯 좋은 캐릭터는 배우가 만들어야 할 몫이라고 생각합니다. 그리고 저는 배우님들이 표현하시는 그 방향이 무조건 옳다고 믿고 지지해 드리는 편이고요. 어떻게 보면 그게 가장 엄하고 까다로운 캐릭터에 대한 주문이 될 수도 있겠지만요. (웃음) 배우님들이 대본을 읽고 해석해 내는 걸 믿고 기다리는 편이에요. 그렇게 구현된 캐릭터를 보는 게 제겐 또 다른 낙이거든요.

어색한 말투의 안드리아 캐릭터도 새롭고 재미있어요.

외국에 가면 번역 투로 소통하고 있을 우리 모습을 떠올렸어요. 아마 외국인들도 그런 말투를 듣고 되게 웃기다고 할 것 같거든요. 굉장히 어려운 말과 쉬운 말을 이상하게 섞어서 쓰겠죠. 그 어색한 문장이 말투로 자리 잡은 캐릭터가 나오면 좋겠다 생각했어요. 그리고 그보다도 우리나라에서 일하는 외국인 노동자분들을 떠올리다가 좀 다르게 접근하고 싶다고 생각했어요. 외국인에 대한 생각을 깨보자 싶었죠. 미디어에서 익숙하게 그린 외국인 근로자분들의 모습이 있잖아요. 그런데 외국인 근로자 중에도 대학생인데 아르바이트 하러 오는 사람도 있을 거란 말이죠. 베트남에서 온 후앙도 사기 치러 오거나 어디서 팔려 온 사람이 아니라 그냥 간호학과 대학생인데 소개팅도 하고, '뭐야 애 딴 여자 좋아하잖아' 하고 쿨하게 떠나기도 하는 외국인의 모습을 그려보자 싶었어요. 우리가 가진 전형화된 외국인, 외국인 근로자에 대한 시선을 바꾸고 싶었어요.

이장 부인의 설정은 정말 독특하죠, 매번 바뀌는 마스크팩도 화제였고요. 속 시원하게 촌철살인 하는 인물이라 자주 나오길 기대할 정도였는데요.

이장 부인은 가면을 썼지만 혼자서만 늘 바른 소리를 해요. 체면상 하지 못하는 말을 서슴없이 내뱉어 마을 사람들의 미움을 사기도 하는데요. 그와 반대로 가면을 쓰지 않고도 거짓말을 하는 오태수와 송우벽이 있어요. 강호의 결혼을 열심히 도우면서도 딸 미주와는 안 된다고 하는 정씨, 시기하면서도 자기 아들 삼식이의 일자리 때문에 아부하는 박씨도 예외는 아니죠. 우리는 얼굴이 가려진 이장 부인을 답답해하는데, 사실 극 중 가면을 쓰지 않은 단 한 사람은 이장 부인뿐이에요. 이런 아이러니를 재미있는 캐릭터를 통해 보여주고 싶었어요.
여담인데, 이장 부인 역할을 맡으신 박보경 배우는 얼굴이 안 나오는 걸 오히려 좋아하셨어요. 끝까지 안 나오면 안 되냐고까지 하셨죠. 그래서 마지막에 모자를 벗는데 카메라 앵글이 뒤로 쫙 빠져서 안 보이게 하면 어떨까? 이런 얘기를 주고받고 있는데, 옆에서 감독님이 시끄럽다고 하시더라고요. (웃음) 얼굴이 안 나왔으면 큰일 날 뻔했어요. 다들 궁금해하셨잖아요.

작가님의 초반 계획과 달리, 쓰다 보니 점점 비중이 늘어난 캐릭터가 있나요?

꽤 많아요. 복수의 방향 때문인데요, 기획 초기에는 강호의 복수를 개인 대 개인으로 구상했어요. 그런데 조우리 마을이라는 공동체를 만들고 나니까 사람들이 힘을 합쳐서 악에 대항하는 모습을 보여주고 싶었죠. 여러 사람이 각자

재능을 발휘해서 강호를 도와주는 거예요. 그러다 보니까 숨겨 놓은 것들을 찾기만 하면 되는 복수는 지양하고 싶었어요. 그래서 강호가 오랜 시간 모았던 자료가 든 SD카드는 필요 없었어요. 그래서 영순이 불 질러 없애죠. 대신 다른 방법으로 찾아가는 거예요. 예진이의 핸드폰 속 영상, 삼식이가 가방에서 찾아내는 검사 결과지… 그러다 보니 인물들을 하나둘 모으게 됐어요. 처음엔 나쁜 사람이었던 하영도 데려오고, 소 실장과 차대리, 그리고 수사관님, 횟집 사장님도 모으다 보니, 처음에는 '이렇게까지 분량이 늘어날 역할인가' 싶었던 분들이 모두 힘을 모으게 된 거예요. 어른들은 영순의 곁을 지켜주고, 젊은 친구들은 빠릿빠릿하게 강호를 도와주면서 여러 인물이 이 모자를 돕는 구도를 만들었죠. 저는 이 방향이 훨씬 더 의미 있다고 생각해요. 복수가 아니라 정의가 이긴다는 메시지예요.

그래서 복수까지 오래 걸릴 수밖에 없었군요?

그런 빌드업을 하려다 보니까 복수를 뒤로 배치하긴 했지만, 꼭 말씀드리고 싶은 건, 저는 처음부터 14회에 복수하려고 했다는 거예요. (웃음) 사실, 강호가 정신이 드는 순간, 이건 끝난 게임이었어요. 강호가 일반인도 아니고 비리를 다 알고 있는 검사잖아요. 상대방은 유력한 대통령 후보이고요. 작은 것 하나만 흠집 나도 피해 입을 수 있는 사람이니까 복수가 어려울 상황이 아닌데, 시청자분들은 얼른 복수하길 원하시더라고요. 저는 복수를 위해 각자 너무나도 다른 삶을 살고 있던 사람들이 하나둘 모여서 증거들을 손에 쥐게 되는 상태를 표현하고 싶었어요.

그런데 〈나쁜엄마〉는 사전제작 드라마라, 제가 만약 지금 9화를 쓰고 있다면 또 모르겠어요. 갑자기 복수를 앞당긴다거나 암도 낫게 만들 수 있지 않나… 싶을 것 같아요. (웃음) 농담이고요.

이 이야기의 주안점은 강호의 복수가 아니라 강호에게 선물처럼 다시 주어진 삶, 또 한 번의 유년 시절이었어요. 그래서 얼른 기억을 찾아 복수하기를 바라는 시청자들의 원성과 바람을 볼 때마다 제가 제 의도를 제대로 표현하지 못한 것 같아 아쉬웠어요. 제 부족함에도 불구하고 정확히 제 의도를 파악해 주시고, 영순과 강호, 강호와 미주의 화해와 성장을 응원을 보내주셔서 큰 위로와 힘을 얻었습니다.

작가님의 작품 속에는 '예진', '서진'이 종종 등장합니다. 실제 작가님의 자제분들 이름을 쓰신다고요. 두 자제분과 〈나쁜엄마〉의 예진, 서진 캐릭터 간에 공통점이 있나요?

공통점이라면 엄마가 바빠서 할머니 손에 큰 것? (웃음) 그리고 굉장히 긍정적인 거요. 저희 아이들이 엄청 밝거든요. 그런 지점은 극 중 서진이, 예진이랑 닮은 것 같아요. 어두운 면이 전혀 없잖아요. 저는 가능하면 모든 작품에 예진, 서진이 캐릭터를 넣어요. 그게 어렵다면 아이들을 직접 출연시키기도 하고요. 대사가 없어도 한 컷씩만 잡아달라고 부탁을 드려요. 나중에 아이들이 크고 나서 그 시간 동안 엄마 자기들 곁에 없었던 걸 원망할 때, 매 작품마다 아이들 이름을 넣어서 '나 너희를 계속 생각하고 있었어'라고 느끼게 해주고 싶거든요. 영상을 보면 자기가 성장해가는 모습도 볼 수 있어요. 〈나쁜엄마〉에도 저희 아이들이 나와요. 트롯백 노래로 챌린지하는 장면에서 분홍색 옷 입은 남매가 제 아이들이에요. 그런 식으로 매 작품에 함께하려고 해요.

작가님이 쓰시는 대사들에 또 빼놓을 수 없는 게 웃음 적중률 100퍼센트, 빵빵 터지는 대사와 언어유희죠. 평소에도 이런 재미있는 대사에 대한 고민을 많이 하는 편인가요?

보조작가 수현이랑 보배랑 자연스럽게 수다 떨다가 나오는 게 거의 대부분이에요. 글의 구조나 구성, 스토리는 얼마든지 공부해서 더 재미있게 만들 수 있다고 생각해요. 근데 대사는 공부한다고 잘 쓰게 되는 건 아닌 것 같아요. 평상시 쓰는 말투, 내가 재밌다고 느끼는 말에 영향을 많이 받으니까요. 제가 자라온 지역은 충청도와 가까운데, 그 지역 사람들은 말을 곧이곧대로 하기보다 약간 돌려서 희한하게 해요. 사람 속 긁는 말 같은 거 있잖아요. 그런 걸 많이 듣고 자라서 그런지, 그런 돌려 말하는 대사를 재밌어해요. 수현이, 보배랑 대사 얘기할 때도 웃음이 끊이지 않았어요. 한도 끝도 없이 쓸 수 있겠다고요. 그렇게 나온 대사를 '말맛 있다'고 여겨주셔서 감사할 따름이에요.

연기하는 배우분들 만큼이나 작가님께서도 집필하시며 감정소모가 컸겠다 싶을 정도로 깊은 감정씬이 많습니다. 집필하시면서 가장 감정을 추스르기 어려웠던 장면은 어떤 장면인가요?

정말 많았어요. 쓰는 동안 정말 많이 울었어요. 수현이랑 둘이서 글 쓰다가 울컥해서 괜히 말도 못 하고 눈물 참은 적이 많아요. "수현아, 내가 이렇게 썼는데 들어봐" 하고 말을 못 잇는 거예요. 그 모습을 보면 수현이도 같이 울고…. 둘 다 엄마라서 감정들이 이해가 되니까 그랬던 것 같아요.

그중에서도 제일 많이 울었고, 매번 읽을 때마다 눈물 나는 대사는 '배부르면 잠 와. 잠 오면 공부 못 해'였거든요. 강호가 모든 걸 잊어버렸는데 그 대사 하나를 기억하고 있다는 게… 물론 자기를 너무 힘들게 했던 말이라 트라우마로 남았겠지만, 한편으론 엄마를 너무 사랑해서 기억할 수도 있겠더라고요. 엄마가 자기한테 늘 하던 말, 그래서 자기가 꼭 지켜야 될 말이라고 여겼던 거죠. 이런 생각을 하니까 강호가 너무 불쌍한 거예요. (감정을 추스르다가) 엄마를 사랑하는 강호가 꼭 지켜야 했던 말. 많이 먹지 말고 졸면 안 돼… 강호가 이렇게 생각을 하고 있었기 때문에 일곱 살로 돌아가 처음 입을 열었을 때 그 말이 튀어나왔을 거예요. 게다가 자기가 남긴 밥을 엄마가 홀로 먹는 모습을 봤잖아요. 강호는 생각도 깊고, 엄마가 자기한테 왜 이러는지 자기가 무얼 해야 하는지

은연중에 알고 있었을 거예요. 그래서 눈물을 참기 어려웠던 것 같아요. 방영분을 보니 두 배우의 서글픈 교감이 화면에 너무 잘 그려졌더라고요.

또 기억나는 장면 혹은 대사가 있나요?

'이따 만나'라는 대사예요. 영순에 이어 강호가 하는 대사인데요. 먼저 영순이 강호에게 생전 해식과 늘 '이따 만나' 하며 인사를 했다고 얘기하는데, 그날 밤 눈을 감은 영순에게 강호가 '이따 만나'라고 대답하죠. 죽음이 관계의 끝이 아니라는, 위로를 느낄 수 있는 대사와 장면이 아닐까 싶어요.

그리고⋯ 정신이 돌아온 강호를 대면하는 영순이 뱉는 대사가 참 좋아요. 강호가 돌아왔다는 사실을 알아챈 영순이 가장 먼저 어떤 말을 뱉으면 좋을까, 오래 고민했어요. 2화에서 정말 오랜만에 강호가 하영이와 조우리에 내려오는 장면이 있는데 그때 영순이 강호에게 처음 한 말이 '어서 와' 거든요. 이거다 싶었죠. 너무나도 그립고, 보고 싶었던 아들에게 처음 하는 말로 가장 적합하다고 생각했습니다. '어서 와'라고요.

가장 쓰기 어려웠던 장면이 있다면요?

자신 있게 말할 수 있어요. 송우벽과 오태수 씬이에요. (웃음) 일단은 제가 나쁜 놈들 이야기를 잘 못 써요. 그리고 두 사람이 하는 말이 일상적이지 않잖아요. 두뇌 싸움도 해야 하고⋯ 그쪽만 가면 스릴러가 돼야 하는데 제 취향의 캐릭터가 아니라서 어려웠어요. 나쁜 놈이라고 캐릭터가 너무 단순해지면 안 되니까 송 회장은 야구 용어에 은유를 섞어 말하기도 하고요. 그러다 보니 송 회장 씬을 쓸 차례라고 하면 저랑 수현이랑 둘 다 '어휴⋯' 했어요. 근데 써놓고 나면 되게 뿌듯해요.

법정 씬은 원래 더 길었는데, 감독님이 왜 마지막에 갑자기 법정 드라마가 됐냐고 피드백을 주셔서 엑기스만 남겼죠. 하나하나에 세세한 설명이 붙어야 할 것 같은데, 감독님께서 편집한 걸 보니 그것만으로도 충분히 이해가 되더라고요.

대본이 시각적으로 구현될 때, 그 감회는 늘 새로울 것 같습니다.

감사하게도, 방영되기 전에 미리 편집본을 주셨어요. 편집본 받는 날이면 너무 행복했어요. 열 번, 스무 번 넘게 본 것 같아요. 계속 틀어놓고 또 보고 또 보고⋯ 너무 좋아서 계속 보게 되더라고요.

방송을 보시고 나서, 연출된 장면 중 '이건 정말 기대 이상이었다!' 싶을 정도로 가장 마음에 들었던 장면을 하나 골라주신다면요?

대부분 제 기대보다 잘 찍어주셨지만, 하나를 꼽자면 4화에서 강호가 통통볼을 찾아다니던 장면이에요. 대본상으로는 강호가 가다가 철푸덕 넘어지는 바람에 저만치에 떨어져 있는 통통볼을 발견하는 느낌 정도였거든요. 그런데 연출된 장면을 보니 '넘어져 봐야 하늘을 볼 수 있다'는 말이 예쁘게 실현됐죠. 넘어진 강호가 하늘을 보는데 거기서 나무에 걸린 통통볼을 찾아내고 좋아하는 느낌이 너무 예쁜 거예요. 오프닝의 아기 돼지처럼요. 찾은 통통볼 들고 미주네 가서 문 열고 미주랑 마주치는데, 흘러나오는 노래까지⋯ 엄청 설레더라고요. 미주와 강호, 저 둘이 제가 안 쓴 다른 러브스토리를 가지고 있으면 좋겠다 생각했을 정도로 좋았어요. (웃음)

그리고 신선했던 장면은 소 실장이 싸우는 장면이에요. 제가 처음 구상한 소 실장이라는 인물의 이미지는 엄청 차갑고 터미네이터 같은 냉혈한 사람이었어요. 싸움도 엄청 잘하고요. 강호 집에 괴한이 쳐들어왔을 때나 삼식이를 구하러 갔을 때 화려한 액션극이 펼쳐질 거라고 생각했는데, 굉장히 재미있게 연출됐더라고요. 호미 들고 낫 들고, 농약 뿌리고⋯ 제 생각과는 전혀 다른 장면이었지만 그게 너무 재미있었어요.

심나연 감독님과의 작업은 어떠셨나요?

감독님은 정말 영리하고 능력 있는, 성실한 감독이라고 생각해요. 제가 드라마 집필이 처음이라 방향성을 잡지 못하고 있을 때, 감독님이 합류하시면서 잘 이끌어주셨어요. 젊은 데다가 아직 아이가 없는데도 불구하고 엄마의 감성을 잘 이해하고 있어서, 오히려 제가 감독님께 감성을 배울 때가 많았습니다. 자칫 올드해질 수 있는 이야기를 너무나도 감각적으로 연출해 주신 덕분에 더 많은 분들의 사랑을 받게 되었다고 생각해요. 현장에서도 배우님들이 종종 소식을 들려주시는데요, 감독님의 연출과 현장 진행 능력, 성품 뭐 하나 빠지는 것 없이 칭찬 일색이더라고요. 작업도 과정도 무척 만족스러워서 언제고 다시 함께 작업하고 싶어요.

합이 잘 맞으셨나 봅니다.

네, 감독님, 피디님들과 너무 좋았어요. 다른 작품은 어떤지 모르겠지만, 서로 의견이 안 맞는다거나 어렵다는 이유로 싸우는 경우도 비일비재하다고 들었거든요. 그런데 이 작품을 준비하는 동안 저희는 그런 게 없었어요. 의견 주고받을 때도 평화로웠거든요.

작가로서 감사했던 건, 감독님께서 작품 퀄리티를 위해 PPL을 최소화해 주셨어요. 시골이 배경이다 보니 도시 물건이 들어오면 좀 어색하니까요. 그런데 오히려 저는 PPL에 열려 있어서 우스갯소리를 좀 했었는데… 만약 화장품 브랜드 '가히' PPL이 들어오면 어떡하지? 고민해 봤거든요. 극 중 누가 "거기 가히 좀 줘" 하면 가위를 건네는… 이렇게 대놓고 드러내는 장면을 쓰면 재밌겠다 했어요. 정관장에서 들어온다면 "이장 조카가 태권도 관장이랴, 정관장…" 하면 상대방이 "아, 그랴? 정관장이 사 온 거랴?" 하는 대사를 구상했었죠. (웃음)

감독님하고는 연락을 자주 주고받는데요, 오늘은 인터뷰 마치고 종방 파티가 있는데, 감독님이 '작가님, 오늘 비 오니까 천천히 오세요' 하시더라고요. 그래

나쁜엄마

서 제가 '네, 시속 10.6키로(전날 방송 시청률)로 갈게요' 하고 대답했어요. (웃음) 그런 우리 팀 분위기 때문이라도 작품이 되지 않을까 하는 기대가… 아니 잘 되었으면 하는 바람이 있었어요.

작가님의 재미난 일상처럼, '코미디'라는 장르는 작가님께서 떼려야 뗄 수 없는 존재인데요, 다소 묵직한 주제를 가진 이야 기임에도 '힐링코미디'라는 장르를 택하신 이유가 있나요?

〈나쁜엄마〉는 결국 사람들이 사는 이야기예요. 스토리가 무겁기 때문에 일부 러 위트를 넣으려 했다기보다는 우리가 살아가는 삶 자체가 웃기기도 하고 슬 프기도 하니까요. 여러 사람의 여러 삶의 모양을 그리다 보니 자연스럽게 웃음 과 슬픔을 묘사하게 된 거예요. 제가 이야기를 전달할 때, 웃음으로 표현하는 방식을 선호하기도 하고요.

작가님께서 글을 쓰시게 된 계기가 되는 에피소드가 유명해요. 초등학교 때 쓴 일기 에피소드인데요, 작가님 작품 곳곳에 묻 어 있는 유쾌함의 근원지를 알 것만 같습니다. 이야기를 쓰실 때, 촉발은 주로 어디서부터 시작되나요?

대부분 제가 주변에서 보고 듣거나 저와 밀접한 관계에 있는 데서 소재를 찾는 것 같아요. 어디서 새로운 걸 보려 하고 찾기보다 일상에서 듣는 어떤 말 한마 디에 꽂힌다거나 하는 식이에요.
가만히 있다가 어떤 말 한마디 들었을 때 확장되는 경우가 많아요. 스토리화하 는 게 버릇이 되어 있는 것 같아요. 만약 제가 오늘 새로운 누군가를 만났다면 요, 그 사람과 얘기하다가 막 이 사람에 대해 쓰고 싶은 지점을 발견하는 거예 요. 소재 대부분은 생활 속에서 대화를 나누다가 떠오르는 것 같아요. 뭘 하려 고 막 찾는 스타일은 아니에요.

그리고 제 주변에 재미난 캐릭터들이 많았던 것 같아요. 영화 〈우리는 형제입니다〉 경우에도, 엄마의 외삼촌, 그러니까 제 외삼촌 할아버지 두 분이 모티브가 됐어요. 실제로 한 분은 목사님, 한 분은 스님이시거든요. 두 분이서 잔치 때마다 와서 맨날 싸우시는 걸 보면서 나중에 할머니가 돌아가시면 과연 기독교장으로 할까 불교장으로 할까, 이런 생각을 한 거예요. 그러다가 오, 이거 써보면 좋겠다, 해서 시작했어요.

현재 준비 중인 영화지만, 티브이를 보는데 아마존 사람들이 활 쏘는 장면이 나오는 거예요. 그걸 보던 남편이 '와, 저 사람들 데려다가 양궁 시키면 잘하겠다' 하더라고요. 웃기잖아요. 별말 아닌데 '한번 써볼까?' 하던 게 곧 촬영에 들어가요. (웃음)

영화 〈인생은 아름다워〉도, 저 앞에 할머니와 할아버지가 걸어가시는데, 보통 할아버지가 앞에 가고 할머니가 그 뒤를 쫓아가잖아요. 그 할아버지가 뒤돌아보고 '왜 안 따라오고, 씨X' 하면서 욕을 하는 거예요. 그 장면을 보는데, 그러다가 뒤를 쫓던 할머니가 암에 걸린다고 하면? 죽을병에 걸렸다고 해서 저 할아버지가 욕지거리 하다가 '뭐라고? 죽는다고?' 하지는 않을 것 같은 거예요. 그보단 '그러게, 내가 밥 똑바로 먹으라고 했잖아!', '모종 철인데 농사는 누가 지어!' 같은 말을 하겠죠. 이런 상상을 하면 저런 할머니 할아버지 얘기 써보고 싶다! 하는 거예요. 알고 보면 할아버지 마음이 따뜻해서 밤에 약봉지라도 하나 던져주는, 한국판 츤데레를 써보고 싶어서 쓰게 된 게 그 영화예요.

요즘 작가님의 관심사는 무엇인가요. 다음엔 어떤 이야기를 쓰고 싶으신지 궁금합니다.

이 작품을 쓰면서 제가 '로맨스'를 쓸 수도 있겠다 생각했어요. 이전까지는 제가 로맨스를 쓸 수 있을 거라 단 한 번도 생각해 본 적 없거든요. 오글거리기도 하고. 사람들이 강호랑 미주 보면서 너무 좋아하시니까, 나도 로맨스 쓸 수 있을까? 싶더라고요. 송 회장 씬 쓰면서 느와르 장르도 떠올렸지만, 전 다시 쓰게 돼도 또 재미있는 소재의 휴먼드라마를 쓰게 되지 않을까 싶어요. 아직까지는 이런 얘기가 좋아요. 제가 안 써도 이미 너무 많은 분이 잘 쓰고 계셔서 잘못 들어갔다가 밟힐 수도 있어서….

배우님들께도 공통으로 드린 질문입니다. 영순의 대사 중에 이런 대사가 있죠. "사람들은 누구나 어린 시절로 돌아가고 싶어하거든? 그러면 바꿀 수 있는 게 엄청 많거든." 일곱 살로 돌아간 강호처럼, 과거의 어떤 순간으로 돌아갈 수 있다면 언제로 돌아가고 싶으신가요?

잠시 '〈나쁜엄마〉를 쓰기 전으로 돌아갈까?' 생각해 봤는데, 돌아가도 달라지는 것 없겠다는 생각이 드네요. 영순의 죽음을 두고 많은 이야기가 오갔지만, 저는 같은 결말을 썼을 것 같아요. 사실 죽음이 문제가 아니라 죽음을 받아들이는, 그 안에 큰 주제가 있다고 생각하거든요. 안 죽는 게 희망이 아니라 죽었는데도 웃을 수 있는 그게 희망인 거죠. 그 지점을 꼭 보여줘야 한다고 생각해서 그 부분이 필요했다는 말을… 어디에라도 외치고 싶어요… 시청자분들 힘들게 하려고 넣은 게 아니랍니다…!

그와 별개로, 다시 돌아간다면, 대학교 스무 살 때로 돌아가고 싶어요. 제가 문예창작과에서 소설을 전공했거든요. 정말 괜한 짓을 했구나… 싶어서요, 지금의 머리나 마음 상태로 돌아갈 수 있다면 그때부터 열심히 글을 쓸 것 같아요. 지금은 체력도 안 되고 점점 쓰는 속도도 느려지고… 너무 뒤늦게 이 글 쓰는 즐거움에 빠져버린 게 아쉬워요. 그때 조금 더 일찍 알았더라면, 이런 게 있다는 걸 알았더라면, 그때 쓰지도 못하는 소설을 쓴다고 난리 피우지 않고, 더 좋은 소재를 찾아놨을 텐데, 그 시간이 조금 아깝더라고요. 물론 놀고도 싶고요.

아직 〈나쁜엄마〉를 보지 못한 분들이 많을 텐데요, 어떤 점에 주목해서 시청하면 좋을까요?

이 이야기는 복수를 주제로 쓴 작품이 아니라는 점을 말씀 드리고 싶어요. 통쾌한 복수극을 기대하고 보신다면 자칫 중간의 모든 이야기가 의미 없게 느껴질 수 있을 거예요. 결과보다는 엄마 영순과 아들 강호의 화해와 성장의 과정을 봐주세요. 그리고 강호와 미주, 강호와 삼식, 영순과 미주 등등 흩어졌던 관계들이 회복되고, 그 관계들이 마지막 강호의 복수를 완성하는 그 여정에 함께해 주시길 바랍니다.

〈나쁜엄마〉를 통해 전하고 싶으셨던 궁극적인 메시지는 무엇인가요?

'희망'을 얘기하고 싶었어요. 넘어져야만 하늘을 볼 수 있는 돼지처럼… 그리고 부모님을 일찍 여의고 남편의 소중함을 알았고, 남편을 먼저 보냈기에 자식의 소중함을 알았고, 자식이 아파서 자신의 소중함을 알았고, 자신의 죽음으로 이웃의 소중함을 알게 된 영순처럼, 한 가지를 잃으면 반드시 그 자리에 채워지는 희망이 있다는 것을 잊지 않으셨으면 좋겠어요. 시련과 고난 속에서 비로소 찾게 되고 찾아지는 희망을요.

마지막으로 〈나쁜엄마〉를 사랑해 주신 시청자분들에게 한마디 부탁드립니다.

일단 처음 도전한 드라마가 과분한 사랑과 관심을 갖게 되어, 너무 뜻밖이고 기뻐요. 정말 행복하고요. 이 드라마를 통해 제일 전하고 싶은 말은, 모두가 다 어려운 시기… 언제는 안 어려웠겠냐마는, 코로나가 끝난 뒤 경제적으로 너무 어렵고, 영화계, 드라마 산업 할 것 없이 모두 난리잖아요. 돼지가 넘어져야지

하늘을 볼 수 있다는 말이랑 영순이가 인생이라는 건 한 가지 잃으면 한 가지를 채워준다는 말처럼, 우리가 이렇게 넘어졌기에, 아니 넘어져야만 또다시 희망을 볼 수 있다, 하나를 잃어야 하나를 또 채워 넣을 수 있다는 것을 시청자들에게 말씀 드리고 싶었어요. 영순은 이 세상 모든 슬픔을 다 짊어진 건가 싶을 정도로 박복한 사람이었죠. 그런 영순이를 보며 누구나 하나 정도는 공감할 수 있을 거라 생각했어요. 희망을 잃지 말고 찾아보자 하는 마음으로 글을 썼는데, 그걸 많이 알아봐 주신 것 같아 감사드려요.

시청 게시판도 꼼꼼히 읽어봤어요. 사실 속상할 때도 있었지만 공부가 많이 됐어요. 여러 사람이 반복해서 하는 얘기에는 배울 게 있다고 생각해요. 첫 드라마다 보니 부족한 점이 많았을 텐데요, 다음 작품에서는 시청자분들이 주신 조언들 잘 생각하면서 더 좋은 작품으로 찾아뵙겠습니다. 진심으로 감사 드립니다.

만든 사람들

라미란 이도현 안은진 유인수 정웅인 최무성 서이숙 김원해 장원영 강말금 박보경 백현진 홍비라 기소유 박다온

제공	SLL
제작	드라마하우스 / SLL / 필름몬스터
극본	배세영
연출	심나연 이정화

STAFF

제작	박준서 박철수
책임프로듀서	김소정
총괄프로듀서	이세영
기획프로듀서	연다영
제작프로듀서	최윤아 전형태 강미희
라인프로듀서	김채은 송지현
마케팅	[SLL 콘텐트솔루션] 오승환 김보연
총괄마케팅	[킹스마케팅] 주지성 임형섭 김승우
촬영	장종경 최성원 │ 김도희 한상규
포커스풀러	김민웅 정영훈 │ 김현수 지용도
촬영팀	박경휘 민세진 고은경 심승보 김찬민 이혁주 │
	서준용 구명준 김대현 황영식 배수인 신민정
DIT	남태규 │ 김수정
촬영장비렌탈	[썸필름앤디지털]
조명	[스페셜리스트] 유재규 김범준
조명팀	조상현 신유승 장준태 윤동건 홍성학 │ 허영목 김민혁 이용훈 김승민 김도일
발전차	[에이치투] 박상환
동시녹음	[써니사운드] 원종혁
	[곰사운드] 김남규
동시녹음팀	이건희 김태수 임승표 김선홍

나쁜엄마

그립	[도프그립] 김태훈
	[태성영상] 박승용
그립팀	이명준 최우성 이동찬 ㅣ 맹진학 한건 송현준
캐스팅	[JN에이전트] 정치인 이은샘
아역캐스팅	[배우마당] 임나윤 엄이슬 이용아
보조출연	[KS콘텐츠] 홍재창 조윤진 정용호 이환민
동물출연	[애니픽쳐스] 조형옥
무술	[BESTSTUNTTEAM] 강풍 최광락
무술지도	임동은
무술팀	임왕섭 김태야 김수영 임태훈 심상민 박영식 황유현
미술	[난달] 정민경
미술팀	장윤선 김나현 천지윤 이지은 박도현 안소연 배성우
미술지원	김유미 정희재
그래픽	이승희
세트	[아이세트] 우제형
세트팀	김용덕 김윤하 권용호 채병윤 조기남 김영준 최병재 최인준
	김종하 강석민 유영배 김용재
세트진행	염기백
작화	[화이트왁스]
작화팀	최윤석 전민욱 김형근 김종원 김유찬 성승모 이숙자
전식	[태양이엔씨] 정경광
세트장임대	[원방 스튜디오]
소도구	[TEAM101] 조기환 이형주 이종래
소도구팀	이수종 김지호 박석근 이기쁨 권민지 권태현 김현아
인테리어팀	이승은 김세안 지수민 도혜리 이혜나 이설희
소도구지원	윤영수 김성군 박성부 조함재
소도구차량	이한 최동영
의상	[Style7] 양현서 이진숙
의상팀	최서진 강나은 김예림 ㅣ 양화령 강선아 장경화
의상지원	이재연 김태림
의상차량	이준석 ㅣ 김광산
분장미용	[차차분장] 차민정
분장미용	이선영 김미현 박수연 임미정 김보경 남지현 ㅣ 김은하 이승희 박진희 신혜원
분장버스	[킴스뷰티버스] 김원철 ㅣ [유진네트관광] 시영수
특수분장	아이락김 김지수

더미제작	[제펫토]
특수효과	[DND라인] 도광섭 도은주
스탭버스	[유진네트관광] 장호정 김성안 ǀ 김범진
연출승합	박용주 ǀ 나병춘
카메라승합	우문기 임외빈 ǀ 허부열
제작승합	권순영
소품특수차량	[㈜인아트웍]
편집	전미숙
서브편집	이현 이초롱
편집보조	박신혜 이혜리
편집실임대	[블라스트]
음악	하근영
음악오퍼레이터	류민지 이광희
음악팀	조은정 김예술 김세종 이가영 김시은 이수연
OST 제작 및 유통	[SLL] 이아름 이철원 김주리 천단비 김정우 심효식 박수진
	김사무엘 김채은 윤승열 백란 소현지
Visual Effects	[OASYS STUDIO] 이지윤
Executive VFX Supervisor	정지형
VFX Supervisor	김소민
VFX Producer	서고은 김헌재 이계선
Compositing Lead	박영진
Compositing Artist	김은정 김수연
Lighting Lead	이은내
Linghting Artist	박성혁 이담
Mattepaint Lead	최돈성
Motion Graphics Artist	김한아
Head of R&D	김상훈
Technical Director	안진석 고혁
VFX Supervisor	엄준호
VFX Producer	박대경 강다비
Financial Lead	김보람
Financial Officer	윤세연
Animation Artist	표성운
Visual Effects	[OPIM DIGITAL]
VFX Supervisor	정석재
Project Manager	Hai Au
Lead Compositor	Huy Hiep

나쁜엄마

Compositors	My Dung Thanh Huy Hoang Long Phuong Linh Van Minh
	Quynh Anh Hong Hanh Ba Phan Quang Nam Uyen Nhi
VFX Producer	김진희
Studio Executive	윤성민
사운드믹싱	[studio H] 김지환
사운드효과	김용배 임준용 오호영
폴리사운드	[빅풋사운드] 이승호
DI	[DEXTER THE EYE]
Colorist	이정민
Assistant Colorist	채가희 서강혁
종합편집	[JTBC미디어텍] 이용직
JTBC기술지원	[JTBC미디어텍] 박연옥 김보경 박진우 이현기 박정환
JTBC홍보	채주연 정준영 김보라
JTBC콘텐트마케팅	이혁주 명미선 이희원
JTBC웹기획	이성미 임아름 이소정
JTBC웹운영	윤다원 류재은 양시온
JTBC웹디자인	김지영
JTBC메이킹편집	류미정
JTBC온라인서비스	디지털서비스팀 인코딩실
JTBC미디어컴	이종민 이담희
스틸	[블리스콘텐츠] 김호빈 김민수
메이킹	[퍼블리칸] 김재원 최민석 장원진
홍보대행	[피알제이] 박진희 이미송
온라인홍보대행	[프리엠컴퍼니] 안희수 안은정 조은미 이현아 박은수
포스터디자인	[피그말리온] 박재호 이유희 이서연 박인혜
포스터촬영	이승희
제작관리	[드라마하우스스튜디오] 서선영 백송이 김민아
	[SLL] 유한아 손보경
제작기획	[SLL] 김하은
대본인쇄	[엔젤북스] 한동민
보조작가	황수현 김보배
스토리보드	박종원
섭외	[로케이션ON] 신성훈 장민재 박경민 석정연 김정연
SCR	민유주	김지영
FD	[조이디] 강상연 최대선 장민이	정경환 이강우 김용희 이민영
조연출	이승현 박현수 최동성 최재희

나쁜엄마 대본집 2

1판 1쇄 **인쇄** 2023년 6월 20일
1판 1쇄 **발행** 2023년 6월 29일

지은이 배세영

발행인 양원석 **편집장** 차선화 **책임편집** 이슬기
편집 차지혜, 박시솔, 김재연
디자인 onmypaper 정해진 **영업마케팅** 윤우성, 박소정, 이현주, 정다은, 박윤하

펴낸 곳 ㈜알에이치코리아
주소 서울시 금천구 가산디지털2로 53, 20층 (가산동, 한라시그마밸리)
편집문의 02-6443-8916   **도서문의** 02-6443-8800
홈페이지 http://rhk.co.kr   **등록** 2004년 1월 15일 제2-3726호

ISBN 978-89-255-7634-3 (04810)

"이따 만나."